afgeschreven
D0833923

Obsessie

3453

Van dezelfde auteur

Asta's boek
Het huis met de trappen
Ongewenst weerzien
Vermist
Het dertiende jaar
Een tweede huid
Uit de sleur
Het tweede levenslicht
Terugzien in duisternis
De krokodilvogel
Wie kwaad doet
Motieven
Simisola
Het stenen oordeel
Dubbelleven
De fruitplukker
De verrassing

Bezoek onze internetsite www.awbruna.nl
voor informatie over al onze boeken.

Ruth Rendell

Obsessie

Openbare Bibliotheek
Reigersbos
Rossumplein 1
1106 AX Amsterdam
Tel.: 020 – 696.57.23
Fax : 020 – 696. 80.51

Zwarte Beertjes
Utrecht

Oorspronkelijke titel: Going Wrong
© 1990 by Kingsmarkham Enterprises
Vertaling: W.A. Dorsman-Vos
Omslagbeeld: B. Verreet/Alamy (glas) en Arthur Turner/Alamy (pistool)
Omslagontwerp: Wil Immink Design
© 2009 A.W. Bruna Uitgevers B.V., Utrecht

Dit is een uitgave van A.W. Bruna Uitgevers B.V.
in samenwerking met Zwarte Beertjes.

ISBN 978 90 461 1342 4
NUR 313

Tweede druk, april 2009

Voor Frederik en Lilian

Behoudens de in of krachtens de Auteurswet van 1912 gestelde uitzonderingen mag niets uit deze uitgave worden verveelvoudigd, opgeslagen in een geautomatiseerd gegevensbestand, of openbaar gemaakt, in enige vorm of op enige wijze, hetzij elektronisch, mechanisch, door fotokopieën, opnamen of enige andere manier, zonder voorafgaande schriftelijke toestemming van de uitgever. Voor zover het maken van reprografische verveelvoudigingen uit deze uitgave is toegestaan op grond van artikel 16 h Auteurswet 1912 dient men de daarvoor wettelijk verschuldigde vergoedingen te voldoen aan de Stichting Reprorecht (Postbus 3060, 2130 KB Hoofddorp, www.reprorecht.nl). Voor het overnemen van gedeelte(n) uit deze uitgave in bloemlezingen, readers en andere compilatiewerken (artikel 16 Auteurswet 1912) kan men zich wenden tot de Stichting PRO (Stichting Publicatie- en Reproductierechten Organisatie, Postbus 3060, 2130 KB Hoofddorp, www.cedar.nl/pro).

1

Zaterdags lunchte ze altijd met hem. Dat was vaste prik, daar viel niet aan te tornen, of het moest zijn dat een van beiden de stad uit was. Het stond even vast als het opkomen van de zon in de ochtend, het opvliegen van vonken, het zoeken van het laagste punt van water. Het was zijn bron van troost en geruststelling als het hem tegenzat. Wat er ook gebeurde dat hem onzeker of bang maakte, hij wist dat ze zaterdags met hem ging lunchen. Meestal als hij op weg was naar die zaterdagse afspraak om één uur, was hij optimistisch gestemd. Misschien dat hij haar deze keer kon overhalen in de komende week een keer met hem uit eten te gaan of naar een voorstelling. Misschien zou ze ervoor te porren zijn om tussendoor een keertje met hem af te spreken. Eens zou het er toch van komen, van móéten komen. Het was gewoon een kwestie van tijd. Ze hield van hem. Er was nooit iemand anders geweest, voor geen van beiden.

Terwijl hem op weg naar hun afspraak die woorden door het hoofd speelden, voelde hij een trilling van onrust. Zijn hart had bange voorgevoelens. Hij dacht terug aan wat hij had gezien. Daarna hield hij zich voor de zoveelste maal voor dat alles in orde was, dat hij zich zorgen maakte om niets. Hij hield het hoofd hoog en vermande zich.

Hij was op weg naar een wijnbar vlak bij de plek waar hij haar voor het eerst had gezien. Het was haar keus, want ze wist dat hij een dure tent zou hebben uitgekozen. Als hij per taxi aan kwam zetten, zou ze hem weer een rijke stinkerd noemen, en dus kwam hij te voet na zich boven aan Kensington Church Street door de taxi te hebben laten afzetten. Naar de normen van iedereen, behalve van echte rijkelui, was hij een vermogend man, en een miljonair in de ogen van de meeste mensen die zij kende. Rooie rakkers, groene idealisten, die het als een morele deugd beschouwden wanneer je geen diepvries of magnetron bezat, op een fiets rondreed en in de vakanties ging kamperen. Hij had haar alles kunnen geven wat haar hartje begeerde. Met hem zou ze een luizenleventje kunnen hebben.

Zij zou Portobello Road nemen naar de plaats van hun afspraak. Het pittoreske sprak haar aan: de zaterdagse kraampjes, de drukte, de mensen. En daar had híj nu juist een hekel aan. Het herinnerde hem te sterk aan de kwalijke kanten van zijn kinderjaren, aan het leven dat hij achter zich had gelaten. Hij verkoos de lange sobere Kensington Park Road, de brede onpersoonlijke laan naar het noorden.

Nu, midden in de zomer, waren de bomen donkergroen en stoffig. Het was warm, de zon straalde wit op de trottoirs, de lucht boven het asfalt was door de hitte zichtbaar als dansende doorschijnende golfjes. Ze had het land aan zijn zonnebril, zei dat hij eruitzag als een maffioso, dus zou hij hem afzetten zodra hij het donkere restaurant betrad. Hij had de vage hoop dat ze elkaar zouden treffen voor hij bij het restaurant was, want haar flat lag westelijk, voorbij Ladbroke Grove. Dan kon ze zien dat hij niet met een taxi was gekomen.

Onwillekeurig wierp hij een blik in de steeg aan zijn linkerhand, met een steek in zijn hart van bitterzoete herinneringen die erdoor gewekt werden. In een van die roze gekalkte poppenhuizen met hun bloembakken had zij met haar ouders gewoond, in dat huis met het balkonnetje als een haardrooster en een voordeur zo wit als slagroom. Je zou haast zeggen dat ze dat eethuisje had gekozen om hem te pesten. Maar dat was niets voor haar. Wat hem stak, was het feit dat zij er geen benul van had dat hij het erg zou vinden. Ze voelde hem niet meer aan en hij moest het haar duidelijk maken. Hij moest haar zover krijgen dat, als ze langs de huurkazerne kwam waar híj was opgegroeid, een paar straten verderop in Westbourne Park, bij haar de gevoelens van vroeger voor hem bovenkwamen. Even vroeg hij zich af hoe het zou zijn als hij wist dat zij evenzeer naar hem verlangde als hij naar haar, dat ze alleen al bij het zien van de straat waar hij had gewoond, overspoeld zou worden door een vloed van herinneringen, door tederheid en een heimwee naar die heerlijke tijd van toen.

Hij was veertien en zij elf, toen ze door deze straten gezworven hadden. Zijn bende. Allesbehalve onschuldige kinderen, maar toffe binken, blank en zwart, de meeste groot voor hun leeftijd, gewiekste winkeldieven, doorgewinterde marihuanarokers. Dat was in de beginperiode van zijn handeltje geweest en het had hem geen windeieren gelegd; hij had schoolkinderen op het verkeerde pad gebracht, wat hem een klein vermogen had opgeleverd. Sommige van die schoolkinderen waren rijk, met ouders die aan de goede kant van Holland Park Avenue woonden. Zijn moeder wist niet waar hij uithing, en het kon haar niet schelen ook, zolang hij haar maar niet lastig viel. En waarom zou hij? Hij was bijna één meter tachtig lang en schoor zich al, had verkering met een meisje van achttien, ging meestal wel naar school, maar was rijk genoeg om er de brui aan te geven. Als hij ergens heen moest, nam hij een taxi, als hij tenminste niet rondreed in de wagen van zijn vriendin.
Maar zij... Hij was op slag verliefd op haar geworden, vanaf het ogenblik dat zij Talbot Road was komen aflopen en op de hoek was blijven staan om naar hen te kijken, het viertal dat op een muurtje hun eerste joint van die avond zat te roken. Ze was klein van stuk en erg jong, met een ernstig gezichtje en eropuit om levenservaring op te doen. De anderen hadden geen belangstelling, maar hij bleef naar haar kijken en zij bleef naar hem kijken. Voor beiden was het liefde op het eerste gezicht. En toen de joint weer bij hem belandde, prikte hij hem op een speld, gaf hem aan haar door en zei: 'Hier, ga je gang maar.'
Dat waren de eerste woorden die hij tegen haar gezegd had. 'Hier, ga je gang maar.' En het klonk zo teder dat Linus hem op zijn Mohammed Ali-blik had vergast, en in de goot had gespuugd. Ze nam de joint aan en bracht hem naar haar lippen, waarbij ze hem natuurlijk nat maakte; dat doen ze de eerste keer altijd. Maar ze werd er niet misselijk van, ze deed niets stoms, maar gunde hem die hartvermurwende glimlach van haar, die uitliep in een zacht ginnegappen.
Na een maand maakten haar ouders er een eind aan. Ze stelden paal en perk aan 'dat spelen op straat', zoals ze het noemden.

Het was gevaarlijk. Er kon haar van alles overkomen. Dat betekende natuurlijk niet het eind van hun omgang; hij en zij troffen elkaar na schooltijd, op weg naar school en naar huis. Sedertdien was er geen tijd geweest dat hij haar niet meemaakte. Ja, tussenpozen natuurlijk van een maand of drie, vier, toen ze ging studeren, maar echt gescheiden waren ze nooit. Scheiding tussen haar en hem was niet mogelijk, stelde hij vast, toen hij de wijnbar binnenstapte en de wenteltrap af liep.

Hij bleef staan om zijn zonnebril af te zetten. Het was een tent met een aankleding uit de jaren dertig en ze speelden muziek uit films van Fred Astaire en Ginger Rogers. De wanden hingen vol foto's van vroegere filmsterren als Clark Gable en Loretta Young en langvergeten lieden die hem niets zeiden. Ze was er al, zat aan de bar met een glas sinaasappelsap voor zich te praten met de Franse jongen die de bar bemande. Hij was niet jaloers. Hij keek graag naar haar, als ze niet in de gaten had dat er op haar werd gelet.

Ze was heel donker, zoals Kelten donker zijn, en dat is heel iets anders dan de kleur van Indiërs, of van mensen uit het Midden-Oosten of zelfs Spanjaarden. Haar huid was altijd gebruind, zomer en winter, maar nu met deze mooie zomer was ze donkerbruin van de zon. Geen van haar trekken was mooi, behalve haar donkerblauwe ogen, maar samen vormden ze een schoonheid die door en door beviel en bevredigde. Zo hoorde een aardige, eerlijke, schrandere, boeiende vrouw van zesentwintig eruit te zien. Ze keerde hem haar profiel toe, de kleine rechte neus, de iets te zware kin, de lippen als rode rozenblaadjes die elkaars spiegelbeeld vormden, de wenkbrauwen die onder haar haar wegschoten. Ze had het haar van een schildknaap op een schilderij van Rossetti. Dat had haar moeder eens gezegd, haar móéder. Het was zo donker als bruin kan zijn zonder zwart te worden en reikte net tot over de oren als een metalen stolp; de pony trok een rechte streep over haar voorhoofd. Ze was in het wit. Witte shorts tot aan de knieën, witte blouse met wijde opgerolde mouwen, een rode ceintuur met blauw-witte gesp die los om haar ranke middel hing. Haar bruine benen waren erg lang, lang en fraai genoeg om

dikke witte sokken en gympen te kunnen dragen en toch mooi te blijven. Die zotte oorbengels. Zwarte dubbelgeoorde vazen als kwamen ze uit de graftombe van een mummie. Ze wekten in hem een ondraaglijke vertedering, die oorhangers van haar.
De barkeeper had haar zeker iets ingefluisterd. Ze draaide zich om. Hij had er alles voor overgehad als hij haar gezicht had zien oplichten, als het dezelfde uitdrukking had getoond als zijn gezicht bij het zien van het hare. Had hij zichzelf maar kunnen wijsmaken dat haar gezicht iets anders dan... wrevel uitdrukte. Onmiddellijk verdwenen, weggevaagd door plichtsgevoel en hoffelijkheid, het fatsoen dat haar kenmerkte, maar onmiskenbaar even aanwezig. Wrevel, teleurstelling dat hij er al was, dat hij niet te laat was of op het laatste nippertje een boodschap had gestuurd dat hij niet kon komen. Hij had het gevoel of een lange dunne pen door zijn hart ging. Daarna begon hij zichzelf van alles wijs te maken: het was verbeelding, ze was blij hem te zien. Waarom anders die zaterdagse afspraken gemaakt en nagekomen? Kijk naar die glimlach, dat stralende gezicht.
'Hoi, Guy,' zei ze.
Zo plotseling tegenover haar had hij, zelfs nu zij hem had aangesproken, de grootste moeite woorden te vinden. Even maar. Hij vatte haar uitgestoken hand en zoende haar eerst op haar linker- en toen op haar rechterwang. Zoals hij iedere willekeurige vriendin begroet zou hebben. En hij voelde de geijkte beweging van haar lippen tegen zijn linker-, zijn rechterwang.
'Hoe is het?' Hij had het gered. Het ijs dat de achterkant van zijn tong had bevroren, was gebroken.
'Prima!'
'Wou je nog een echt drankje?'
Ze schudde het hoofd. Wijn dronk ze wel eens, maar sterkedrank nooit, en meestal hield ze het bij sapjes of prik. Het was lang geleden dat ze na schooltijd samen op een grafsteen van het kerkhof van Kensal Green cognac hadden zitten drinken, die volgens Linus uit een vrachtwagen was gevallen. Als je achttien en vijftien bent, kun je een hoop cognac aan. Je hebt een sterk hoofd en een maag van ijzer.

Hij vroeg de barkeeper om nog een sinaasappelsap en een wodka-tonic. Ergens op de wereld moesten volmaakte zongerijpte sinaasappels zonder pitten zijn, zo groot als grapefruits en zoet als heidehoning. En die moesten ze hiernaartoe halen om voor haar uit te persen in een hoog kristallen glas dat wit beslagen uit de diepvries was gekomen, zo'n echt Waterford-glas, kostbaar, geëtst met blaadjes en bloemen, een glas dat, nadat ze het leeggedronken had, stukgegooid zou worden. Bij de gedachte alleen al moest hij glimlachen. Ze vroeg hem wat er zo leuk was en fronste de wenkbrauwen toen hij uitleg gaf.

'Guy, ik wil dat je ophoudt in die trant aan me te denken. Schei toch uit met dat soort verzinsels!'

'Wat voor soort?'

'Romantische fantasieën. Ze hebben niets van doen met de echte wereld om ons heen. Het lijkt wel een sprookje.'

'Dat is niet de enige manier waarop ik aan jou denk.' Hij keek haar doordringend aan en sprak langzaam, afgemeten en weldoordacht. 'Ik geloof dat ik aan jou denk op iedere manier waarop een man *kán* denken aan de vrouw van wie hij houdt. Ik denk aan jou als het aardigste meisje dat ik ken en ook het mooiste. Ik denk aan jou als uniek, als intelligent en begaafd, en alles wat een meisje behoort te zijn. Ik denk aan jou als mijn vrouw en de moeder van mijn kinderen, die alles wat ik heb met mij deelt en samen met mij oud wordt en op wie ik over vijftig jaar nog net zo verliefd ben als nu. Zo denk ik aan jou, Leonora, en als jij me kunt vertellen of er nog meer manieren zijn waarop een man aan de helderste ster aan zijn hemel kan denken, nou dan neem ik die ook voor mijn rekening. Nu tevreden?'

'Tevreden? Het gaat er niet om of ik tevreden ben.'

Hij wist dat zij die tirade van hem eerder gehoord had, of althans iets wat er veel op leek. Hij had haar lang geleden opgesteld en uit het hoofd geleerd. Dat nam niet weg dat het de waarheid was en wat kon hij meer zeggen dan de waarheid?

'Nou ja, blij dan? Ik wil jou blij maken. Maar dat hoef ik niet nog eens te zeggen, dat weet je allang.'

'Wat ik weet is dat ik niet jouw vrouw word en dat ik niet de

moeder van jouw kinderen zal zijn.' Ze keek op toen het sinaasappelsap gebracht werd, en gunde de barkeeper de glimlach waar hij, Guy, recht op had. 'Dat heb ik vaak genoeg gezegd. Ik heb geprobeerd het vriendelijk in te kleden. Ik heb geprobeerd eerlijk te zijn en me in deze omstandigheden fatsoenlijk te gedragen. Waarom weiger je me te geloven?'
Hij antwoordde niet. Hij keek op en zag haar met sombere ogen aan.
Misschien dat ze die zwarte blik voor een verwijt aanzag, want ze zei ongeduldig: 'Wat is er nu weer?'
Het viel niet mee, maar hij moest het vragen. Als hij nu de vraag niet stelde, zou hij het later doen. Als het er vandaag niet van kwam, zou hij hem de volgende dag door de telefoon stellen. Liever nu maar vragen, liever nu maar weten. Hij moest weten waar hij het tegen op had te nemen, of hij een rivaal had. Zijn keel voelde droog. Hij hoopte erg dat zijn stem niet hees zou klinken.
'Wie is hij?'
Zijn stem klonk wel hees. Hij klonk of iemand hem in een wurggreep hield. Ze stond versteld. Op zoiets was ze niet verdacht.
'Wat?'
'Ik heb je met hem gezien, in Kensington High Street. Dat was dinsdag of woensdag.' Met een soort hijgerige stem probeerde hij een onverschilligheid voor te wenden die hij niet voelde. Niet alleen de dag stond onuitwisbaar in zijn geheugen gegrift, ook het tijdstip, op de minuut af, en de plaats. Als hij er nu naartoe ging, zou hij de plek kunnen vinden, alsof hun voetafdrukken in het trottoir stonden geëtst. Hij dacht dat hij het geblinddoekt of in zijn slaap zou kunnen vinden. Hij zag hen nog voor zich, het tweetal, beelden die in zijn geheugen waren gestold, hun blije gezichten – nee nee, dat had hij erbij verzonnen – aan de rand van Kensington Market.
'Een echte onderkruiper,' zei hij, venijnig nu. 'Rooie haren. Wie is hij?'
Ze had het liever voor zich gehouden. Dat gaf nog een schilfer-

tje troost. Haar wangen kleurden rood. 'Hij heet William Newton.'
'En wat betekent hij voor jou?'
'Je hebt het recht niet me dat soort dingen te vragen, Guy.'
'Dat heb ik wel. Ik ben de enige op de hele wereld die dat recht wel heeft.'
Hij dacht dat ze dat zou ontkennen, maar gemelijk zei ze alleen maar: 'Oké, maar maak er niet zo'n punt van. Vergeet niet dat jij het vroeg en dus heb je je bij het antwoord neer te leggen.'
Besefte ze wel dat haar woorden hem door de ziel sneden? Hij keek haar aan, zijn adem ingehouden.
'Ik ken hem een jaar of twee, als je het weten wilt. Het laatste jaar hebben we samen opgetrokken. Ik mag hem heel graag.'
'Wat bedoel je daarmee?'
'Dat zeg ik toch: ik vind hem erg aardig.'
'En dat is alles?'
'Guy, door me zo aan te kijken maak je het me erg moeilijk hierover te praten. William wordt hoe langer hoe belangrijker voor me en ik voor hem. Zo, nu weet je het!'
'Gaan jullie samen naar bed?'
'Wat maakt dat nou voor verschil! Ja, ja, natuurlijk doen we dat.'
'Ik geloof er niks van.'
Ze probeerde een luchtige toon aan te slaan. 'Waarom niet? Ben ik soms niet aantrekkelijk genoeg om een minnaar te hebben? Ik ben pas zesentwintig, ik zie er niet slecht uit.'
'Je bent mooi. Dat bedoel ik ook niet. Ik heb het over hem. Wat een misbaksel! Nog niet eens één meter tachtig lang, met rooie haren en een gezicht als van een zebra zonder de strepen... en wat is nu een zebra zonder strepen? Wat doet hij? Heeft hij geld? Nee, zeg maar niks, ik zag zo wel dat hij niks heeft. Een kale, rooie kobold. Ik geloof er geen woord van. Wat zie je in hem? Wat trekt jou in jezusnaam aan in die vent?'
Zonder van de menukaart op te kijken zei ze bedaard: 'Wil je het werkelijk weten?'
'Natuurlijk wil ik dat weten. Ik vraag het toch?'

'Zijn gesprekken.' Ze keek op. Hij meende dat ze een lichte zucht slaakte. 'Al zou hij de hele dag tegen me praten en al zou ik mijn hele leven nooit meer een ander horen, ik zou me niet vervelen. Hij is de meest onderhoudende man die ik ooit ontmoet heb. Tja, Guy, je hebt erom gevraagd.'
'En met mij verveel je je?'
'Dat heb ik niet gezegd. Ik zei dat jij voor mij niet zo onderhoudend bent als William. En jij bent de enige niet, niemand is dat. Je hebt me gevraagd waarom ik met hem optrek, en nu weet je het. Ik ben verliefd geworden op William om wat hij zegt en... nou ja, gewoon, om zijn geest.'
'Je bent verliefd?' O, de gruwel van die woorden! Dat hij het moest beleven dat die zin over zijn lippen kwam, hij die verwacht had dat hij in de woorden zou stikken. Hij voelde zich slap en verloor de controle over zijn handen. 'Ben je verliefd op hem?'
Nadrukkelijk zei ze: 'Dat ben ik.'
'Och Leonora, en dat vertel je míj?'
'Je vroeg erom. Wat moet ik dan zeggen? Moet ik dan liegen?'
O ja, lieg maar raak, vertel me net zoveel leugens als je wilt, in plaats van deze afschuwelijke waarheid. 'En omdat hij zo boeiend praat, ga je met hem naar bed?'
'Ik weet dat het je bedoeling is het belachelijk te maken, maar ja, vreemd genoeg is dat een van de redenen.'
Ze bestelde meloen met prosciutto, zonder de prosciutto, en daarna een of andere pasta. Hij nam gamba's en tournedos Rossini.
Hij deed zijn best iets te zeggen, het maakte niet uit wat, en hij klonk als een vitterige chaperon. 'Ik wou dat je voor deze ene keer eens behoorlijk at. Ik wou dat je iets duurs bestelde.'
Hij zag aan haar dat ze blij was dat hij over iets anders was begonnen, of dat althans dacht. Maar de waarheid was dat hij er onmogelijk op door kon gaan. De woorden kwetsten. Haar woorden bleven hangen in zijn oren, drukten tegen zijn trommelvlies: ik ben verliefd op hem geworden.
'Nu we het daar toch over hebben,' zei ze, 'ik vind het vervelend

dat jij betaalt. Ik voel me niet thuis in een wereld waar de man als vanzelfsprekend het eten voor de vrouw betaalt.'
'Stel je niet aan. Man of vrouw, dat heeft er niks mee te maken. Wat er wel mee te maken heeft, is dat ik zowat vijftig maal zoveel verdien als jij.' Dat had hij niet moeten zeggen: dat wist hij al voor de woorden eruit waren. Hij besefte dat het een van zijn fouten was dat hij zich niet kon weerhouden prat te gaan op zijn succes als selfmade man. De frons verscheen weer op haar voorhoofd, trok de gewelfde wenkbrauwen samen. Hij voelde zich nu niet alleen ellendig maar ook boos. Dat was de narigheid. De enkele keer dat ze samen waren, altijd in het felle middaglicht, altijd met toeschouwers om hen heen, lukte het hem niet zijn boosheid te onderdrukken.
'Ik weet dat je een hekel hebt aan de manier waarop ik de kost verdien,' zei hij, starend naar de fronsplooien, starend in de blauwe onbevreesde ogen. 'Dat komt omdat je het niet begrijpt. Jij hebt geen benul van de wereld om je heen. Jij bent een intellectueel en jij denkt dat iedereen dezelfde smaak heeft als jij en weet wat goed is en wat niet. Wat jij niet begrijpt, is dat gewone mensen gewone leuke dingen in hun huis willen, dingen waar ze naar kunnen kijken en... nou ja, waar ze zich lekker bij voelen, dingen zonder pretentie of kouwe kak.'
'"Zijn standpunt aangaande de godsdienst die hij aanhing, was vergelijkbaar met dat van een kippenboer aangaande het afval waar hij zijn kippen mee vetmest: afval is walgelijk maar de kippen vinden het lekker en eten het en dus is het goed kippen met afval vet te mesten."'
Guy voelde het bloed naar zijn wangen stijgen. 'Ik veronderstel dat zelfs jij zoiets niet zelf zou bedenken.'
'Nee, maar Tolstoi wel.'
'Mijn complimenten voor je geheugen. Heb je dat expres uit je hoofd geleerd om vandaag te kunnen spuien? Of is het een van de staaltjes van zíjn sprankelende conversatie?'
'Het is een van mijn lievelingsuitspraken,' zei ze. 'Het is toepasselijk op hopen afschuwelijke dingen die de mensen elkaar tegenwoordig aandoen. Ik heb inderdaad een hekel aan de manier

waarop jij de kost verdient, Guy, maar daar is niet alles mee gezegd.'
'Ga je me de rest ook vertellen?'
Haar meloen kwam eraan, evenals zijn garnalen. Hij bestelde een fles Mâcon-Lugny. Hij was bepaald geen alcoholist, maar dronk de laatste tijd dagelijks. Hij dronk veel: een borrel en wijn tussen de middag, twee of drie glazen gin voor het avondeten en een fles wijn aan tafel. Als degene met wie hij was 's avonds nog een paar flessen wijn met hem wilde stukslaan, dan was hem dat best. Zelfs ter wille van Leonora was hij niet van plan te doen alsof hij niet van een borrel hield, of af te zien van de sigaret die hij zich na de tournedos beloofd had.
'Want dat heb je me eigenlijk nog niet verteld. Je hebt gezegd waarom je op die rooie kobold valt, maar nooit precies waarom je niet verliefd bent op mij, althans niet meer. Want eens was dat anders. Eens viel je wel op mij, bedoel ik.'
'Toen was ik vijftien, Guy. Dat is inmiddels elf jaar geleden.'
'Allemaal leuk en aardig, maar ik was jouw eerste en vrouwen houden altijd het meest van hun eerste.'
'Achterhaalde seksistische kolder, en ik moet je waarschuwen, als jij William nog één keer een rooie kobold noemt, ga ik weg.'
'Ik ben nie fan plan me te late beleidige,' smaalde hij met de stem van een Londense werkster.
'Je zegt het. Dankjewel, dat bespaart me de moeite.'
Hij zweeg, te boos om verder te praten. Zoals zo vaak bij hun ontmoetingen was hij te boos of te verdrietig om te eten, ondanks de eetlust die hij even tevoren nog had gehad. Dan maar drinken en ten slotte met een aangelopen gezicht de kroeg uit zwalken. Maar zijn gezicht was nog niet aangelopen. Hij zag zichzelf in het zwarte glazen paneel tegenover zich, naast de foto van Cary Grant in *Notorious*, een buitengewoon knappe man met sterke klassieke trekken, een nobel voorhoofd, mooie donkere ogen, een donkere haarlok achteloos over zijn gebruinde voorhoofd. Cary Grant kon niet aan hem tippen. Merkwaardig genoeg maakte dat fraaie uiterlijk hem alleen maar bozer. Het was of hij alles al had: een knappe kop, geld, charme, jeugd, dus

wat bleef er over, wat was er verder nog voorhanden om haar op andere gedachten te brengen, als dat alles niet toereikend was?
'Ik wil niets toe,' zei ze, 'alleen koffie.'
'Ik neem ook alleen koffie. Heb je bezwaar als ik rook?'
'Dat doe je immers altijd?' zei ze.
'Niet als jij bezwaar hebt.'
'Natuurlijk vind ik het niet erg, Guy. Je hoeft het niet te vragen als je met mij bent. Ik ken jou toch zo langzamerhand, of niet soms?'
'Ik neem nog een cognacje.'
'Ga je gang, Guy. Ik wou dat we ophielden met ruziën. We zijn toch zeker vrienden? Ik zou graag altijd vrienden met je blijven, als het kan.'
Dat ritueel hadden ze al eerder afgewerkt. Ik ben verliefd op hem geworden. De woorden gonsden hem door het hoofd.
Hij zei: 'Hoe is het met Maeve? Hoe is het met Maeve, en Rachel, en Robin, en mam en pap?'
Hij wist dat hij 'je vader en moeder' had moeten zeggen en hij wilde dat hij er geen lol in had haar mond licht te zien vertrekken toen hij op die manier haar ouders betitelde. Maar hij ging door en maakte het nog erger. Hij kon het niet tegenhouden. 'En hun aanhang?' zei hij. 'Stiefmam en stiefpap, hoe maken die het? Nog altijd verliefd? Nog altijd werkend aan hun volwassen tweede huwelijk, nu ze oud genoeg zijn om te weten wat ze willen?'
Ze stond op. Hij pakte haar bij de pols. 'Ga niet weg, toe ga niet weg, Leonora. Sorry. Het spijt me ontzettend, toe nou, niet boos zijn. Ik word er gek van, weet je. Wanneer je zo ongelukkig bent als ik, word je gek, dan kan het je niks meer schelen wat je zegt, dan zeg je alles wat je voor de mond komt.'
Ze wrong zijn hand los. Ze deed het heel omzichtig. 'Waarom stel je je toch zo aan, Guy Curran?'
'Ga zitten. Drink je koffie. Ik hou van je.'
'Dat weet ik,' zei ze. 'Geloof me, daar twijfel ik niet aan. Je zult me nooit horen zeggen dat ik niet geloof dat je van me houdt. Ik weet dat het zo is. Ik wou dat het niet zo was. God, ik wou dat

het niet zo was. Als je eens wist wat het mij een narigheid bezorgt, hoe het mijn leven verziekt, jij met je gezeur. Waarom laat je me niet met rust? Ik vraag me af of jij je ooit gewonnen zult geven, Guy.'

'Nooit.'

'Eens zul je wel moeten.'

'Ikke niet. Want zie je, ik weet dat het niet waar is, al die flauwekul. Jij zegt dat je verliefd bent geworden op hoe die ook mag heten, maar dat is maar een bevlieging, een voorbijgaande fase. Ik weet dat jij in werkelijkheid van mij houdt. Je zou het afschuwelijk vinden als ik je met rust liet. Jij houdt van mij.'

'Ik heb toch gezegd dat ik dat doe, op mijn manier. Alleen ik...'

'Ga volgende zaterdag mee uit lunchen,' zei hij.

'Ik lunch zaterdags toch altijd met jou?'

'En morgen bel ik je.'

'Weet ik,' zei ze. 'Ik weet dat je me dagelijks zult bellen en elke zaterdag met me gaat lunchen. Dat is net zo vaste prik als Kerstmis.'

'Precies,' zei hij, zijn cognacglas naar haar opheffend en eraan nippend, en vervolgens een slok nemend of het wijn was. 'Ik ben even betrouwbaar als de kerstman en even... hoe noem je dat... onontkoombaar. En ik zal je nog eens wat vertellen. Jij zou niet komen als je diep in je hart niet van mij hield. Die roo..., die William, daar ben jij niet verliefd op, dat is gewoon een bevlieging. Degene van wie jij houdt, dat ben ik.'

'Jij bent me dierbaar.'

'Waarom blijf je dan komen?'

'Toe, Guy, nou redelijk wezen. Ik blijf alleen komen omdat... nou ja, daar hoef ik nu niet over uit te weiden.'

'Ja, daar moet je wel over uitweiden. Waarom "blijf je alleen komen omdat"?'

'Nou vooruit, omdat je erom vraagt. Omdat ik weet wat er in je omgaat, of tracht te begrijpen wat er in je omgaat. Ik wil je sparen, ik wil niet rot doen. Ik heb je inderdaad dingen beloofd en zo, toen we nog kinderen waren. Geen redelijk mens zou dat soort beloften als bindend beschouwen, maar toch. God, Guy, jij trekt aan mijn geweten, snap dat dan toch. Daarom ga ik zaterdags met je uit lunchen. Daarom luister ik naar jouw gezever en laat ik je mijn vader en moeder en vrienden en... en William beledigen. En er is nog een reden, namelijk dat ik hoop... of liever hoopte... jou tot bezinning te brengen. Ik hoopte je te overtuigen dat het een hopeloze zaak was... sorry voor al die hopen... en dat jij zou gaan inzien dat er geen sprake kon zijn van een gemeenschappelijke toekomst voor jou en mij. Ik had de illusie dat ik je zou kunnen overtuigen dat we vrienden konden zijn, en dat had nu zover moeten wezen: dat jij je erbij had neergelegd dat je mijn vriend was... of liever onze vriend, die van William en mij. Is het je nu duidelijk?'

'Een hele redevoering,' zei hij.

'Om te zeggen wat ik bedoelde, kon ik het niet korter houden.'

'Leonora,' zei hij, 'wie heeft mij bij jou zwartgemaakt?'

Het was een ingeving. Het kwam als een onthulling, als een openbaring die de trouwe gelovige genadig gegund werd. Haar gezicht stond schuldbewust, argwanend, op zijn hoede, en dat toonde hem dat hij gelijk had.

'O, je hoeft me niks meer te vertellen. Een van hen, waar of niet? Een van hen heeft jou tegen mij opgezet. Ik ben niet goed genoeg voor hen. Ik beantwoord niet aan hun opvatting van wat goed voor jou is. Zo is het toch?'

'Guy, ik ben een volwassen vrouw. Ik neem mijn eigen beslissingen.'

'Je zult toch niet ontkennen dat jullie een heel "knusse" familie zijn. Je zult niet ontkennen dat ze veel invloed op jou hebben.'

Ze kon het niet ontkennen. Ze zweeg. 'Ik wed dat ze in de wolken zijn met die William. Ik wed dat iedereen op hem heeft gewed.'

Zorgvuldig sprekend zei ze: 'Ja, ze mogen hem graag.' Ze stond op, beroerde even zijn hand met de hare, en had een blik in haar ogen die hij niet kon doorgronden. 'Tot volgende zaterdag.'

'Voor die tijd spreken we elkaar nog. Ik bel je morgen.'

Met montere, effen stem zei ze: 'Ja, jij belt mij, dat is waar ook.'

Hij liep de ene kant uit, zij de andere. Zodra ze uit het gezicht verdwenen was, hield hij een taxi aan. Hij overwoog de chauffeur te vragen naar Portland Road te rijden waar haar flat was, om de zaak met haar uit te vechten, desnoods met William erbij. Hij was er zeker van dat William daar op haar wachtte, vol medeleven luisterend naar haar geweeklaag over de lunch en over hem en wat een corvee het allemaal wel was, om haar vervolgens te vergasten op zijn briljante conversatie. Maar dat soort dingen zou ze niet zeggen. Ze zou niet klagen of zeggen dat het een corvee was. Hij meende zelfs te weten dat ze tegenover niemand ook maar gewag zou maken van hun ontmoeting. Want de waarheid was dat ze inderdaad van hem hield. Zou ze met hem afspreken als ze niet van hem hield? Wie geloofde nu al die flauwekul over haar geweten en haar pogingen hem te overtuigen dat ze vrienden konden zijn! Een vrouw die elke dag met een man telefoneert en hem elke week een keer ontmoet, doet dat omdat ze van die gozer houdt.

Bij de ingang van Scarsdale Mews betaalde Guy de taxi. Tien jaar geleden, toen hij negentien was, had hij het huis daar gekocht. Een ongehoord huzarenstukje. Maar hij had het geld ervoor. Het was vlak voordat de huizenprijzen de pan uitrezen, waardoor het huis in drie jaar drie keer zoveel waard was geworden. De op één na beste buurt van Londen, noemde hij het. Hij had het huis gekocht omdat het, net als het huisje waar haar ouders toen nog in woonden, een verbouwde paardenstal was. Alleen was het zijne groter en lag het in een veel nettere buurt. Hij telde een man uit het Hogerhuis, een befaamde romanschrijver en een tv-ster onder zijn buren.

De eerste keer dat hij haar ten huwelijk had gevraagd, was hij twintig en zij zeventien. Hij nam haar mee naar zijn huis en liet haar de ommuurde tuin zien met de sinaasappelboompjes in hun Romeinse vazen; de zitkamer waarvan de wanden bekleed waren met echte Portugese tegels en de vloer bedekt met een Perzisch tapijt. Het huis had de eerste jacuzzi in heel Londen. Hij had een hemelbed uit de achttiende eeuw en een pers uit Joshagan op de slaapkamervloer. Alles was veel mooier dan de spullen van haar ouders. Hij nam haar mee uit eten naar de Ecu

de France waar de kelners dansend naar je toe kwamen om je de spijzen op zilveren schalen te tonen. En daarna nam hij haar weer mee naar huis waar hij Piper Heidsieck koud had staan en wilde bosaardbeitjes.
'*The Great Gatsby*,' had ze gezegd.
Dat was de titel van een boek. Ze praatte altijd over boeken. Hij had een ring voor haar gekocht met een saffier zo groot als de iris van haar oog. Voor haar plezier had hij het fortuin besteed dat hij als tiener had vergaard.
'Nee, dat kan niet. Ik ben nog maar zeventien,' zei ze toen hij haar vroeg met hem te trouwen.
'Oké, ik kan wachten,' zei hij.
Die ring had hij nog altijd. Hij lag boven in de safe, samen met een paar andere, minder brave gebruiksvoorwerpen. Hij liet de hoop niet varen die ring eens aan haar vinger te schuiven. Het stond vast dat ze van hem hield. Als ze niet van hem hield, zou ze immers weigeren hem ooit nog te zien? Zo zijn de mensen, zo was hij ook tegen de meisjes die achter hem aan zaten. Hij ontsloot de voordeur en liep rechtstreeks door naar de kamer die hij van haar niet salon mocht noemen, maar die hij natuurlijk wel zo betitelde, hoe anders. Daar schonk hij zich een glas cognac in. Ook deze keer herinnerde de kleur van goede cognac hem aan de fles van Linus Pinedo, die ze in Kensal Green hadden gedronken. Daas van verliefdheid en drank hadden ze in elkaars armen gelegen in het lange gras tussen de graven, terwijl boven hun hoofden vlinders zweefden op de warme zomerlucht.
'Ik zal mijn hele leven van jou houden,' had ze gezegd. 'Er kan nooit iemand anders komen, Guy. Heb jij dat gevoel nou ook?'
'Dat weet je best.'
Ze hield van hem. Had dat altijd gedaan. Iemand had haar tegen hem opgezet. Iemand had haar beïnvloed, tegen hem, misschien wel meer dan één: William, of Maeve, of Rachel, of Robin, of de ouders: Anthony haar vader en Tessa haar moeder. En ze waren hertrouwd, ieder met een ander, en dat was de reden waarom ze zich geen verbouwde stallen in de op één na beste buurt (alleen was het in hun geval de op drie of vier na beste

buurt) van Londen konden veroorloven. Guy grinnikte. Nu was het Anthony en Susanna, Tessa en Magnus.

Ze hadden haar tegen hem opgezet, met voorbedachten rade. Het maakte deel uit van hun uitgestippelde beleid om haar in hun gareel te dwingen en haar gescheiden te houden van ongewenste elementen. Anthony, de architect, was haar vader, en Tessa – die van de metaalglanzende nagels en de bekakte alwetende stem – haar moeder. De lieve, zachte Susanna, de amateur-psychotherapeut, was haar stiefmoeder, en Magnus, de jurist met het doodskopgezicht en de manier van doen van de galgenrechter, haar stiefvader.

En de anderen aan de zijlijn: Robin en Rachel en Maeve. Die spanden tegen hem samen, met zijn achten tegen Guy Curran.

2

Na de lagere school koos ze de scholengemeenschap van Holland Park, zijn school. Haar moeder vond het een vervelend idee dat ze op wintermiddagen, als het tegen vieren al donker begon te worden, alleen naar huis liep. Dus om te verhinderen dat haar moeder haar met de auto van school afhaalde, zei Leonora dat ze wel naar huis liep met 'een paar oudere leerlingen'. Die oudere leerlingen waren hijzelf en Linus en Danilo, die zich in de plaatselijke onderwereld de naam van de Droomhandelaars begonnen te veroveren.
Als haar ouders dat hadden geweten, hadden ze niet gewoon een rolberoerte gekregen, ze zouden waarschijnlijk geëmigreerd zijn. Na verloop van tijd was hij trouwens de enige met wie ze naar huis liep. Linus had zijn schooldiploma gehaald en was naar een of andere beroepsopleiding gegaan, terwijl Danilo in de nesten was geraakt door flats te kraken. De Droomhandelaars was een onemanshow geworden, maar het bleef die ene man voor de wind gaan.
Op een herfstmiddag zaten ze op een stoep op Prince's Square. Niet dat ze zaten te roken of zo. Ze waren gewoon bezig samen een blikje cola te drinken met een zakje chips, en toen kwam haar moeder voorbij in haar auto. Ze reed Hereford Road in op weg naar huis. Hij verwachtte dat ze zou stoppen, maar ze wuifde alleen naar Leonora en reed door.
'Doe maar een schietgebedje voor me tegen de tijd dat ik thuiskom,' zei Leonora.
'Waarom? Wat gebeurt er dan?'
'Dat weet ik niet precies. Misschien een geweldige scène. Misschien zullen ze me wekenlang van en naar school rijden. Goh, ik hoop van niet. Dat zou echt rot zijn.'
'Dacht je? Ik wed dat ze doet wat er in het tijdschrift van mijn oma staat.' Hij sloeg een hoge vrouwenstem aan: '"Verbied uw

kinderen de omgang met hun vrienden niet. Het is veel beter hen aan te moedigen hun vrienden mee naar huis te nemen. Zo leert u hen kennen. Vergeet niet dat de meeste mensen gunstig reageren op een blije huiselijke sfeer."'
Daar moest ze om lachen. Hij herinnerde zich ieder woord van dat gesprek, al de finesses van de plaats en het tijdstip, en natuurlijk van haar. Ze droeg een blauwe spijkerbroek, een witte blouse, een donkerblauwe trui met op het voorpand een teddybeer, een lekker pluizig spijkerjack met schapenvoering, bruine leren laarzen en een lange das met roze, blauwe en gele strepen. Ze had haar haar toen lang, echt heel lang, bijna tot aan haar middel. Een muts droeg ze niet, daarvoor was het nog niet koud genoeg. Het was pas oktober. Zij was dertien.
Dat was ook de tijd dat ze een gaatje in haar oren liet prikken. Hij ging met haar mee. De dingen die meisjes zichzelf aandeden en die zo verschilden van wat mannen deden, dat boeide hem; hij vond de tegenstelling intrigerend. Ook toen al droomde hij van een toekomst waarin hij haar diamanten oorbellen zou geven. Haar moeder was laaiend geweest, had gezegd dat zoiets ordinair was als je zo jong was. Leonora was begonnen die fantastische bengels te dragen die ze nog steeds mooi vond. Het stel dat ze inhad toen ze op die stoep zaten, bestond uit een telefoontje waarvan de hoorn er aan een draadje bij bungelde.
Hij wist het allemaal nog zo goed, omdat het de eerste keer was dat ze gezegd had dat ze van hem hield. Geen mens had dat ooit eerder tegen hem gezegd, ook niet die meid van achttien (nu twintig) met wie hij haar divanbed wel eens deelde in haar piepkleine zitslaapkamer en van wie hij de auto reed. Waarom zouden ze ook, en trouwens wie? Zijn moeder in elk geval niet. En ook zijn grootmoeder niet die zijn moeder had overgehaald hem Guy te noemen, omdat Guy Fawkes naar haar zeggen de eerste katholiek geweest was die getracht had de Britse regering op te blazen.
Maar toen hij met dat hoge stemmetje praatte over thuis uitnodigen en de blije huiselijke sfeer, begon Leonora hard te lachen. Ze lachte en lachte, liet haar hoofd op haar knieën zakken,

schudde haar lange donkerbruine haar, schudde de telefoontjes en zei: 'O Guy, ik hou van je, o wat hou ik van je!' waarbij ze haar armen om zijn hals sloeg en hem tegen zich aandrukte.
Ze vond het leuk als hij grappige of gewaagde dingen zei, en dus probeerde hij zo vaak als hij kon iets te verzinnen. Hij had ze niet altijd bij de hand, maar hij deed zijn best. Hij deed nog steeds zijn best. En nog steeds lachte ze erom, maar met een bijklank in haar lach die hem dwarszat. Het was de klank van verrassing.
Het gekke was dat haar moeder precies deed wat hij voorspeld had: ze bewoog Leonora ertoe hem binnen te vragen. Hij had nog nooit een van de anderen ontmoet, van de mensen om haar heen. Haar broer Robin was niet thuis. Die zat op zo'n bekakte kostschool.
Haar moeder moest toen een jaar of achtendertig geweest zijn. Ze was precies een oudere, killere versie van Leonora: dezelfde olijfkleurige huid, hetzelfde pagegezicht, hetzelfde donkere haar, hoewel het hare in een soort knoedel achter in haar nek zat, dezelfde blauwe ogen, maar berekenend en argwanend. Guy zag haar nagels. Die waren zilvergelakt. Ze waren erg lang en bovenaan gekromd als klauwen, maar met een vijl bijgepunt zodat ze eruitzagen als metalen bestekonderdelen. En iedere keer dat hij haar daarna ontmoette, hadden die nagels een andere metaalglans: goud, brons of weer dat zilverkleurtje. Leonora stelde haar moeder niet aan hem voor. Waarom zou ze. Ze wisten van elkaar wie ze waren. Iemand anders kon het niet zijn.
En toch werd het onweerlegbare vastgesteld: 'Zo, dus dit is Guy.'
Het regende. De tot woonhuis verbouwde stal was klein en nogal donker en de schaarse lampen vormden plassen gouden licht in de schemerige hoeken. De grote goudgespoten radiatoren gaven een intense hitte af. Er hing zo'n chemisch citroen-lavendelluchtje van boenwas. Bij Guy thuis stonden haast geen meubels in de haveloze kamers. Het meubilair bestond uit kisten en matrassen, een enorm tv-toestel en een stereo, Indiase spreien die bij wijze van gordijnen voor de ramen waren gespijkerd. Maar

hij wist wat kwaliteit was en wat hij eens in huis zou hebben. Hij keek om zich heen naar het laat-Victoriaanse allegaartje, de roze chaise longue, de Parker Knoll-fauteuils en de reproductie van een achttiende-eeuwse eettafel.

Leonora's moeder zei: 'Waar woon jij, Guy? Niet zo ver weg, zou ik zeggen.'

Hij antwoordde recht op de man af, wetend dat ze hem onmiddellijk zou kunnen plaatsen. Ze zou meteen begrijpen dat Attlee House waarschijnlijk niet de naam zou zijn van een blok luxe appartementen. Hij zag hoe haar brein tikte, hoe de radertjes draaiden en de zaakjes in de bestemde gleuf schoven, bezig een alternatief plannetje te bedenken.

Leonora was ongedurig, ongeduldig. 'Kom mee naar mijn kamer, Guy.'

Een hand plaatste zich op Leonora's arm en bleef daar, een lange vaalbruine hand met in zijn ogen bovennatuurlijk lange dunne vingers, met nagels die eruitzagen als glimmende haken, ontworpen om ongerechtigheden uit het eten te peuteren.

'Nee, Leonora, dat lijkt me geen goed idee.'

'Waarom niet?'

'Zodra pap thuiskomt gaan we aan tafel.'

Naast elkaar gezeten op de roze chaise longue keken ze televisie. Ze had zijn hand willen pakken, hij voelde dat ze dat van plan was, maar hij schudde haast onmerkbaar het hoofd en schoof een paar centimeter bij haar vandaan.

Pap kwam thuis. Guy had nog nooit iemand gezien die zoveel leek op een menselijke teddybeer, met zijn knappe blonde ronde trekken, zijn mollige maar niet dikke postuur. Hij noemde Leonora's moeder Tessa, en dus deed Guy dat ook maar, toen hij haar aansprak. Er was niemand die hij meneer of mevrouw noemde. Dat had hij nooit gedaan en hij begon er ook niet aan. Dat had hem op school eindeloos veel sores bezorgd.

'Tessa,' zei hij en ze keek hem aan of hij haar Teef had genoemd, of Sloerie, of iets dergelijks. Haar wenkbrauwen, het evenbeeld van die van Leonora, maar omzoomd door oud en bruin sproeterig vel, verdwenen onder haar haar.

'Nee maar Guy, wat een compliment,' zei ze op hoge, sarcastische toon. 'Ik besefte niet dat we zo vroeg in onze omgang al op zo intieme voet waren.'
'Ach mam, hou toch op,' zei Leonora.
Mam lette er niet op. Guy kon er een eed op doen dat de ouwe heer – nou ja, zeker veertig – hem een vaag knipoogje gaf.
Tessa zei: 'Ik veronderstel dat je heel warm, tegemoetkomend van aard bent, maar als je het niet heel erg vindt, blijf ik voorlopig toch liever mevrouw Chisholm.'
Het liefst had hij gezegd dat zij hem dan maar met meneer Curran moest aanspreken. Maar dat deed hij natuurlijk niet. Hij zei niets, hij sprak haar niet aan, hij wilde niet dat ze Leonora bij hem vandaan hielden. Onder het eten praatten ze aan één stuk door over verdovende middelen. Dat wil zeggen: de ouders. Het klonk alsof het ingestudeerd was. Weten konden ze niks, maar ze hadden hem wel door. De vader zei dat handelen in verdovende middelen verachtelijker was dan moord of kinderen misbruiken. En de moeder zei dat ze, hoewel ze het een gruwelijk idee vond een mens zijn leven te benemen, vond dat de doodstraf weer moest worden ingevoerd voor drugshandelaren.
Hij werd nooit weer uitgenodigd, maar het werd Leonora toch niet verboden met hem om te gaan. Ze wisten ongetwijfeld dat ze iets dergelijks toch niet konden afdwingen, tenzij ze verhuisden.
Nu en dan kwam hij Tessa tegen als ze aan het winkelen was, één keer toen ze de bioscoop uit kwam. Ze wist zich uitstekend te kleden, dat moest hij haar nageven, en ze had een fantastisch figuur. Ze had van die dunne hoge enkels, waardoor vrouwenbenen iets krijgen van de benen van een karrenpaard. Maar op haar gezicht verdrongen zich de groeven. Bij elke ontmoeting was er een nieuwe en diepere groef bij gekomen. Toen hij Leonora mee uit begon te nemen en min of meer haar officiële vriendje was geworden, kwam hij wel eens onuitgenodigd bij haar thuis. Dan bejegende Tessa hem met uiterste kilheid, en zette ze haar nagels in zijn gevoeligste plekken. Het leek net of ze die zilver-, koper- of tinkleurige dolken aan het uiteinde van haar vingers in zijn

oogkassen stak. Hij moest de ogen sluiten en het ondergaan. Dus hij was niet bezig met de een of andere opleiding? Hoe was het met zijn vader? Waar was zijn vader? Dacht hij dat zijn moeder ooit tijd zou uittrekken om met de Chisholms te komen kennismaken? Hij besefte toch wel dat hij, als Leonora eenmaal ging studeren, haar misschien wel drie jaar lang niet te zien zou krijgen?

Maar kort daarop gingen ze uit elkaar, zij en Anthony Chisholm, het poppenhuisje met de bloembakken werd verkocht en een tijdlang was Leonora verbijsterd, troosteloos over de scheiding die ze niet had zien aankomen. Haar vader had een andere vrouw gevonden, haar moeder een andere man. Leonora vertrouwde hem toe dat ze iedereen haatte en dat ze haar ouders nooit wenste weer te zien, en heimelijk juichte hij. Hoe jong ook, hij besefte hoeveel invloed ze op haar hadden. Nu ze niet meer met hen wilde praten, ernaar snakte het huis uit te gaan, op zichzelf te gaan wonen, de stof van hun deurmatten van haar schoenen te schudden, wist hij dat ze naar hem toe zou komen. Hij zou een huis hebben om haar mee naartoe te nemen en ze zouden gaan trouwen. In hem zou ze zowel een vader en moeder als een man en een minnaar vinden.

Ze draaide bij. De breuk duurde maar een paar weken en plotseling waren ze allemaal weer goede maatjes, zochten de beide echtparen elkaar op, gingen met hun vieren uit eten. Leonora vertelde weer wat mammie had gezegd en wat pap deed en, ongelooflijk maar waar, wat Susanna dacht en wat Magnus aanraadde. Ze noemde dat beschaafd gedrag.

Guy legde zich erbij neer. Hij had geen keus. Trouwens, hij had andere dingen aan zijn hoofd en troostte zich met de gedachte dat hij, ondanks alles, zeker van Leonora was. Op zekere ochtend besefte hij dat hij een rijk man was. Op zijn achttiende was hij stukken rijker dan de Chisholms ooit zouden worden.

Hij had haar jarenlang dagelijks gebeld. Een dergelijke bewering is nooit helemaal juist. Dat kon ook niet. Hij had dagelijks geprobéérd haar te bellen. Meestal kreeg hij haar aan de lijn. Het

was een soort uitdaging voor hem, of een zoektocht uit pure liefde ondernomen.
Toen ze ging studeren, zei ze dat ze die dagelijkse telefoontjes vervelend vond, gênant. Dat nam hij niet serieus van haar. In de vakanties belde hij haar bij Tessa of Anthony, bij de ouder bij wie ze toevallig haar intrek had genomen. Ze ging naar de pedagogische academie en elke dag weer trachtte hij haar op de studentenflat aan het toestel te krijgen. Vaak lukte het niet, maar hij hield vol. Hij belde haar toen ze bij Susanna en Anthony introk, en toen ze met Rachel Lingard op kamers ging wonen, en toen ze met Rachel en Maeve Kirkland die flat kreeg.
Meestal werd er door een ander opgenomen. Hij wist niet waarom dat was. Toen ze nog bij haar vader inwoonde, werd de telefoon meestal beantwoord door Anthony of Susanna, en nu op de flat had hij de meeste kans Rachel of Maeve aan het toestel te krijgen. Bij haar moeder had ze in geen jaren gehuisd en Tessa's stem had hij niet meer gehoord sedert de housewarmingparty aan Portland Road. Maar zodra hij de stem hoorde, herkende hij hem. Het was Tessa die opnam toen hij het nummer van Leonora's flat draaide, de dag na de lunch in de wijnbar.
Een kwijnend 'Hallo?' Tessa klonk óf kwijnend óf fel, afhankelijk van haar stemming.
Kortaf zei hij: 'Leonora graag.'
'Met wie spreek ik?' Alsof ze dat niet wist.
'Met Guy Curran, Tessa.' Hij haalde diep adem. 'En hoe gaat het met jou, na al die jaren?'
Het was of ze twee kranen in haar hoofd had: uit de ene kwam druppelsgewijs die stroperige slijm, uit de andere een bruisende straal. Ze zette de bruiskraan open.
'Ik ben blij jou te spreken te krijgen. Leonora is gewoonweg te lief en te zachtaardig om te zeggen wat gezegd moet worden. Ieder ander meisje zou al lang de politie op jou afgestuurd hebben. Op zijn minst. Weet je wel dat ze naar de rechter zou kunnen stappen voor een gerechtelijk bevel dat jou verbiedt je bij haar op te dringen?'
Hij zei niets. Hij hield de hoorn op armlengte van zijn oor, en

zocht naar een sigaret. De stem kwam nijdig kwetterend uit de hoorn. Hij klemde hem tussen kin en schouder en stak de sigaret aan.
'Ik weet dat je nog luistert,' hoorde hij haar zeggen. 'Ik hoor je ademhalen. Net zo'n enge hijger. Dat is het afschuwelijke. Je bent zo'n griezel, een soort gangster. Het is ongehoord dat mijn dochter omgaat met iemand als jij... Die afgrijselijke telefoontjes iedere dag weer, die zaterdagse lunch-onzin, net een soort uithoudingstest. Ik begrijp er niets van, het gaat mijn verstand te boven, tenzij je haar op de een of andere manier hebt gehypnotiseerd.'
Het enige wat hem te doen stond, was misschien op te hangen en het later nog eens te proberen. Terwijl hij dat overwoog, hoorde hij Leonora zeggen: 'Geef op moeder, toe nou.' Ze noemde dat mens tenminste geen mammie meer. 'Guy, sorry hoor,' zei ze, 'moeder zit nu met Maeve in de keuken. Ik wil niet dat jij denkt dat ik me over je heb beklaagd. Ze verbeeldt het zich gewoon. Haar houding tegenover jou is helaas erg negatief. Is altijd al zo geweest.'
'Zolang jij maar niet naar haar luistert, schattebout,' zei hij.
Ze zei niet dat hij haar zo niet mocht noemen. 'Het valt niet mee niet naar je moeder te luisteren, vooral met zo'n hechte band als wij die hebben.'
Weer beroerde een koude vinger zijn nek. Dus dat mens had echt nogal wat invloed op Leonora. Ze luisterde naar haar. Waarom wilde ze een hechte band met iemand als zij? Omdat het haar moeder was? Hij had zijn eigen moeder in geen zeven jaar gezien, om van welke band dan ook maar helemaal te zwijgen. Dat was iets waar hij niet bij kon, die eendracht in het gezin, maar de gevolgen ervan begreep hij wel.
Hij liet zich door de klank van Leonora's stem meeslepen, meer bijna dan door de eigenlijke inhoud van haar woorden. Ze praatten een poosje. Ze gingen ergens lunchen aan de rivier, zij, haar moeder, stiefvader en broer, en om de een of andere reden Maeve, en dan zou ze de rooie kobold later ergens ontmoeten. De volgende dag begon ze aan de laatste week op de basisschool waar ze les gaf. Daarna begon de grote vakantie.

'Morgen bel ik je,' zei hij.
Haar toon was van het begin tot het eind hartelijk en lief geweest. Als de boze invloed, of invloeden, die haar tegen hem opzetten verwijderd waren, dan zou de liefde die ze eens voor hem had gevoeld terugkomen. Hij verbeterde zich: 'Voor hem voelde', niet: 'eens voor hem gevoeld had'. Die liefde kon nooit sterven, hoogstens onder de oppervlakte geraken. Iemand had haar verteld, vertelde haar waarschijnlijk aan één stuk door, dat die rooie kobold grotere zekerheid bood dan hij, dat dat een betrouwbare levenspartner zou zijn die beter bij haar paste. Diezelfde figuur vergiftigde haar geest tegen hem door hem voor misdadiger uit te maken.
Het was boeiend na te gaan, of liever: het zou boeiend zijn als zijn levensgeluk er niet mee gemoeid was, hoe anders de zaak er zou komen uit te zien als Tessa Chisholm – of hoe ze tegenwoordig heten mocht, Tessa Mandeville – gewoon van het toneel verwijderd werd. Hij mixte zich een glas campari met jus d'orange en een flinke hoeveelheid ijs en liep ermee zijn ommuurde tuin in. Wat een kostelijke zomer beleefden ze, elke dag weer even warm en zonnig. Zijn sinaasappelboompjes in de blauw-metwitte Chinese potten droegen vruchten, groen nog weliswaar, maar ze waren al iets aan het kleuren met een gelige blos op hun wangen.
De tuinmeubelen kwamen uit Florence en waren van bronskleurig smeedijzer, en op een eilandje in het ronde vijvertje stond een bronzen dolfijn. Clematis klom bij de muren omhoog, Nelly Moser en Ville de Lyon, bleekroze en dieppurper tegen de donkere glanzendgroene begroeiing van klimop. Leonora was in geen tijden bij hem thuis geweest. Hij herinnerde zich dat ze vorige zomer een keer had zullen komen en dat ze had opgebeld om te zeggen dat ze niet kwam want haar moeder was ziek. Alweer die Tessa. Hij had geen ogenblik geloofd dat ze inderdaad ziek was. Het mens was sterk als een paard. Trouwens, ze at ook als een paard en bleef toch zo mager. Hij zag haar voor zich in een hoteltuin in Richmond, etend aan een tafeltje onder een gestreepte parasol, zich te goed doend aan avocado, magret

de canard en Joost mocht weten wat, de lange goudgepunte vingers druk in de weer met mes en vork.
Het was meer dan waarschijnlijk dat Tessa Leonora met die William Newton in aanraking had gebracht. Ze was van het slag dat op zoek gaat naar een man voor haar dochter en hen bij elkaar brengt. Maar zo moest hij niet denken. Zelfs in gedachten moest hij het niet onder woorden brengen, dat denkbeeld dat Leonora met iemand anders zou trouwen. Dat deed Tessa wel. Tessa zou daar voortdurend mee bezig zijn.
Hij had Linus langgeleden uit het oog verloren, maar Danilo zag hij nog wel. Danilo zou er geen been in zien. Een paar duizendjes en Tessa Mandeville zou in alle stilte van het aardse toneel verdwijnen, zonder dat Danilo iets gehoord of gezien had, de handen smetteloos, zonder weet van tijd of plaats van haar dood. Hem, Guy, was het natuurlijk niet menens. Maar waarom niet? Waarom van alles een gebbetje te maken? Waarom zo lichtvoetig over de oppervlakte van de dingen te dansen? Waarom de situatie niet vierkant onder ogen te zien? Waarom niet het onweerlegbare feit erkennen dat Tessa Mandeville zijn levensgeluk in de weg stond, en hem en zijn lief gescheiden hield?
Met het glas in de hand, de inhoud bewonderend, het schoonste drankje van deze wereld, met zijn betoverende oranje-roze-rode kleur, zeeg Guy achterover in zijn bronzen stoel en mijmerde over langgeleden, negen jaar al, toen hij hier was komen wonen. Ze waren in zijn tuin geweest en zij had hem in de ogen gekeken en gezegd: 'Ik bén jou, Guy. Zo goed als ik Leonora ben, ben ik Guy.'
Ze bedoelde dat ze elkaar zo na stonden dat zij hem was, en hij haar. En toen was al gauw, veel te gauw, Tessa Mandeville tussenbeide gekomen. Tessa alleen maar om zeep helpen was nog te goed voor haar.

De man die ze getrouwd had, heette Magnus Mandeville. Een zotte naam, maar niet één die je gemakkelijk vergeet. Hij was advocaat, waarachtig dezelfde advocaat die ze in de arm genomen had toen zij en Anthony Chisholm wilden scheiden. Geen

wonder dat ze zoveel verstand had van rechters en gerechtelijke bevelen!
De Mandevilles waren naar de een of andere voorstad aan de uiterste grens van Zuid-Londen verhuisd, of misschien had Magnus daar altijd al gewoond. Tessa had nooit gewerkt, althans niet sedert de geboorte van Robin, die twee jaar ouder was dan Leonora, en hij herinnerde zich dat Leonora hem had verteld dat ze meteen na haar opleiding op haar eenentwintigste getrouwd was. Ze had op een kunstacademie gezeten en wist nu zogenaamd alles van kunst. Dat was van belang geweest in zijn betrekkingen met Leonora, in zoverre dat het zijn betrekkingen met Leonora had gewíjzigd.
Terugdenkend zag hij dat het moment waarop Leonora ten opzichte van hem veranderd was, precies was vast te stellen. Of liever: waarop ze opgehouden was hem haar onvoorwaardelijk toegewijde liefde te betonen. Iemand had haar tegen hem opgestookt, dat was overduidelijk. Het gebeurde toen hij tweeëntwintig en zij negentien was. Toen was ze thuisgekomen voor de lange zomervakantie en leek het of ze niet langer wilde dat hij haar aanraakte. Die augustusmaand waar hij zich de hele zomer uitzinnig op had verheugd, had ze voortdurend smoezen verzonnen om niet met hem alleen te hoeven zijn en was ze begonnen zich zachtjes los te maken uit zijn omarming.
Het meest voor de hand liggend was dat Tessa erachter was gekomen dat hij met Leonora naar bed was geweest en toen had laten merken hoe scherp ze dat afkeurde. Dat was nooit eerder bij hem opgekomen. Die telefonische woordenwisseling met Tessa had een heerlijk verhelderende werking op zijn geest gehad. Hoe meer hij erover nadacht, hoe duidelijker het werd dat Tessa zijn belangrijkste tegenstander was.
Hij belde Leonora zodra hij meende dat ze thuis zou zijn van school. Deze keer was het Rachel die antwoordde. Leonora had Rachel tijdens haar studie leren kennen en sedertdien waren ze bevriend gebleven. Guy had weinig op met meisjes die te dik waren en bovendien superintellectueel, die stalen brilletjes droegen, geen belang stelden in hun uiterlijk en van wie het de

grootste ambitie was leider van een milieuorganisatie te worden.
'Met ziekteverlof?' zei hij. 'Op die manier kom je nooit aan de top.'
'Ik heb hier thuis een cliënt,' zei ze. 'Dat kwam toevallig beter uit.'
Hij wist wat zij verstond onder het woord 'cliënt'. 'Zeker iemand die zich aan een kind heeft vergrepen.'
'Hoe raad je het zo? Leonora is nog niet thuis. Ik zal er niet zijn om haar te vertellen dat je gebeld hebt, maar dat weet ze toch wel. De grote verrassing valt op de dag dat je niet belt.'
Leonora kwam thuis voor ze ophing.
'Wat heeft ze tegen me?' zei hij. 'Wat heb ik haar gedaan, dat kreng van een teef?'
'Misschien was jij ook wel niet erg aardig tegen haar, Guy.'
'Heb je een goeie dag gehad?' vroeg hij. 'Ben je erg moe? Ga je met me uit eten?'
'Natuurlijk niet. Ik ga nooit met jou uit eten. Ik lunch met je, op zaterdag.'
'Leo,' zei hij. Soms noemde hij haar Leo op dezelfde toon als waarmee hij haar schattebout noemde. 'Leo, jouw moeder werkt toch niet?'
Hij begreep dat ze zo verbluft was een gewone vraag uit zijn mond te horen in plaats van een smeekbede om van hem te houden dat ze zonder nadenken dankbaar antwoordde: 'Nee, ze heeft nooit gewerkt. Ze doet alleen vrijwilligerswerk hier in het ziekenhuis. Het Maydayziekenhuis, dacht ik. Ik geloof op dinsdag en donderdag. O, en soms gaat ze woensdagochtend naar het CAB.'
'Naar het wat?'
'Het Citizens Advice Bureau. Volgens mij is ze daar via Magnus aan gekomen. En ze werken natuurlijk allebei voor de Groenen.'
Ze besefte eindelijk dat het uit zijn mond een vreemde vraag was. 'Waarom wou je dat in vredesnaam weten?'
'Een van de lui die voor me werken, zei dat hij met haar op de kunstacademie had gezeten. Hij vroeg of ze werkte en ik zei dat ik daar wel achter kon komen.'

Dit pure verzinsel werd aanvaard. Leonora had de neiging te geloven wat haar werd verteld. Dat had je met mensen die aan de waarheid verslaafd zijn. Het gaf hem de moed door te drammen. 'Woont ze niet op nummer 15 in Sanderstead Way?'
'Sanderstead Lane, en op nummer 17.'
'Waar zullen we zaterdag lunchen? Mag ik je niet eens meenemen naar Clarke's?'
'Ik voel me in een wijnbar net zo lekker, Guy, of zelfs in een McDonald's. Ik eet met lange tanden als ik weet dat een gezin in Bangladesh een maand lang zou kunnen leven van het bedrag dat jij voor zo'n maaltijd uitgeeft.'
'Zou je het een goed idee vinden als ik de kosten van een lunch bij Clarke's naar Bangladesh zou sturen?'
'Een reuzegoed idee, maar ik zou er toch niet willen eten.'
'Ik bel je morgen.'
De eerste keer dat hij met haar vrijde, was zij vijftien en hij achttien, en het gebeurde op de begraafplaats van Kensal Green. Als je iets dergelijks aan anderen vertelde – niet dat hij dat deed – zeiden ze: wat stuitend, of: wat luguber. Maar het was helemaal niet stuitend of luguber geweest. Mensen die dat zeiden, wisten niet dat die begraafplaats eigenlijk meer een grote verwilderde tuin was, waar toevallig tussen het hoge gras verweerde stenen lagen, en prachtige graftomben als kleine huisjes. Er stonden dikke donkere bomen en wilde bloemen en midden in de zomer grafkransen die op nieuwe graven lagen te zieltogen. De begraafplaats was vol vlinders, kleine blauwtjes en grote bruin-met-oranje exemplaren, omdat ze daar niet door gif of luchtvervuiling vermoord werden.
Hun plekje was zo stil en verwilderd en mooi, met de lange wuivende grasstengels die in het zaad geschoten waren, en het wittige vingerhoedskruid in het gras, en de hoge roze bloemen waarvan hij de naam niet kende, en de verzonken grafstenen die geheel overwoekerd waren met mos, mos dat met zijn eigen kleine gele bloempjes zodanig bloeide dat het er wel een verloren paradijs leek. Er stonden heesters met puntige zilveren bladeren en kleine sparren als blauwe kerstbomen, en boven hun hoofd een

grote wijdvertakte boom die onder de groene dennenappels zat. De stank van Londen drong hier niet door. Het rook er als de potjes met kruiden in een reformwinkel.
Ze droeg een jurk van heel dunne zachte stof, rookachtig blauw en lila, met een lage hals en pofmouwen en ongetailleerd. Ze droeg die jurk en een slipje en blauwe espadrilles, en dat was alles. Als ze op haar rug lag, waren haar borsten zacht en uitgedijd tot zijden kussentjes. Hij legde haar in een nest van gras en gevallen vlierbloesem. Hij lichtte de jurk op en schoof hem tot aan haar hals waar hij als een sjaal omheen gedrapeerd lag. Ze was niet bang maar wel erg opgewonden, en toen hij bij haar binnendrong, deed het geen pijn. Naderhand vertelde hij haar dat dat kwam doordat ze van hem hield en naar hem verlangde.
Hij had later nooit gehoord wat Tessa gezegd had van die gekreukelde jurk vol grasvlekken. Misschien was het Leonora gelukt die jurk weg te moffelen zodat haar moeder hem niet had gezien. Pas toen Tessa erachter kwam, waren de problemen begonnen. Als je op je vijftiende zoveel van iemand hield, als je zoveel van hem hield dat het vrijen geen pijn deed en je niet bloedde ook al was je nog maagd, dan kon niets die liefde veranderen. Die ging niet zomaar weg. Die liefde hoorde bij je, net als je liefde voor je ouders of je broer, of voor jezelf.
'Ik bén jou. Ik ben Guy en hij is mij.'
Als Tessa er niet meer was, zou die liefde terugkomen. Zonder die hinderpaal zou de liefde worden wat ze eens geweest was. Als er niemand was om lelijke dingen van hem te zeggen, om hem mindermans te noemen of misdadig en om op zijn verstand af te geven, dan zou Leonora Guy worden en hij Leonora. Maar toch leek het denkbeeld om Tessa kwaad te doen belachelijk. Hij had zijn hele leven nooit iemand echt kwaad gedaan. Nadat Danilo uit het opvoedingsgesticht was gekomen, hadden ze een heel winstgevend afpersingszaakje opgezet in Kensal en één keer hadden ze de kastelein een beetje hardhandig moeten aanpakken om hem te laten zien dat het hun menens was, maar de man kwam ervanaf met een paar kneuzingen en een blauw oog. Ja, bleven natuurlijk nog die afwikkeling van de Droomhandel en

de dood van Con Mulvanney. Maar daar kon niemand iets aan doen, zeker hij niet. Het was meer het risico van het vak.
Hij vertikte het aan Con te denken. Het enige wat hij zich in dat verband toestond, was het besef dat die gebeurtenis het eind van zijn handeltje had ingeluid. Hij had waar voor zijn geld gekregen, een fortuin gemaakt en hij had zich bevrijd van Attlee House en alles wat daarbij hoorde. Zijn handen waren schoon, net zo blanco als zijn strafblad.
Het zou geen kwaad kunnen Danilo mee uit eten te vragen en hem eens te polsen over de mogelijkheden van een huurmoordenaar; hoe je dat moest aanleggen en wat je dat zou kosten. Niet dat het geld hem iets kon schelen.

3

Als zijn schilderstukken in een landelijke uitspanning of een ander geschikt gebouw onder de hamer kwamen,. ging Guy wel eens een kijkje nemen. Bij die gelegenheden was het niet zijn gewoonte te laten merken wie hij was. Hij vond het leuk de reacties van de klanten te bespioneren en was maar zelden bereid zijn agenten op hun woord te geloven als het om de verkoopgetallen ging. Het beste was zelf te gaan kijken wat op een gegeven ogenblik de meeste aftrek vond.
's Mensen beste vriend bijvoorbeeld, of *Ga zo door, mijn poesje*, of *Schone uit Thailand*.
Die week werd er een verkoop gehouden in een kroeg in Coulsden, eigenlijk meer een soort buitensociëteit. Het was een mooie dag en in augustus viel de drukte meestal mee. Iedereen was met vakantie. Guy nam de Jaguar. Het was een champagnekleurige auto, officieel 'beige satijn', met crèmekleurige bekleding en een airconditioningsysteem dat zo goed werkte dat hij op smoorhete dagen in Londen in de verleiding kwam om naar zijn garage te gaan en in zijn Jaguar te gaan zitten, met de motor aan, om van de koele bries daarbinnen te genieten. 'Dat is pure zelfmoord als je dat doet,' zei Celeste toen hij het haar vertelde en ze had niet helemaal ongelijk.
De kroeg heette The Horseless Carriage, en als hij ooit een verzonnen naam had gehoord dan was deze het wel. De bloemen in de bloembakken aan de voorgevel waren weelderiger dan op de bloemententoonstelling in Chelsea. Twee grote aanplakbiljetten kondigden de verkoop aan van: ORIGINELE SCHILDERIJEN – PRIJZEN TUSSEN DE 7 EN 70 POND – STUK VOOR STUK UNIEK HANDWERK. Hijzelf vertrok bij die bewering geen spier, maar wel als hij dacht aan de reactie van Tessa Mandeville. Hij moest telkens aan haar denken. Hij kon het verdomde mens niet uit zijn gedachten bannen.

De verkoop vond plaats in een grote zaal achter in het gebouw. Deze had een dubbele openslaande deur die toegang gaf tot een terras en een verwaarloosde tuin met een grasveldje dat veranderd was in een stofpoel en waar niemand de rozen van hun verdorde bloemen had ontdaan. Er was al behoorlijk wat volk, zowel in de zaal als buiten op het kale gazon. Voor iedere aanwezige was er één glas rode of witte wijn beschikbaar. Wie meer wilde drinken moest er zelf voor betalen. Twee meisjes noteerden de bestellingen. Hij kende hen niet, had hen nooit eerder gezien, maar aan de groeiende lijsten op hun klembord zag hij dat de bestellingen snel binnenkwamen.
En waarom ook niet? Het waren originele werken en elk doek was geschilderd door een individuele kunstenaar. De resultaten waren stukken beter dan 99 procent van de troep die je op zondagochtend op Bayswater Road zag. Het waren aardige prentjes, geen kwaad woord van te zeggen, met onschuldige onderwerpen: kinderen en jonge dieren, jonge meisjes, landelijke huisjes of zeegezichten. Hij dacht aan schilderijen die hij gezien had en die de naam hadden goed te zijn, zoals oorlogstaferelen waar paard en krijger werden afgeslacht en die hij eens gezien had op een uitje met Leonora naar Blenheim, of scheve vazen en misvormde appels, of schilderijen in dat Guggenheimmuseum in Venetië van naakte vrouwen gehuld in veren en bont. Hij was ruimdenkend genoeg, maar daar had hij echt van gewalgd. Het was belachelijke flauwekul dat Tessa Mandeville zijn schilderijen rommel noemde, en wat zei ze ook weer? Obsceen. Dat andere spul, dat was met recht obsceen te noemen.
Hij maakte de ronde en bekeek elk stuk met aandacht. Zelfs in dit late stadium wilde hij zich ervan overtuigen dat elke kopie van een bepaald werk heel kleine verschillen vertoonde, zoals een lichte variatie in de krullen van het huilende jongetje. Tranen blonken op de ronde roze wangen, maar in sommige versies waren het er drie op de linkerwang en in andere vier. *Schone uit Thailand* verkocht alweer het beste. Zijn vertegenwoordigers hadden de gewoonte rode plakkertjes aan te brengen op stukken die verkocht waren – 'net als bij een echte vernissage', zou Tessa

Mandeville gezegd hebben. Wat er voor onechts aan zijn verkoopdagen was, had niemand hem ooit uitgelegd.
Alle vier kopieën van *Schone uit Thailand* waren verkocht. En die kostten om en nabij de zeventig pond. Hij vroeg een van de meisjes of zij bestellingen voor dat speciale werk noteerde en ze zei dat dat het geval was. Ze had er al twaalf binnen; daar was de meeste vraag naar. Guy begreep wel waarom. Het meisje op het schilderij was erg jong, vijftien of zestien en zag er erg onschuldig uit. Maar tegelijkertijd was ze sexy, met volle glimmende lippen en grote glanzende reeënogen. En het goudgeborduurde lijfje dat ze aanhad, stond iets af, zodat je tussen het gevlochten koord en de gouden juwelen halskettingen de bovenkant van haar gladde jonge borsten kon zien. Ze leek de toeschouwer recht in de ogen te kijken en haar blik was bekoorlijk en tegelijkertijd smekend, schuw en tegelijkertijd uitdagend.
Ergens moest het origineel van dat portret bestaan, want alle schilderwerken waren gebaseerd op foto's. Letterlijk en figuurlijk gebaseerd op foto's die, afgedrukt als overbelichte vergroting en op karton geplakt, in grote aantallen door Guy uit Taiwan werden ingevoerd. Daarna werden ze door zijn mensen in het atelier in Isleworth op de geijkte manier overgeschilderd. Toen Guy zijn nieuwe onderneming uiteenzette voor de leden van Leonora's familie en zei dat vele van zijn medewerkers eindexamen kunstacademie zouden hebben, had Tessa Mandeville letterlijk gehuiverd en gezegd: zoveel te erger.
'Ik kan je verzekeren dat ze blij zijn met het werk.'
'Laten ze liever de straat op gaan,' zei Tessa. 'Laten ze liever een stekkie bij King's Cross Station inpikken.'
Wat wist zij ervan? Zij had altijd iemand gehad om haar te onderhouden, een dak boven het hoofd te geven, en geld om de walvissen te redden en de zure regen een halt toe te roepen en een studio om met haar tubes in te zitten knoeien. Ze had er geen notie van wat het betekende een baan te moeten zoeken. Hij had het graag hardop gezegd, maar dat kon niet want hij moest zich aan die lui blijven verkopen, de waardige pretendent voor Leonora blijven spelen. Het leuke was – als dat soort din-

gen ooit leuk was – dat hij met hen was meegekomen naar een of ander hotel om Leonora's verjaardag te vieren en haar eindexamen van de pedagogische academie, en alleen om bij hen in het gevlij te komen had hij door laten schemeren dat hij het leven van de marginale misdaad vaarwel had gezegd, en tot slot had hij zijn nieuwe carrière als fatsoenlijke zakenman toegelicht. Terwijl hij de schilderwerkjes bekeek – het meisje uit Thailand en de huilende jongen, *De oude molen* en de twee Perzische poesjes – bedacht hij dat die avond ook een keerpunt had betekend in de afbrokkeling van zijn betrekking tot Leonora. Het was waar dat ze in die tijd nooit meer met hem naar bed ging, maar ofschoon hem dat natuurlijk wel dwarszat, was dat niet zijn grootste zorg. Ze had hem eens verteld dat zij dacht dat het niet goed was als een meisje meer dan zeg vier jaar achter elkaar aan de pil bleef. Ze zou niet graag zwanger worden terwijl ze bezig was met haar opleiding. Hij zou haar natuurlijk onmiddellijk getrouwd hebben wanneer ze maar wilde – kreeg hij de kans maar – maar hij begreep wel dat ze haar studie eerst wilde afmaken. Ze was in die tijd zoveel weg geweest, en ze hadden elkaar, hoewel hij haar elke dag belde, soms in geen maanden gezien. Je kon problemen, spanningen, verkilling verwachten onder dergelijke omstandigheden.
Maar toen hield ze nog van hem. In het openbaar en openhartig. Had zij er niet voor gezorgd dat hij toen op die juliavond vier jaar geleden naast haar kwam te zitten, hij aan de ene kant en haar vader aan de andere? Robin zat bijna aan het hoofd van de tafel met die gruwelijke Rachel. Later had Leonora met hem gedanst. Ze had gezegd zich niets van Tessa's woorden aan te trekken. Maar de volgende dag, of de dag daarop, had Leonora zich die woorden wel aangetrokken. Barbaar was Tessa's stopwoord, maar barbaar was het mildste waar ze hem voor zou hebben uitgemaakt. Schurk, tuig, zelfkant, hij hoorde het haar zeggen. Leonora luisterde naar Tessa, ze stonden elkaar na.
Guy pakte zijn rantsoen wijn van het blad. Het was een rioja, rood en wrang. Hij had de plotselinge aanvechting Tessa te gaan opzoeken, zoals men soms zijn vijand wil zien, hem te zien mis-

schien zonder zelf gezien te worden. Het verlangen de vijand in zijn slechte uren te zien, in zijn nederlaag. Was ze veranderd? Waren haar haren grijs? Ze was nu vijftig, de vrouw van een advocaat, met een huis in een buitenwijk, zo te zien druk in de weer met goede werken. Met een huis in een buitenwijk, besefte hij, daar vlak in de buurt.
Hij liep naar de bar. Een meisje van een jaar of vijfentwintig zat op een barkruk en lonkte naar hem. Guy was aan lonkende vrouwenogen gewend en het gaf hem een zekere voldoening, hoewel hij er zelden op inging. Hij vroeg om een droge martini, benieuwd waar ze mee zou komen aanzetten; hoogstwaarschijnlijk met een glas lauwe Franse vermouth. Maar wat ze bracht kon ermee door. Er zat tenminste gin in en een brokje ijs. Even gunde hij zich de vrijheid zich in te denken dat het meisje Leonora was en dat ze met hem uit was. Straks zouden ze samen lunchen en lang natafelen bij hun glas, en over het verleden praten en de toekomst en hun liefde. Daarna zouden ze misschien naar zee rijden en in de koele avond over het strand lopen. Ze zouden in het beste hotel logeren, in de bruidssuite. Merkwaardig genoeg was het denkbeeld met haar naar bed te gaan niet van primair belang. Hij wilde dat natuurlijk ook, hij was boordevol verlangen naar haar, maar het was niet het belangrijkste, het vormde gewoon onderdeel van het geheel. Wat was dan wel het belangrijkste? Bij haar te zijn, Leonora te zijn en zij Guy. 'Ik bén Guy...' Haar dat weer te horen zeggen.
Hij nam nog een borrel en een uitgedroogde zalmsandwich. Daarna stapte hij in zijn Jaguar en reed naar Sanderstead Lane. Nummer 17 beantwoordde volstrekt niet aan zijn verwachtingen, en bleek de helft van een onregelmatig oud bouwsel van twee verdiepingen, met indrukwekkende ramen in natuursteen gevat en door zuiltjes gestutte afdakjes. Het stond er kennelijk al honderd jaar of langer, lang voordat de omliggende huizen gebouwd waren. De voortuin was zo diep als de achtertuinen van andere huizen. Witgelakte tuinmeubels stonden bijeen onder een wijdvertakte ceder.
Guy was al lang het stadium voorbij waarin hij gehoopt had Tes-

sa te overbluffen met zijn geld en succes – ze liet zich nooit overbluffen, hield althans die schijn op – en dus deed hij zijn best niet als de eigenaar van de gouden Jaguar betrapt te worden. Maar er was niemand om hem te betrappen, geen Tessa die zo vriendelijk was uit een raam te leunen om hem het grijs in haar haren of haar laatste rimpel te tonen, geen Magnus Mandeville die een dagje vrijnam van kantoor om wat in de tuin te klooien, die hologige doodskop met een velletje.
Net een advocaat uit zo'n Dickens-serie op de televisie. Daar had Guy meteen aan moeten denken toen hij op dat feestje aan hem werd voorgesteld. Hij had zich afgevraagd wat dat magere mannetje met het grijze pluisje haar midden op zijn perkamenten schedel voor bekoring kon hebben voor een vrouw. Misschien zijn geld. Tessa kennende moest dat het wel zijn. Magnus had een nek als de krop in het plastic zakje dat je in een bevroren braadkip vond. Hij had een hoge kille stem, de overdreven geaffecteerde intimiderende erfenis van Eton. Je zag hem al voor je in zijn rol van rechter, met de witte pruik op zijn hoofd, met daarop het zwarte kapje als hij weer eens zo'n arme schlemiel naar de galg stuurde, waar hij moest hangen tot de dood erop volgde.
Guy reed Sanderstead Lane halverwege in en weer terug. Hij sloeg een zijstraat in en ontdekte dat achter de huizen, tussen hoge heggen door, een laantje liep, met poortjes naar de tuinen. Nummer 15, dat aan Tessa's huis was vastgebouwd, stond zo te zien leeg. Er hingen geen gordijnen voor de ramen en in de verwilderde voortuin stond het te koop-bordje van een makelaar.
In de goeie ouwe tijd zou hij, als dit hier zijn stek in Kensal was geweest en Tessa Mandeville hier een zaakje had gedreven en zij achter was geraakt op de afbetaling van zijn beloning voor het ongemoeid laten van het huis, daar naarbinnen zijn gestapt (of iemand die dat soort klusjes voor hem opknapte). Dan had hij haar een beetje toegetakeld, of de inrichting, zodat je nergens meer aan kon zien dat die van Woon Idee kwam.
Midden op de dag was daarvoor de beste tijd. Dan waren de meeste buren niet thuis, maar niet op dinsdag, woensdag of donderdag. Je liep gewoon via het laantje achter het huis naar de

tuin met een goeie kans dat het poortje nooit op slot zat, niet eens op slot kón, en probeerde vervolgens de achterdeur. Als die niet open wilde, klopte je aan en als zij dan kwam geen poppenkast, geen zogenaamde handelsreiziger of enquêteur of wat dan ook, maar de rappe hand die zich over haar mond sloot, armen in een ijzeren greep achter haar rug, en dan snel opbrengen naar het midden van het huis en in stilte doen wat er gedaan moest worden.

Dromen... ja toch? Hij ging op weg naar huis. Vanavond nam hij Danilo mee uit eten. Totaal onverwachts vertoonde het deel van zijn brein dat films maakte en video's afdraaide het beeld van Magnus Mandeville, zoals die hem op dat verjaardagsfeestje in het vizier had gehouden. Over de rechte rand van zijn halve brillenglazen heen, als een rechter die het schorem in de beklaagdenbank beziet, vragend, onderzoekend, schrander, verbaasd, zonder pardon. Het was mogelijk dat Magnus invloed had op Leonora. De man was verdomme jurist. Stel nou eens dat hij vaag Guy en zijn activiteiten doorhad, zijn praktijken die toen nog op het randje van wettig waren of daar net overheen. Zou hij Leonora hebben gewaarschuwd?

Guy reed naar de kant van de weg en parkeerde de auto. Die kleine momentopnamen vormden samen een film, of een panorama, of een groepsfoto van die eettafel op de avond van 25 juli. Hij kon zijn aandacht niet bij het rijden houden. Hij moest stoppen. Waar was het ook al weer geweest, dat diner? Niet in een bekakte tent, niet in een groot restaurant of befaamd hotel, niet in een gelegenheid waar hij een belangrijk evenement in het leven van zijn éígen dochter zou willen vieren. Maar Guy had amper het hart te denken aan een eventuele dochter of zoon. Dat was te schrijnend. Hij had eerder dat soort gedachten gehad en het leek ergens in zijn binnenste een wond open te rijten, een bloedende wond. Als hij een middel had om te weten, echt te weten dat hij en Leonora samen eens kinderen zouden hebben, dan zou hij van geluk sterven, dacht hij.

Het panorama ontvouwde zich in zijn geest. Er hadden elf mensen om die tafel gezeten: Leonora aan het hoofd met Anthony

Chisholm aan haar linkerkant en Guy rechts van haar. Leonora had een donkerblauwe jurk aan, een eenvoudig geval van een zijdeachtige stof, sober en een beetje ouwelijk. Ze zag er mooi uit, natuurlijk, dat sprak vanzelf. Ze droeg de halsketting die haar vader haar had gegeven, lapis lazuli in een zilveren zetting van Georg Jensen, wel aardig, maar naar Guys normen niet kostbaar. Anthony was wel een knappe man, met een jongensgezicht dat altijd een zekere jeugdigheid zou behouden. Naast Anthony zat diens moeder, Leonora's grootmoeder, een stokoud wijfje dat inmiddels was overleden.
Rechts naast hem had ene Janice gezeten, een nichtje van Leonora dat later getrouwd was en naar Australië was gegaan. Daarnaast Robin Chisholm met Rachel Lingard rechts van hem. Maeve was in die tijd nog niet op het toneel verschenen, zij en Leonora kenden elkaar nog niet. Oma Chisholm zat naast Magnus Mandeville en daar weer naast Susanna, Anthony's vrouw. Susanna zag er aardig uit, slank met sluik haar, geen dag ouder dan haar drie-, vierendertig, die volgens Leonora vrijwel nooit in een jurk of rok liep, en zelfs die avond een zwartzijden broekpak aanhad. De verloofde van Janice, wiens naam Guy niet te binnen wilde schieten, zat tussen Susanna en Tessa.
Hij liet in gedachten zijn ogen de tafel rondgaan, van gast naar gast. De mannen waren in vage saaie grijze tinten gestoken, maar als hij het zich goed herinnerde, had Robin een roze stropdas gedragen. Robin leek op zijn vader, was veel blonder dan Leonora, en met Anthony's jongensachtige trekken leek hij belachelijk jong voor zijn vierentwintig jaren. Hij was een wisselruiter – dat wil zeggen: dat was hij later geworden. Een wisselruiter was iemand die sommen geld tussen leengegadigden wisselde en op die manier snel dollars kon leveren aan klanten in bijvoorbeeld Duitsland, of Duitse marken aan klanten in Brazilië. Guy vermoedde dat hij op een keurige manier precies even oneerlijk en op winst uit was als hijzelf vroeger.
'Je zou toch denken dat hij me wel zou mogen,' had Guy een keer tegen Leonora gezegd. 'Ik begrijp niet waarom hij me niet mag. Hij is toch geen haar beter dan ik?'

'Hij is een snob.'
'In hoeverre? Praat ik niet netjes genoeg?'
'Laten we hopen dat hij eroverheen groeit. Hij is nog in het stadium dat hij hatelijke grappen maakt over mensen die niet naar een kostschool zijn geweest. Sorry, Guy. Ik hou van Robin en zal dat blijven doen, maar hij is in onze familie de enige reactionair. Hìj is een doorgewinterde ouderwetse conservatief.'
'Dat wil ik best geloven,' had hij gezegd, ofschoon politiek hem niet interesseerde. Als hij íéts was, dan was hij zelf een ouderwetse conservatief.
Tessa had de pest aan hem omdat hij volgens haar een barbaar was; haar man had de pest aan hem omdat hij een zwendelaar was of geweest was – had Robin Leonora tegen hem opgezet omdat hij uit het verkeerde milieu kwam en verkeerd praatte?
Guy sloot zijn ogen en zag weer die tien mensen, negen als je Leonora niet meetelde. Tessa in een goudgroene jurk van geplisseerd zijige stof, met om haar hals een gouden ketting en haar nieuwe trouwring, even glimmend als haar nagels; Susanna in haar zwarte broek en getailleerde jasje, met openvallende witzijden blouse en een ketting van lompe gitten en barnstenen kralen; oma Chisholm in bruine kant en parels; Rachel, die gebrilde lelijkerd, in een gebloemde katoenen rok die ongelijk hing en een roze blouse, waarschijnlijk tweedehands. Daarna de mannen. Janice, mollig als Rachel, met ronde heupen en een fantasiebril met roze plastic montuur. Hijzelf en Leonora.
Ze aten avocado gevuld met garnalen. Nee maar, wie had dat gedacht? Wat een verrassing. De volgende gang bestond uit kip die op een fantasieloze manier was klaargemaakt. Guy had ergens gelezen dat kip misschien niet de meest geliefde maar wel de meest gegeten bron van eiwit ter wereld was.
Toen ze aan de profiteroles toe waren, had Anthony, voor Leonora langs, gevraagd: 'Zo, en hoe staat het tegenwoordig met jouw carrière, Guy?'
Ze wisten dat hij rijk was. Geen van de anderen droeg een pak van Armani, jade manchetknopen gezet in 22-karaats goud. En hij was nog niet half zo oud als Anthony Chisholm.

Hij beantwoordde de vraag, vertelde hem over de schilderijen, uiteraard zonder zijn bijverdiensten te noemen. Die bijverdiensten behoorden al bijna tot het verleden. Met de dood van Con Mulvanney zouden de resten van de Droomhandel ontbonden worden. Het staartje van de negotie waar Tessa en Anthony zo afkeurend, zo fel op hadden gezinspeeld toen hij hen de eerste keer ontmoette, was bijna geliquideerd.
Tessa was op dat feestje als een aasgier geweest, had toegezien hoe de anderen hem afmaakten en was toen neergestreken om zijn botten schoon te pikken. Om te beginnen met die opmerking over 'de straat opgaan en een stekkie bij King's Cross inpikken', daarna die venijnige tangbeweging in de vorm van een verhandeling ten behoeve van het hele gezelschap over de ondergang van kunst en cultuur in het Westen (wat ze daar ook mee mocht bedoelen). Leonora had toegeluisterd. Haar was naderhand ongetwijfeld meer verteld, veel meer...
Hij startte de auto en reed naar huis.

Leonora had ervan afgezien de vakanties bij haar moeder door te brengen en was bij haar vader en stiefmoeder ingetrokken. Dat was om meer in het centrum te wonen, dichter bij Rachel Lingard. Eerlijkheidshalve moest hij dat erkennen. Rachels moeder had een flat in Cromer Street en Rachel woonde er omdat haar moeder aan kanker stervende was. Hij had van het begin af aan al gezien dat Rachel een bedreiging vormde, een meisje van het slag dat hij niet graag in gezelschap van zijn vriendin zag. Meisjes moesten iets luchthartigs hebben, hier en daar een zot trekje, ze moesten gek op winkelen zijn, warmlopen voor kleren en parfum, altijd in spiegels kijken, verrukt als ze nagekeken en nagefloten werden. Ze moesten ijdel zijn, een pruillip kunnen trekken en geneigd zijn andere vrouwen krengig te bejegenen.
Rachel was echter feministe. Ze droeg nooit make-up. Ze at waar ze zin in had en werd dus dik. Uit principe beweerde ze dat ze het gezelschap van vrouwen verkoos boven dat van mannen. Ze kon heel schrandere dingen zeggen die voor hem vaak onbe-

grijpelijk waren. De helft van de tijd had hij letterlijk geen idee waar ze het over had.
Nu vroeg hij zich af of Leonora die William Newton via Rachel had leren kennen. Zo te zien wel echt iemand voor haar. En ook hij bezat de gave die Leonora schijnbaar zo op prijs stelde: hij was goed van de tongriem gesneden. Hij, Guy, had daar nooit iets in gezien; die discussies, dat gebekvecht, al die bijdehante geestigheden, wat had je eraan? Eens was het misschien een noodzakelijk kwaad geweest, toen er verder niks te doen viel, er geen tijdschriften waren, geen kranten, geen video, geen muziek, geen televisie, geen elektriciteit, en je nergens kon gaan stappen. De kunst van het converseren was even overbodig geworden als de kunst van het brieven schrijven. Zo zag hij de zaken.
De kloof was echt duidelijk geworden toen Leonora over hun gezamenlijke vakantieplannen van gedachten veranderde. Hij had nooit geweten waarom. Hij wist ook niet waarom ze geschokt leek te reageren op zijn voorstel bij hem in te trekken. Het had de houding van haar moeder kunnen zijn, in plaats van die van een jonge vrouw van tweeëntwintig. Ze hadden tenslotte nu al jaren verkering. Hij hield van haar en zij van hem en beiden wisten dat ze eens zouden trouwen.
'Guy, meen je dat nou?'
'Ons soort mensen doet dat immers. Ik heb een kant-en-klaar huis waar je zo in kunt trekken. Een huis dat jou bevalt. Ik neem aan dat ik je beval... dat je van míj houdt. En ik hou van jou.'
'Wat bedoel je, "ons soort mensen"?'
Dat was weer zo'n snedige opmerking die ze de laatste tijd hoe langer hoe vaker maakte. Dan viel ze hem aan op gezegden die hij debiteerde, uitdrukkingen die iedereen gebruikte maar die zij clichés noemde. Vroeger had ze dat nooit gedaan. Ze had het van Rachel overgenomen. En nu gingen zij en Rachel samenwonen.
'We overwegen Fulham, vanwege mijn baan daar. Een grote kamer met keuken en intussen zoeken we een flat.'
Rachels moeder was nu permanent opgenomen. Ze zou nooit

meer uit het ziekenhuis komen. Leonora liet Guy de zitslaapkamer zien, net zo afschuwelijk als in Attlee House, alleen kleiner. De ronde, door haar bril vergrote ogen van dikkerdje Rachel zagen zijn gezichtsuitdrukking.
Ze fluisterde Leonora iets in en zei met toneelspelersstem: 'Ach, zeg mij, waarom zo mat. Zou, als een blos haar niet doet zwichten, een bleke wang wel zegevieren?'
De meisjes lachten zich slap, giechelden zoals naar zijn smaak meisjes hoorden te giechelen, maar niet met hem als clown. Hoewel Rachel misschien dacht van niet, had hij de woorden wel begrepen. Het was een aanhaling uit een gedicht. Het betekende dat ze weinig ophad met een chagrijnige vent die zielig deed, dus probeerde hij niet beledigd te kijken maar erom te lachen. Kort daarop kwam Rachels moeder te overlijden en toen was de lust tot lachen haar een tijdlang vergaan. Natuurlijk was ze maar wat blij dat huis te kunnen verkopen. Ze was, met al haar brave praatjes, net zo inhalig als alle andere vrouwen. Zij en Leonora gingen op jacht naar een flat.
Zodra hij hoorde van hun hypotheekaanvraag – een enorme som – bood hij Leonora het geld te leen aan. Het zou uiteraard geen echte lening maar een schenking zijn. Heimelijk had hij daar vanaf het begin al op aangestuurd, maar hij zou haar natuurlijk in de waan laten dat het een renteloze lening was.
Waarom moest ze haar familie en vrienden overal in mengen? Ze was verdomme bijna drieëntwintig! Waarom kon ze niet van die familie loskomen? Omdat ze haar de kans niet gaven. Ze kleefden aan haar en aan elkaar als bloedzuigers. Haar ouders, die niet eens meer samen getrouwd waren maar ieder met een ander, kwamen voortdurend bij elkaar over de vloer en zagen elkaar zo te zien minstens zo vaak als toen ze onder één dak woonden.
De avond dat hij dat aanbod deed, logeerde Leonora bij Anthony en Susanna in Conduit Street. Jawel, ze logeerde bij hen, hoewel ze op nog geen acht kilometer afstand een eigen huis had. Rachel was naar een reünie ergens in het noorden, een reünie van mensen die zij met 'alumnae' betitelde, wat in zijn oren klonk als een bacterie van het soort dat je opliep als je van een

pakje paté uit de supermarkt gegeten had. Dat aanbod had hij natuurlijk niet gedaan terwijl er anderen bij waren. Hij en Leonora hadden samen in alle rust een glaasje gedronken na de bioscoop.
'Erg gul van je, Guy,' had ze gezegd en hij zag aan haar dat ze geroerd was. Hij dacht dat ze zou gaan huilen.
'Ik zal het niet eens merken,' zei hij. Dat had hij beter voor zich kunnen houden. Hij wist onmiddellijk dat hij dat niet had moeten zeggen.
'Was dat maar mogelijk,' zei ze en ze pakte zijn hand.
Ze liepen naar haar vaders huis. Anthony en Susanna zaten beiden thuis met haar oom Michael, haar vaders broer, een hoge piet in de televisiewereld en voorzitter van een televisiemaatschappij, en met haar broertje Robin van het babygezicht en de blonde krulletjes. En van het zwarte hart, dacht Guy.
Hij werd er verlegen van toen ze het er zomaar uitflapte. Maar tegelijkertijd voelde hij zich trots. Hij was per slot van rekening met niets, met minder dan niets begonnen, en zij daar hadden allemaal gestudeerd, kwamen uit een warm nest en kenden invloedrijke mensen.
'Ik hoop dat je tegen Guy gezegd hebt dat er van zoiets geen sprake kan zijn,' zei Anthony.
Neerbuigender kon niet. Neerbuigend en – wat was dat woord dat Rachel in de mond bestorven lag? Paternalistisch.
Anthony had iets van een lieve teddybeer, met zijn jongensachtige gezicht en glinsterende oogjes. Guy had hem nooit zien kijken als toen. Gekwetst. Of eerder nog geschokt. Hij keek helemaal niet blij, integendeel, hij keek of Guy hem beledigd had met dat aanbod om zijn dochter veertigduizend pond te lenen.
De oom, een forsere, oudere, pluiziger versie van Anthony, tuitte zijn lippen en liet een hoog gefluit horen.
Robin zei: 'Hoe de dames aan je te verplichten, in één simpele les.'
De rotzak. Guy had altijd al de pest aan hem gehad.
'Ik vond dat jullie het allemaal weten moesten,' zei Leonora, 'want het was zo ontzettend aardig van Guy.'

Was? Wat bedoelde ze met dat 'was'? Hij was er half en half zeker van geweest dat ze zou toehappen, al die anderen ten spijt. Maar hun invloed was te sterk.
'Het was een schitterend aanbod,' zei ze, 'maar ik pieker er natuurlijk niet over het aan te nemen.' Daarbij keek ze zo droevig dat hij ernaar snakte haar in zijn armen te nemen en haar verdriet weg te kussen.
Hij had zich niet gewonnen gegeven. Hij had er in de weken die volgden bij haar op aangedrongen het geld aan te nemen.
Rond die tijd was ze begonnen met het verzinnen van smoezen om niet met hem uit te hoeven, en dat gebeurde dan ook hoe langer hoe minder. Jarenlang had hij haar dagelijks gesproken, hoewel het niet meeviel haar op die kamer in Fulham aan de lijn te krijgen, want het toestel dat beneden hing, moest ze delen met een stuk of zeven anderen.
Hij werd bevangen door een soort ijzige paniek toen hij het gevoel kreeg dat ze zich van hem losmaakte. Het was zelfs nog erger dan in de jaren dat ze op de academie zat. Het leven zonder haar zou onmogelijk zijn. Nu en dan had hij momenten dat voor zijn ogen een visioen verscheen van leegte, van een grauwe woestijn waar hij zich alleen in bevond doordat zij weg was gewandeld.
'Wat is er met ons gebeurd?' zei hij op een dag tegen haar, nadat hij al zijn moed bijeen had geraapt. Hij was zo beducht voor haar antwoord! Stel je voor dat ze zou zeggen: ik hou niet meer van je.
In plaats daarvan zei ze: 'Er is niets gebeurd. We zijn nog altijd vrienden.'
'Leonora, we zijn meer dan vrienden. Ik hou van jou, jij houdt van mij. Jij bent mijn leven.'
'Ik vind dat we elkaar wat minder vaak moeten zien. We moeten meer met anderen omgaan. Als je jong bent, is dit soort monogame relaties niet gezond.'
Een stopwoord van Rachel. Hij hóórde het haar zeggen.
'Ik moet je zien.'
Het was zaterdag. Ze lunchten samen in een Frans restaurant in

Charlotte Street. In die dagen deed ze nog niet aan die vegetarische flauwekul. Hij wist nog wat ze aanhad: een donkerblauw-met-donkergroen gestreepte katoenen jurk met een cognackleurige ceintuur en cognackleurige pumps. In die dagen, een jaar of drie geleden, kleedde ze zich nog heel goed.
'Weet je wat?' had ze gezegd. 'Ik ga elke zaterdag met jou uit lunchen.'

4

Het was een grap. Zo vatte hij het in het begin althans op. Ze kon het toch niet gemeend hebben? Hij herinnerde zich amper de tijd dat hij niet de man was met wie zij uitging, of zij de vrouw met wie hij uitging. Het meisje met de gemeubileerde kamer en de auto met wie hij voor die tijd was uitgegaan, was een schimmige herinnering, een schijngestalte. Het kon niet Leonora's bedoeling zijn dat zij elkaar alleen op gezette tijden zouden ontmoeten, zoals anderen vaste zakenlunches hebben.

Haar opbellen was erg moeilijk. Soms werd er niet opgenomen; vaak was het een van de andere bewoners die opnam en die beloofde de boodschap over te brengen en dat vervolgens vergat. Twee dagen verstreken zonder dat hij haar te spreken kreeg, en die uitspraak van haar, dat voornemen, kreeg iets onwerkelijks. Hij begreep nu dat het een plagerijtje was. Hoe had hij zo stom kunnen zijn zich daardoor van de wijs te laten brengen!

Toen hij haar ten slotte wel aan het toestel kreeg, vroeg hij of ze de avond daarop meeging naar de film.

'Ben je vergeten wat we hadden afgesproken?'

Hij kreeg het er koud van. 'Afgesproken?'

'Ik heb toch gezegd dat ik zaterdags met jou zou lunchen.'

'Leonora, dat meen je toch niet?'

Ze meende het wel. Tot zaterdag dus. Waar wilde hij gaan lunchen?

Dat was lang voordat hij zich begon af te vragen wat de reden ervan kon zijn. Het was niet bij hem opgekomen dat het iets te maken kon hebben met zijn aanbod haar dat geld te lenen of met de manier waarop hij zijn geld verdiende, laat staan met Con Mulvanney. De Mulvanney-affaire lag toen zes, zeven maanden achter hem. Hij maakte zichzelf wijs dat het de verhuizing was die haar dwarszat, dat het samenhing met de problemen die zij en Rachel ondervonden bij het loskrijgen en uitwisselen van getekende contracten, het vaststellen van de uiterste opleveringsdatum. Over een maand of twee, als ze eenmaal goed en wel in de flat woonden, zou het wel anders worden. Dan kwam ze bij hem terug.

Je zou eigenlijk kunnen zeggen dat ze helemaal niet weg was geweest. Dat begon hij zich nu voor te houden. Hij zag haar regelmatig. Ze had niemand anders, en hij ook niet echt, niemand die meetelde. Hij belde haar elke dag, en dat was nu veel gemakkelijker, nu ze een eigen huis had en een eigen telefoon. Zaterdags lunchten ze samen. Hij hoorde haar stem elke dag en hij zag haar eens in de week. Er waren koppels die elkaar niet zo vaak zagen als zij tweeën. Als je iemand anders vertelde dat je je vriendin eens in de week zag en elke dag opbelde, dan zou die ander zeggen dat je vaste verkering had. Op die manier stelde hij zichzelf gerust, troostte hij zich.

Maar je kunt van een man niet verwachten dat hij als vrijgezel door het leven gaat en er waren andere meisjes. Allicht waren die er. Maar die waren er niet geweest als zij zich niet had teruggetrokken. Geef hem een kans en hij zou van alle minnaars, van alle echtgenoten de trouwste zijn. Hij vertelde haar nooit van die andere meisjes en zij vroeg hem er niet naar, noch vroeg hij haar of er andere mannen in haar leven waren. Maar hij had het heel gewoon gevonden dat, hoewel hij als man een vriendin nodig had, zij als meisje best zonder vriend kon, zonder seks.

'Een fraai staaltje van dubbele moraal,' zei Rachel toen ze het over een ander stel hadden.

Maar het was niet helemaal hetzelfde. Hij had dit compromis gesloten omdat hij de dorre werkelijkheid niet onder ogen kon zien. Hij had zichzelf ervan overtuigd dat die dorre werkelijkheid niet bestond. Dit was de werkelijkheid: dat zij niet veel seksuele behoeften had en zij in de omgang de voorkeur gaf aan het gezelschap van vrouwen. Maar hem had ze lief. Waarom zou ze hem anders elke dag te woord staan en zaterdags met hem gaan lunchen?

Op een goeie dag, dacht hij, komt er wel verandering in. Ze geniet van haar vrijheid, ze vindt het leuk haar eigen geld te verdienen, werk te hebben, heel zuinig huis te houden en die bespottelijke principes van haar in praktijk te brengen. Maar op een goeie dag is het nieuwtje eraf. Dan zal ze willen trouwen. Alle vrouwen willen trouwen, en dan trouwde ze met hem. In zekere zin was het of ze verloofd waren, elkaar sedert hun jeugd verpand zoals je dat bij sommige Aziatische volkeren zag. Tegenwoordig wilden de meisjes zich bewijzen, laten zien dat je je op hen even goed kunt verlaten als op een man. Die gedachte bracht hij zelfs een keer onder woorden, toen hij na de zaterdagse lunch met Leonora meeging naar de nieuwe flat.

Ongelooflijk zoveel trappen als ze op moesten! Hij had nooit geweten dat zoveel flatgebouwen in Londen geen lift hadden. Rachel was thuis, gekleed in een van die haar kenmerkende ensembles: een oude tweedehands rok en een grijze trui van Oxfam. Hij bekeek hun kamerplanten en hun posters en de sofa die ze in Shepherd Bush op straat hadden gekocht, en na een tijdje had hij die opmerking over vrouwen die zich willen bewijzen te berde gebracht.

'Weet je, Guy,' zei Rachel, 'jij bent een echte Victoriaan. De laatste der Victorianen. Ze moesten jou in een museum zetten. Het Natuurhistorisch Museum, vind je niet, Leonora? Of het Victoria en Albert Museum.'

'Nee, je begrijpt me niet,' zei hij, een poging doende zijn drift te onderdrukken. Hij zag in de met vliegenpoep bevlekte spiegel een glimp van zijn jonge knappe tronie, zijn slanke atletische gestalte. Een Victoriaan! 'Je snapt het niet. Voor mij zijn mannen en vrouwen elkaars gelijken. Ik weet dat vrouwen een carrière nodig hebben en hun eigen geld en een baan om naar terug te gaan als ze eenmaal getrouwd zijn. Ik weet wat vrouwen willen.'

Ze gierden het uit. Ze klemden zich aan elkaar vast. Rachel zei iets over Freud. En nog steeds wist hij niet wat er fout of grappig aan zijn woorden was. Na een poosje kon het hem niet meer schelen, omdat de opmerking van Rachel was gekomen en niet van Leonora. En bij de volgende zaterdagse lunch lachte hij Leonora uit toen ze hem op zijn kop gaf omdat hij had gezegd dat bij Rachel de druiven zuur waren.

Hij ging door een lange episode waarin hij wíst dat ze op den duur zou bijdraaien en met hem trouwen. De mogelijkheid dat ze iemand anders zou ontmoeten kwam eigenlijk nooit echt bij hem op. Of liever gezegd: de mogelijkheid kwam met een kilte als de eerste vorst in het najaar zo nu en dan bij hem boven en dan belde hij haar om zichzelf gerust te stellen. Niet om dat gevoel onder woorden te brengen, want het was niet meer dan een gevoel en nooit een vermoeden, maar om naar haar stem te luisteren en te trachten daar een verandering in te bespeuren. De zaterdagen sloeg hij haar gade en luisterde hij naar haar stembuigingen om haar te betrappen op de geringste verandering. En ze bleef altijd dezelfde, waar of niet?

Ze praatte net als altijd over vroeger, over hun kinderjaren, en daarna over haar familieleden en vriendinnen, wat die gedaan of gezegd hadden. Dat soort dingen liet hem Siberisch, maar hij hoorde haar graag praten. Lachwekkend eigenlijk, de dingen die ze over de conversatie van die William Newton had gezegd, zij wier eigen gesprekken zo weinig voorstelden. Nooit had ze het over tv of muziek of het laatste toneelsucces op West End of over mode of sport. Hij probeerde zich een voorstelling te maken van de inhoud van de fenomenale gesprekken die ze met Newton had, maar zijn verbeeldingskracht schoot tekort.

Het was nu een week geleden dat hij haar met Newton had gezien. Hij liep aan de ene kant van de propvolle Kensington High Street in de richting van Church Street en zij liepen aan de andere kant, hand in hand. Zijn Leonora en dat roodharige scharminkel, amper langer dan zij.

Hand in hand! Hij voelde het bloed naar zijn hoofd stuwen, zijn gezicht rood worden alsof hij met zijn figuur geen raad wist, zich schaamde. Hij hoopte hartstochtelijk dat ze hem niet zouden zien, en ze hadden hem niet gezien. Naderhand bij de borrel thuis had hij beseft dat dit een van de ergste schokken van zijn leven was geweest, vergelijkbaar met de schok die hij gevoeld had op de dag toen die vrouw bij hem was gekomen en hem over Con Mulvanney had verteld.

'Jij ziet er ook niet al te best uit,' zei Danilo.
'Mij mankeert niks.'
Even voelde Guy zich in zijn kuif gepikt. In zijn nieuwe Ungaro-jasje en dunne Perry Ellis-trui had hij plezier in zijn uiterlijk. Het was niet zijn gewoonte lang voor de spiegel te staan. Een snelle blik was voldoende om de gewenste indruk van gebruinde wangen, de sepiakleurige schaduw over de harde kaakpartij, witte tanden en zwarte haarlok in zich op te nemen. En het harde, gespierde en toch slanke lijf. Maar de glimp die hij tien minuten geleden bij het verlaten van zijn huis had opgevangen, had hem iets anders getoond: iets van vermoeidheid, van slijtage misschien, iets afgetobds.
'Ik sta een beetje onder druk,' zei hij. 'Mijn migraine is teruggekomen.'
'Dan moet je moederkruid eten.'
'Wat is dat in godsnaam?'
'Joost mag het weten. Ik heb het ooit ergens bij Tanya gelezen. Die is helemaal op die alternatieve toer. Maar serieus, je ziet er niet erg florissant uit.'
Ze zaten in een restaurant in de dure buurt achter Sloane's Square. Danilo was een korte magere man met een leeuwenkop, een groot hoofd en de geelbruine ogen van een fel roofdiertje. Ofschoon niet meer dan één meter vijfenzestig lang, een paar centimeter korter dan William Newton, en met zijn vrij lange, springerig rossige haar, zou Guy hem nooit een rooie kobold genoemd hebben. Danilo droeg een sportief maar heel duur pak van bijna zwarte seersucker en hij had de mouwen van het jasje omgeslagen om de blauwzijden voering te laten zien. Hij had een blauw overhemd aan met dunne donkergroene streepjes maar droeg geen das. Zijn beide ringen waren van witgoud, de ene met een ronde knop van lapis lazuli, de andere met een vierkante brok jade. Een paar jaar geleden, toen dat soort dingen nog mogelijk was, had Danilo een buitengewoon lucratieve handel gedreven in keizerlijke jade uit China. Zo was Guy aan zijn manchetknopen gekomen. Danilo was niet van Spaanse of van Zuid-Amerikaanse afkomst en eigenlijk heette hij Daniel,

maar op de lagere school hadden er minstens vijf Daniels bij hem in de klas gezeten, vandaar die naamsverandering. Naast importeur van een keur aan illegale zaken was Danilo moordenaar uit de tweede hand. Dat dacht Guy althans.
Het enige terrein waarop Danilo niet de macho uithing, was dat van de drank. Hij nam een *spritzer* in een hoog glas. Guy dronk meer dan hij at. Daar had hij een handje van, ofschoon hij zeker ook at, ditmaal een stuk Schotse ossehaas dat in zijn geheel – geroosterd aan de buitenkant en rauw van binnen – bij hen aan tafel werd gebracht en met een behendige jaap van het mes voor hen in tweeën werd gedeeld.
Danilo had het over de villa in Granada die hij van de hand gedaan had en over het huis in de Wye Valley dat hij had gekocht. Een kasteel met twaalf hectare grond eromheen dat hij van plan was in te richten met de meubels uit een barok landhuis in Zweden. Er bestond in Zweden een verbod op het uitvoeren van al dat soort tafels en stoelen en schilderijen, maar Danilo had iets bedacht om dat te omzeilen. Hij was niet opvallend egocentrisch, en ondanks al zijn harde trekjes was hij jegens zijn vrienden zachtmoedig. Deze uitnodiging had hij niet gekregen om over zichzelf te praten.
'Zo, en hoe is het met Celeste? Is het nog altijd aan tussen jullie?'
Guy trok zijn schouders op. Het noemen van Celestes naam gaf hem altijd een onbehaaglijk gevoel.
'En de kunsthandel... stelt die je nog steeds in staat te leven in de stijl die je gewend bent?'
'Ik heb geen geldzorgen, Dan,' zei Guy. 'Daar zit ik niet mee. Jij en ik zullen daar nooit problemen mee hebben, of wel soms?'
Jaren geleden hadden ze eens tegen elkaar gezegd dat een vent die zichzelf niet rijk kon maken maar een halve vent was.
'Dan moet het met juffie Leo te maken hebben.'
Guy zou geen ander toegestaan hebben Leonora 'juffie Leo' te noemen maar van Danilo kon hij het beter hebben dan van anderen. Danilo hield ook van haar, weliswaar meer als een broer natuurlijk, en hij had haar in geen jaren gezien, maar hij bewaarde voor haar toch een tederheid die haar oorsprong vond in

het heimwee naar de wilde jaren van vroeger. In het weggraaien van koopwaar van de toonbank van Boots was zij handiger geweest dan alle jongens van de bende. Eén keer had ze in een armzwaai een elektrische tandenborstel, een haardroger en een doos elektrische krulspelden ingepikt. De gedachte daaraan herinnerde Guy aan een andere vriend, waardoor hij het grote ogenblik nog even uitstelde.
'Hoor jij nog wel eens wat van Linus?'
Danilo lachte. 'O, met hem is het slecht afgelopen. Nou ja, als je het mij vraagt. Weten doe ik het niet. Iemand heeft me verteld dat hij naar Maleisië is gegaan en dat hij daar de strop heeft gekregen omdat hij een plukje weed bij zich had.'
'En jij gelooft dat?'
'Nee, ik geloof nog niet de helft van wat me verteld wordt. Maar nou Leonora. Vooruit, je gaat het me toch vertellen, dus hoest het maar eens op. Gaat ze trouwen of zo?'
Dat schot was griezelig dicht bij de roos. Kordaat zei hij: 'Dat zal ze nooit doen. Nou ja, of het moest met mij zijn. Wat ik je vragen wil, Dan, ik bedoel, als ik wil...' Guy keek om zich heen. Er was niemand binnen gehoorsafstand en toch dempte hij zijn stem. 'Als ik iemand uit de weg wil hebben, zou jij... nou ja, dat kunnen opknappen?'
De iris van de gele ogen veranderde niet, maar de pupil wel. Het leek of die langwerpig werd, een zwart streepje in plaats van een zwarte stip. Danilo's rode tong bevoelde zijn dunne onderlip.
'Het vriendje?'
Guy was even sprakeloos. 'Hoe weet jij dat er een vriendje in het spel is?'
'Er is altijd een vriendje in het spel. Moet die opgeruimd?'
Weer die ongeduldige schouderschok van Guy. 'Ik dacht van niet. Ik weet het niet.' Weer zag hij de eettafel in het hotel. Hij zette Maeve op de plaats van oma Chisholm en William Newton op de plaats van Janice en haar verloofde. 'Iemand vergiftigt haar geest tegen mij, Dan, maar ik weet niet wie. Ik dacht dat ik het wist. Als ik het wist dan zou ik... Ik wéét het gewoonweg niet.'

'Het kan wel,' zei Danilo laconiek. 'Voor een vriend kan ik die klus keurig klaren voor drieduizend.'
'En tien van die keurige klussen voor dertigduizend? Maar dat is een massamoord en dat gaat niet. Ik kan toch niet dat hele stel van de aarde vagen? Dan, ik weet dat er eentje is die haar tegen mij opzet, één of hoogstens twee, één of twee die ze het naar de zin wil maken, met wie ze op goede voet wil blijven. Ze hebben haar alle leugens over mij verteld die ze maar kunnen verzinnen.'
'Dan moet het de verloofde zijn.'
'Nee, dat geloof ik niet. Jezus nog an toe, ik wéét het niet. Wist ik het maar. Ik ben ook zo'n stommeling, Dan. Ik heb je verdomme gewoon voor niks laten komen. Ik kan je geen namen geven. Ik heb je voor noppes laten komen.'
'Maar die ossenhaas was een sprookje,' zei Danilo. 'Ik zal voor deze keer van mijn regel afwijken en een kleine Chivas Regal nemen.'
Guy zei: 'Dan, waarom zei je dat, waarom zei je dat over die Newton?'
'Wat heb ik gezegd?'
'Je noemde hem "de verloofde".'
'Dat moet ik van jou hebben.'
'Nee. Ik zei dat ze niet verloofd was, dat ze nooit zou trouwen. Ik bedoel, die Newton bestaat inderdaad, natuurlijk bestaat hij, maar hij is gewoon een gozer die haar mee uit neemt. Hij betekent niet meer voor haar dan Celeste voor mij.'
Danilo keek hem doordringend aan, maar niet zonder genegenheid. 'Oké, ik weet het weer. Tanya heeft het me verteld. Ze heeft het in de een of andere krant gezien. Gisteren of eergisteren. Ze zei: hé moet je dit zien, en of dat niet de Leonora was die ik kende. Het was het gewone verhaal, van dat de verloving werd aangekondigd bla bla bla en dat het huwelijk binnenkort zou plaatsvinden. Leonora Chisholm en William Newton. Vandaar dat ik de naam van die gozer ken. Dat moet wel, want jij hebt hem niet genoemd. Daarom dacht ik dat je hem wilde laten opruimen.'

5

Guy sliep in een gelakt hemelbed met een baldakijn dat in Chinese stijl was gemaakt door de firma William Linnell in 1753. Het leek of de vergulde vliegende draken net neergestreken waren op de gebogen scharlakenrode hoorns die de nok van het pagodeachtige afdak versierden. De gordijnen waren van gele zijde. In het Victoria en Albert Museum stond een vrijwel gelijk exemplaar. De wanden van de slaapkamer waren behangen met zijdepapier. Er lag geen vloerbedekking op de parketvloer maar wel lagen er Chinese kleden met draken en dierlijke maskers en wolkenmotieven.

Die zaterdagochtend om halfnegen lag Guy in zijn hemelbed met Celeste Seton. Zij sliep nog, maar hij was wakker en overwoog koffie te gaan zetten, een nog ongedefinieerd hapje te eten en daarna voor een uur of twee naar zijn fitnessclub te gaan. Guy bekeek Celestes prachtige gezicht op het kussen, een gezicht als van een kostbaar bronzen beeld, en bedacht hoe mooi ze was, maar zonder aan haarzelf ook maar één gedachte vuil te maken. Zodra hij wel over haar nadacht, werd hij vervuld van schuldgevoelens. Het denkbeeld dat hij van die ene vrouw hield en met een andere naar bed ging om aan zijn seksuele gerief te komen, vond hij beschamend en stuitend.

En natuurlijk, zo stonden de zaken ook niet, bepaald niet. Hij had Celeste nooit een rad voor ogen gedraaid. Ze wist dat hij verliefd was op Leonora. Hij had het haar althans verteld. Hij was volledig openhartig geweest. Kon hij het helpen dat zij er een verkeerde uitleg aan bleef geven?

'Wat kan mij dat schelen, lieve Guy. Ik weet dat ik niet jouw eerste ben, ik zou wel gek zijn als ik dat verwachtte. Jij bent toch ook niet mijn eerste?'

Dat kon hij niet op zich laten zitten. 'Ik ben verliefd op Leonora. Ik hou van haar. Het leven zonder haar is onvoorstelbaar. Als

ik de kans kreeg, zou ik haar morgen trouwen.'
Ze glimlachte naar hem. 'Ja ja, natuurlijk. Zaterdags lunch je met haar, dan heb je haar anderhalf uur voor jezelf. Me dunkt dat ik daar wel mee kan leven. Als dat alles is, dan kan ik haar als rivaal wel aan.'
Haar vader kwam van Trinidad, waar de mensen Indiaas bloed hebben. Haar moeder was in Gibraltar geboren. Haar gezicht was zuiver Indo-europees en had de kleur van teakhout, en haar lichaam was dat van een Egyptisch meisje op een beschilderde vaas. Ze was mannequin. Haar haar was donker rossigbruin, heel dik, en viel in natuurlijke grove golven, als dat van Dorothy Lamour in een van de Stille-Zuidzeefilms uit de jaren dertig.
Als Guy haar mee uit nam, draaiden de mannen zich om en keken haar na. Hij kon er een eed op doen dat hij een keer, achter haar aan een trap aflopend, een man bij het zien van Celeste had horen grommen. Maar als hij Leonora mee uit nam – of had genomen, want dat gebeurde tegenwoordig maar hoogstzelden – keek niemand haar na. Ja natuurlijk, bouwvakkers op steigers floten naar haar, ze was jong en had prachtige benen en ze was aantrekkelijk. Maar het verkeer zou nooit voor haar stoppen, niemand bleef staan om haar na te staren. Het gekke was dat dat geen verschil maakte. De hete stuwende bewondering die Celeste ten deel viel en de onverschilligheid die Leonora's verschijning opriep, misten alle uitwerking op hem. Soms dacht hij dat hij opgelucht zou zijn als Celeste op een dag zei: saluut, het is leuk geweest maar ik heb een ander gevonden.
Hij maakte zich verwijten, het was afschuwelijk, het was gemeen. Maar wat kon hij eraan veranderen? Hij had Celeste niet gevraagd jacht op hem te maken, hij had haar niet binnengevraagd om op hem te zitten wachten tot hij thuiskwam. Hij gaf haar niet eens de sleutel van zijn voordeur. Ze gapte zijn reservesleutel en liet er eentje bijmaken. Zij was net zo verliefd op hem als hij op Leonora en dat, zo formuleerde hij voor zichzelf, maakte hem gek. Maar zij was beter af dan hij. Hij weigerde haar gunsten tenminste niet, hij wees haar niet de deur, liet niet het slot veranderen, zei haar niet dat ze op moest krassen. Hij

beperkte hun ontmoetingen niet tot een zaterdagse lunch. Hij was aardig voor haar. Hij ging met haar naar bed, hoewel hij dikwijls verdrietig dacht dat hij desnoods wel zonder had gekund. Hij verweet zich dat hij de stem van zijn lichaam niet had genegeerd, dat hij niet had geluisterd naar de stem van zijn hart en geest en niet, als een ridder wachtend op zijn jonkvrouw, kuis was gebleven.

Ze dronk nooit koffie. Hij maakte thee, zette het kopje op het tafeltje naast het bed, beroerde haar schouder en zei: 'Kopje thee, liefje.'

Met de ogen halfopen zei ze wat ze altijd zei bij het wakker worden: 'Hoi, lieve Guy, ik hou van je.'

Het duurde altijd even voor ze echt wakker was, vooral als het zaterdag was, als ze toevallig op vrijdagavond was langsgekomen en er toevallig op zaterdagochtend nog was. Zo nu en dan vroeg hij zich af, denkend aan zijn eigen verdriet, of ze op die ochtenden liever niet wakker werd omdat zaterdag zijn lunch-met-Leonora-dag was, of ze haar bewustzijn zo lang mogelijk op een afstand hield en de herinnering aan wat de dag zou brengen. Maar misschien was daar helemaal niets van waar, misschien projecteerde hij gewoon zijn eigen gevoelens op haar en mat hij haar bij zichzelf af. Het is heel verwerpelijk te proberen de gevoelens van iemand die verliefd op jou is te peilen als je zelf allesbehalve verliefd bent op haar, en dat wist Guy.

Hij liep naar de macho fitnessclub De Gladiatoren aan Gloucester Road waar hij lid was. Drie kwartier met de gewichten, dan de stoomkamer in, een koude douche, dertig baantjes zwemmen. Hij besloot zijn ontbijt over te slaan, ofschoon hij een heel gezond ontbijt had kunnen krijgen in de mueslibar.

De weegschaal meldde hem dat hij bijna een kilo was aangekomen. Waar bleef Danilo nou met zijn opmerkingen over zijn gezondheid!

Het was nog pas elf uur. Als hij er eerder aan had gedacht, had hij naar de schietbaan in King's Road kunnen gaan om nog een uurtje te oefenen, maar hij had er niet aan gedacht en hij schoot het liefst met een van zijn eigen geweren. Opeens zag hij er erg tegenop weer terug te gaan naar Scarsdale Mews. Celeste zou daar nog zijn. Celeste zou hoogstwaarschijnlijk nog in bed liggen en haar armen naar hem uitstrekken. De meeste aspecten van die situatie met Celeste en Leonora kon hij wel aan, zij het met moeite, maar niet dat van de een naar de ander gaan, ook al was Celeste daarvan op de hoogte en zou het Leonora koud laten.

Maar zou het haar wel koud laten? Hij bedacht dat hij Leonora nooit met zoveel woorden had verteld dat Celeste en hij samen naar bed gingen. Dat ze vaak met hem had geslapen op de dagen dat ze elkaar voor de lunch ontmoetten, dat Celeste van hem hield en vaak zwoer dat ze altijd van hem zou blijven houden. Misschien moest hij proberen het haar te vertellen. Het denkbeeld dat Leonora dan misschien wel jaloers zou worden maakte hem duizelig. Hij moest even gaan zitten op een bank in het park.

Vandaag zouden ze bij Crank's lunchen, de echte in Soho. Niets anders dan zijn liefde zou Guy bewogen hebben daarheen te gaan. Hij was er uiteraard nooit geweest maar hij wist dat het een vegetarisch restaurant was en misschien zelfs wel alcoholvrij. Nadat hij had besloten niet meer naar huis te gaan en Celeste gewoon (en niet voor het eerst) op eigen houtje te laten vertrekken, ging hij op weg, min of meer richting Hyde Park Corner. Misschien dat hij in Park Lane een taxi zou nemen of misschien zou hij zelfs wel het hele eind lopen.

De hemel was teerblauw met een fijn web van heel kleine wolkjes die geen moeite deden de zonnestralen de doortocht te verhinderen. De zon was warm, heerlijk warm, maar niet heet. Er zat geen briesje in de lucht, geen stekend licht. Het grasveld langs de Serpentine was die ochtend de speelwei voor de watervogels, eenden met rossige kopjes en wit-met-zwarte eenden met lange nekken, donderganzen en ganzen met roze poten, muskuseenden met rode lellen en wilde eenden met groensatijnen kruinen. Een eindje voor hem uit, op het punt waar Rotten Row het water erg dicht nadert, waren een meisje en een man de eenden aan het voeren uit een zak met dobbelsteentjes brood, of liever: het meisje voerde ze terwijl de man iets terzijde stond toe te kijken en zijn zonnebril oppoetste met een papieren zakdoekje. Guy hield zijn pas even in. Het meisje verfrommelde de papieren zak en stak hem bij zich, na vergeefs naar een prullenmand gespeurd te hebben. Zij en haar metgezel wandelden verder. Ze liepen over Rotten Row, een meter of twintig, dertig voor hem uit en kennelijk in dezelfde richting. Guy had hen herkend: het waren Maeve Kirkland en Robin Chisholm.

Eerst was hij alleen stomverbaasd dat die twee elkaar kenden. Maar eigenlijk lag het voor de hand. Robin was Leonora's broer en ze waren aan elkaar gehecht, Maeve was nu al drie jaar een van haar huisgenoten. Ze liepen niet hand in hand of opvallend dicht naast elkaar. Uit niets bleek dat ze minnaars of zelfs maar intiem bevriend waren.

Guy wilde niet door hen gezien worden. Hij liet de afstand groter en groter worden. Als een van beiden achterom keek, zou hij gewoon het grasveld oversteken naar South Carriage Drive. Hij vroeg zich af waar ze naartoe gingen en waar ze het over hadden. Beiden waren in spijkerdracht en T-shirt, dat van Maeve knalpaarsroze, dat van Robin wit. Haar voornaam ten spijt was Maeve niet Iers. Ze was als het standbeeld van een struise blonde viking, als een walkure, en zeker drie centimeter langer dan Robin, die toch bijna één meter tachtig was. Tien jaar geleden vonden vrouwen het niet prettig langer te zijn dan hun partner (hun partner vond het niet leuk), en als ze de tijd tien jaar terug konden draaien zou Maeve platte hakken hebben gedragen en iets gebogen hebben gelopen. Maar nu droeg ze hoge hakken die er onder de korte spijkerrok niet erg comfortabel uitzagen, maar het misschien wel waren. In die schoenen torende ze boven Robin uit.

De vriendschap van Maeve en Leonora stamde niet uit hun prille jeugd of van hun schooljaren of hun studietijd. Zij en Rachel hadden haar leren kennen toen ze adverteerden voor een derde bewoonster van hun flat, want die was veel duurder gebleken dan ze eerst gedacht hadden. Ze waren ontzet over het bedrag dat met de maandelijkse afbetaling van de hypotheek gemoeid was; maar zijn nieuwe geldaanbod sloegen ze af en in plaats daarvan zagen ze af van het plan om ieder een slaapkamer en een gezamenlijke zitkamer te nemen. Ze verdeelden de flat in drie zitslaapkamers en zetten een advertentie voor een kamerbewoner. Maeve werd de gelukkige. Het was Guy een raadsel, maar beide meisjes mochten Maeve, die al gauw een echte vriendin werd en mee aanzat bij de etentjes in de flat, de koffiemaaltijden voor de familie en de andere massa-uitjes waar Leonora zo gek op leek te zijn.

Guy vond haar bazig, luid en veel te lang. Net als Rachel, maar op een andere manier, had ze de brutaliteit hem voor te schrijven wat de aard van zijn betrekkingen met Leonora hoorde te zijn. In de ogen van Maeve kwam dat neer op helemaal geen relatie. Op dat punt was ze minder subtiel dan Rachel en minder ingewikkeld. Zij nam geen blad voor de mond. Een uitdrukking van zijn grootmoeder zou toepasselijk zijn op Maeve, dacht hij: viswijf.

Misschien ging Robin al jaren met Maeve. Leonora had daar niet over gerept maar hij vermoedde dat er veel dingen in haar leven waren waar Leonora hem niets over vertelde. Hij bespioneerde het stel daar voor hem uit, dat nu langzaam op weg was naar Hyde Park Corner, en toen, totaal onverwacht, ging Robins rechterarm omhoog en bleef rusten om Maeves schouders. Vrijwel tegelijkertijd draaide Maeve, alsof ze bang was dat iemand achter haar het zou zien en afkeuren, of alsof ze zijn aanwezigheid aanvoelde, haar hoofd om en keek zijn kant uit.

Hij wist dat ze zou wuiven. Misschien dat ze hem niet mocht, het was wel zeker dat ze hem niet mocht, maar ze kenden elkaar, hadden vaak bij elkaar aan tafel gezeten, hadden om de haverklap over de telefoon met elkaar gesproken als hij Leonora belde en zij weer eens opnam. Hij maakte aanstalten zijn arm op te steken voor het verplichte gebaar als antwoord op het hare. Ze tuurde en draaide zich toen weer om. Ze wuifde niet. Guy was onevenredig boos en van zijn stuk gebracht. Hij voelde zich beledigd. Maeve en Robin hadden de hoofden dicht bij elkaar gestoken en leken samen een fluisterend gesprek te voeren, hoewel het hem een raadsel was waarom ze zouden moeten fluisteren zonder een levende ziel in hun directe omgeving. Ze hadden het over hem, dat was overduidelijk. Het lag voor de hand je af te vragen wat ze zeiden, maar dat niet alleen: je vroeg je ook af wat ze al eerder hadden gezegd en wel tegen Leonora.

Ze hadden hun hoofden zo dicht bij elkaar gestoken dat het leek of hun haar, in beide gevallen overvloedig maar dat van Maeve langer en lichter van kleur, zich verenigde tot één felle goudbruine stralende zonovergoten massa, als een grote zijdeachtige bloem. En nu, gedreven door een noodzaak van grotere intimiteit, ongetwijfeld ten gevolge van Robins instemming met de boosaardige praatjes die ze verkondigde, schoof Maeve haar arm om zijn middel. Verstrengeld liepen ze verder als een bij de heupen samengegroeide Siamese tweeling. Hij hoorde de praatjes al, verzinsels over de manier waarop hij zijn brood verdiende, fantasieën over zijn privé-leven. Robin, die waarschijnlijk dezelfde nachttenten bezocht als hij, had hem best eens met Celeste kunnen zien. En dat zouden ze aan Leonora overbrieven. En het lag voor de hand dat Leonora eerder naar haar leeftijdgenoten zou luisteren en zich door hen zou laten beïnvloeden dan naar mensen die dertig jaar ouder waren. Hij in elk geval wel. Hij vergeleek in gedachten de uitwerking van een raadgeving of waarschuwing uit de mond van Danilo en die uit de mond van Danilo's vader, een geslepen oude man die een bookmakerskantoortje beheerde. Hij zou zich tien keer zoveel aantrekken van Danilo. En hij zou zich tien keer zoveel aantrekken van de raad van Celeste als van die van bijvoorbeeld zijn eigen moeder, voor het geval ze elkaar ooit nog eens tegen het lijf liepen.

Het koppel voor hem sloeg het pad in naar Serpentine Road en naar het beeld van Achilles. Maeve keek niet meer achterom. Wie weet hadden ze een afspraak met Leonora om ergens een zaterdagochtendborrel te drinken en waren ze van plan haar vol te pompen met waarschuwingen zodat zij, tegen de tijd dat ze tegenover elkaar stonden – om een uur of een – goed beslagen ten ijs kwam en voor hem op haar hoede zou zijn. Hij had het mooi mis gehad door de verandering – of ogenschijnlijke veran-

dering – in Leonora uitsluitend Tessa in de schoenen te schuiven. Anderen hadden daar evenveel of meer schuld aan. Maeve en Robin waren als tegenstanders nog veel gevaarlijker.
Hij was nog vroeg. Guy wandelde een eindje terug en liep onder de Albert Gate door Knightsbridge binnen om voor de etalage van Lucienne Phillips naar de kleren te gaan kijken die Celeste hemels gestaan zouden hebben, en naar dat ene korte donkerblauwe satijnen jurkje dat geknipt leek voor Leonora.

'Ik neem aan dat jij die flauwekul in de krant hebt laten zetten om je ouders een plezier te doen,' zei Guy.
Hij en Leonora zaten bij Crank's, waar het erg druk was. Ze konden niet eens een tafeltje voor twee krijgen. Zo zaten ze in een hoekje gedrukt met vier heel jonge meisjes die het hoogste woord voerden, luidkeels ginnegapten, van elkaars eten proefden, en praatten over jaloerse collega's op kantoor. Guy had Leonora haar keuze al verweten. Het was tijden geleden dat hij voor het laatst in een zelfbedieningsrestaurant was geweest. Hij had in de rij moeten staan voor zijn quiche en het slaatje, de minst stuitende vegetarische hap op het menu. Hij was er tenminste in geslaagd een glas wijn te bemachtigen – of eigenlijk drie glazen wijn.
Ze moesten wel gedempt praten. Niet dat hun tafelgenoten enige aandacht aan hen besteedden. Leonora droeg eveneens het zaterdagochtend-zomeruniform bestaande uit spijkerbroek, T-shirt en witte gympen. De spijkerbroek was blauw, haar T-shirt had blauwe, witte en lila strepen en ze droeg een lila band om haar hoofd, tussen haar pony en de rest van haar haar. Guy vond dat ze er, ondanks haar kledij, schattig uitzag, en toch had hij haar liever in een jurk gezien ter ere van haar lunch met hem. Het eerste waar hij naar had uitgekeken, had hij tot zijn grote opluchting niet gevonden. Het ontbreken van een verlovingsring was een van de aanleidingen tot zijn vraag.
Op neutrale maar vriendelijke toon zei ze: 'Als het aan William en mij gelegen had, nee, dan denk ik niet dat we de moeite genomen hadden om die aankondiging te laten opnemen. Eerlijk

gezegd denk ik niet eens dat we ons "verloofd" hadden. Maar mijn ouders wilden het graag en de zijne ook. Och en het is maar een klein offer als zij het zo graag willen, vind je niet?'

'Ja ja,' hij lachte een beetje. 'Ik weet dat jij altijd doet wat je ouders willen.'

Ze ontkende het niet. 'Waarom noemde je het flauwekul, Guy? Ik heb je toch verteld dat ik op William verliefd ben?'

'Ik ben geneigd dat ook flauwekul te noemen.' Hij dronk zijn eerste glas wijn leeg. Leonora dronk appelsap en keek hem over de rand van haar glas aan op een manier die hij pruilend vond. Hij veranderde van onderwerp. 'Je hebt me nooit verteld dat Maeve en jouw broertje samen optrekken.'

'Dat zal wel zijn omdat jou dat volgens mij niet zou interesseren.'

'Alles wat ook maar in de verste verte met jou te maken heeft, interesseert mij, Leo, dat moest je toch weten. Ik zag hen in het park. Ze liepen voor me uit. Heb jij hen nog gezien voor je hier kwam?'

'Wat, vanochtend bedoel je? Natuurlijk niet, Guy. Waarom zou ik? Waarom zouden zij hun zaterdag met mij willen doorbrengen?'

'Waar woont hij tegenwoordig?'

'In Chelsea. Hij is net verhuisd. Ik denk dat hij wel zou willen dat Maeve bij hem intrekt, en misschien doet ze dat ook wel als ik opstap.'

Dat negeerde hij. De meisjes ruimden het veld en lieten een tafel vol troep achter, maar ze hadden hem althans voorlopig voor zich alleen. Hij leunde naar haar over.

'Jouw gevoelens voor mij zijn toch zeker niet echt veranderd? Je bent niet van gedachten veranderd, maar jij denkt, of iemand heeft je ervan overtuigd, dat het niet verstandig zou zijn je met mij in te laten, dat dat niet goed voor jou zou zijn. Zo zit het, waar of niet?'

Zorgvuldig haar woorden kiezend zei ze: 'Ik hou echt van je, Guy. Dat heb ik altijd gedaan en ik denk dat ik dat altijd zal blijven doen. Dat heeft een boel te maken met vroeger en wat wij als tieners voor elkaar betekend hebben.'

Het was of zijn hart van blijdschap een sprongetje maakte, een dansje in zijn borstkas. Hij voelde het bloed naar zijn wangen stijgen. Hij strekte zijn hand uit en beroerde de hare die op de tafel lag.
'Maar Guy, we hebben niets meer gemeen. We voelen ons tot verschillende dingen aangetrokken. Ik walg van de manier waarop jij je geld verdient. En ik haat de dingen die jij vroeger hebt gedaan.'
Daar moest hij om lachen. 'Nou zeg, maak het nou een beetje! En jij dan? Laatst heb ik nog eens teruggedacht aan de gehaaide manier waarop jij kon snaaien. Weet je nog, dan gingen we naar Portobello Road om het te verpatsen.'
Haar stem klonk erg gedempt. 'Jij weet niet hoe ik me schaam over de dingen die ik gedaan heb. Ik walg van mezelf als ik eraan denk. Maar jij vindt het allemaal nog steeds volkomen in orde, jij denkt dat alles door de beugel kan zolang je er maar aan verdient.'
Haar hand lag vlak en levenloos onder de zijne. Hij haalde zijn hand weg, en bekeek hem of hij gestoken was en hij op het verschijnen van de bult wachtte. 'Ik doe tegenwoordig niks dat niet door de beugel kan,' zei hij. 'Niks.' Niet sedert de dood van Con Mulvanney, dacht hij bij zichzelf. Hij sprak het niet uit. Zij wist niets van die episode, en God verhoede dat ze het ooit te weten kwam.
'Het gaat niet alleen om dingen die wettelijk niet door de beugel kunnen. Het gaat ook om ethische dingen. Och Guy, je weet niet eens waar ik het over heb. Dat is het hem juist. We spreken dezelfde taal niet meer. Het enige waar het jou om gaat, is een heleboel geld verdienen en een lekker leventje leiden en macht hebben en steeds maar meer geld verdienen. Trouwens, je kunt het verleden niet zomaar uitvegen door te zeggen dat je dat of dat niet meer doet. Iemand heeft me eens verteld dat jij en je vriendjes aan afpersing deden.'
'Wie heeft jou dat verteld?' vroeg hij op kille toon.
'Doet dat er iets toe?'
'Ja, ik zou het graag weten.'

'Nou dan, het was Magnus.'
Hij wist het. Als hij het niet geraden had. 'En?'
'Hij zocht iemand die voor een cliënt van hem wilde pleiten, je weet wel, voor een soort misdadiger, en die noemde jouw naam in verband met een afpersersbende in Kensal.'
'En dat heeft Magnus aan jou overgebriefd?'
'Hij zei dat het niet dezelfde Guy Curran kon zijn, maar toen zei mam dat dat wel zo was, en ik wist natuurlijk dat ze gelijk had.'
'Jij luistert naar alles wat die mensen over mij te vertellen hebben, waar of niet, Leonora? Je luistert naar iedereen.'
Zachtjes zei ze: 'Het zou niets uitmaken, wat ze ook zeiden. We verschillen hemelsbreed. We hebben niets gemeen.'
Daar gaf hij geen antwoord op. Langzaam en opzettelijk lijzig zei hij: 'Ik heb een heel mooi vriendinnetje. Ze heet Celeste. Ze is drieëntwintig en mannequin en ze is beeldschoon. Ze heeft vannacht bij me geslapen. Waarschijnlijk zit ze thuis in Scarsdale Mews op me te wachten.'
Eén gruwelijke tel dacht hij dat Leonora met een glimlach zou gaan zeggen hoe blij ze voor hem was, hoe verrukt. Maar er trok een schaduw over haar gezicht. Ze keek star, de donkerblauwe ogen vast, de lippen opeengeperst. Ze was jaloers! Hij zag het. Er was geen vergissing mogelijk.
'Is dat een verzinsel?'
'Schattebout, ieder ander had ik die vraag kwalijk genomen.' Hij herinnerde zich dat hij iets gelijksoortigs gezegd had toen hij haar verhaal over Newton niet wilde geloven. Wat hadden ze toch veel van elkaar als het erop aankwam. Ze konden elkaars gedachten lezen. 'Ik heb de naam aantrekkelijk te zijn voor vrouwen,' zei hij met een glimlach. 'Bel haar maar op, vooruit, vraag het haar maar. Bel mijn nummer maar.'
Iemand, een vrouw, had hem eens verteld dat we altijd jaloers blijven op de liefjes van onze gewezen minnaars. Zelfs als we niets meer om hen geven, zelfs als we een nieuwe minnaar hebben gevonden, een nieuwe liefde voor het leven, toch blijven we jaloers. Het verdriet om de afwijzing blijft, want we zijn allemaal onzeker over onszelf, allemaal doodsbenauwd in de steek

gelaten te worden, allemaal willen we de eerste en enige zijn, en als dat niet kan dan althans de laatste. Maar dat was hem nu ontschoten; hij dacht daar althans niet aan. Zij was jaloers. Zijn Leonora was jaloers omdat hij een andere vrouw had!
'Ik vind het erg fijn voor je, Guy,' zei ze. 'Ik hoop dat het echt goed blijft gaan tussen jullie. Ik ben er heel blij mee.' Ze had een inval. 'Maar Guy, zou ze het niet erg vinden van die afspraakjes van jou en mij? Weet ze ervan? Ik wilde maar zeggen: misschien is het beter als we ermee kappen, als je denkt dat zij het vervelend vindt.'
'Natuurlijk vindt ze het niet vervelend,' zei hij ongeduldig en hij vervolgde: 'Als je uitgegeten bent, moesten we maar eens opstappen. Zullen we ergens anders naartoe gaan? Al zouden we alleen maar even ergens in het gras gaan zitten.'
Hij wist dat ze zou weigeren, maar dat deed ze niet. 'Mij best, een halfuurtje dan.'
Hij vroeg zich af wat er zou gebeuren als hij probeerde haar hand te pakken. Beter maar niet. Ze liepen naast elkaar. De wolken waren weggetrokken en de hemel was heet, hardblauw geworden. Opeens moest hij denken aan de vakantie die ze nu vier jaar geleden van plan waren geweest. Ze zouden naar een van de minder drukke Griekse eilanden reizen en hij had die vakantie, zonder het haar te vertellen, beschouwd als het decor voor de hervatting van hun seksuele relatie. De zee daar werd wijnkleurig genoemd en de nachten waren warm. Ze zouden in een ontzettend leuk soort hotel logeren met allemaal hutjes met strooien daken, elk met zijn eigen pad naar het zilveren strand. Daar zou ze bij hem terugkomen, lijfelijk terug in zijn armen, en kort na hun thuiskomst zouden ze trouwen, de baan die ze had aangenomen en de kamer die ze met Rachel zou delen vergetend.
Nog geen twee weken voor hun vertrek had ze afgezegd. En de reden die ze opgaf, was het feit dat hij voor hen beiden betaalde. Er was niets aan te doen, ze kon haar aandeel niet betalen, dat kon er niet af, en ze kon hem niet voor haar kosten laten opdraaien, en dus ging het niet door. Zelfs nu nog deed de herinnering daaraan zijn hart pijn. Volgens zijn redenering beleed een

vrouw de liefde van een man, en haar liefde voor hem, door hem te laten betalen. De overeenkomst tussen hen berustte op een soort romantische transactie, hoewel dat woord 'transactie' niet bepaald romantisch klonk.
Hij keek even naar haar Egyptische profiel met de sterke mond en kin, de nogal strenge neus, het donkere gordijn van haar dat iets voor haar wangen viel doordat ze het hoofd voorover hield, alsof ze diep in gedachten was.
'Je gaat dit jaar toch hoop ik niet met vakantie?' zei hij. Hij bedacht dat hij dan van zijn zaterdagen beroofd zou worden, misschien wel twee of drie zaterdagen moest missen.
'Nou, vakantie, dat nou niet,' zei ze. 'Ik bedoel dat we later nog een tijdje weggaan.'
Het hart zonk hem in de schoenen. 'Wie we?'
'Ik heb telkens weer uitgesteld het je te vertellen, Guy, maar nu je me over Celeste verteld hebt, ligt de zaak anders. Zestien september ga ik trouwen, en daarna gaan we op onze huwelijksreis.'

6

Er waren nog vijf weken te gaan.
Ze zouden trouwen op het bureau van de burgerlijke stand van Kensington, de routineprocedure, met Maeve en Robin als getuigen. Ze waren niet godsdienstig. Op de avond van hun huwelijksdag zouden Leonora's vader en zijn vrouw een receptie voor hen houden. Anthony en Susanna Chisholm woonden in Londen, niet in het huisje van vroeger, maar in een appartement van twee verdiepingen in een huis uit het begin van de negentiende eeuw, gelegen in Lamb's Conduit Street. Het had aan Susanna en haar eerste man toebehoord. De ouders van William Newton woonden in Hongkong en kwamen niet over voor het huwelijk, aangezien ze met Kerstmis in Engeland zouden zijn, maar zijn zuster en zwager zouden wel van de partij zijn.
Ze vertelde hem er alles over.
'Maar het is jou niet om hem te doen, of wel soms? Al zou hij doodgaan, mij zou je toch niet willen hebben, of wel soms? Er zit iets anders achter.'
'Hij gaat niet dood, Guy. Waarom zou hij? Hij is een kerngezonde man van dertig.'
'Als ik dacht dat het jou wel om hem te doen was, zou ik hem vermoorden. Dan zou ik om jou willen vechten, hem tot een duel uitdagen en hem doodsteken.'
'Doe niet zo bespottelijk.'
'Kan hij met een pistool omgaan? Nee, zeg maar niks. Ik wil niks van hem weten. Je gebruikt hem toch maar gewoon als excuus. Iedereen is beter dan ik. Ik zou wel eens willen weten waarom, Leonora. Ik zou wel eens willen weten wat er gebeurd is om jou zo tegen mij in te nemen.'
Dat gesprek werd niet zittend in het gras gevoerd, maar de week daarop in een restaurant dat hij voor deze ene keer van haar had mogen kiezen. Het lag in de wijk van Notting Hill die Hillgate

Village wordt genoemd, zuidelijk van Bayswater Road. Leonora had een jurk aan. Het was heet en de jurk was kort en gemaakt van dat doorzichtige spul dat aan je lijf kleeft, wit en met nevelig roze en lila bloemen en een eenvoudige ceintuur of sjerp. Ze had een witte panty aan en platte roze schoenen. Aan de kapstok bij de ingang van het restaurant hing haar witte strooien hoed met lila lint. Na de lunch ging ze naar de trouwerij van een vriend van William Newton, en het noemen daarvan had aanleiding gegeven tot het gesprek over haar eigen trouwen.

Guy zou willen dat ze zich altijd zo kleedde. Hij voelde een pijnlijke hunkering naar haar. Hij hoorde zijn eigen stem die haar aan een verhoor onderwierp, en hij haatte zichzelf om de machotoon die hij aansloeg, om de steeds opnieuw herhaalde vragen, maar hij moest het weten. Ze keek hem gekwetst en geërgerd aan. Ze wilde geen dessert, kaas of koffie om niet te laat te komen. Toen hij bleef drammen zei ze dat er niets gebeurd was om haar tegen hem te keren. Nee, het kwam niet door zijn aanbod om de flat te kopen, het kwam nergens van, het had zich langzamerhand zo ontwikkeld en was al begonnen toen ze nog geen twintig was. Ze was hem ontgroeid en hoopte dat hij haar zou ontgroeien.

'Je was anders wel jaloers toen ik je over Celeste vertelde,' zei hij. 'Dat zag ik aan je ogen. Dat betekent dat je nog steeds van mij houdt.'

'Guy, dat is onzin.'

'Als jij met hem trouwt terwijl je nog steeds van mij houdt, bega je een misdaad tegen jezelf en tegen mij.'

Ze lachte om hem. Dat vond hij erg wreed van haar, maar hij begreep wel dat dat haar afweer was. Als ze niet gelachen had, was ze in huilen uitgebarsten. Het was een cru, onvrouwelijk geluid, die lach, die meer weg had van pijn dan van vrolijkheid.

Ze vertrok naar de trouwerij van die vriend van William Newton en liet Guy achter bij zijn cognac.

Maeve en Robin, Anthony en Susanna, Tessa en Magnus, Rachel Lingard, een van hen of een van die stellen, had hem deze streek geleverd. Maar hóé dan? Ze hadden haar ervan overtuigd dat hij volstrekt onmogelijk was, zodat ze zich, wijkend voor hun overmacht, in de armen had gegooid van de eerste de beste man die langskwam. Ze hadden waarschijnlijk zelf voor die passant gezorgd, hem gevonden en gekeurd en vervolgens aan Leonora voorgesteld.

Hij belde haar als gewoonlijk op zondag, maandag en dinsdag. Hij weigerde te geloven in de mogelijkheid dat ze inderdaad op zestien september zou trouwen, maar als zoiets onmogelijks en schandelijks toch kon gebeuren – als, als – dan had hij zich voorgenomen haar dagelijks te blijven bellen. Soms zag hij hen als bejaarden nog steeds aan de telefoon, zij een grijsharige grootmoeder, hij een bejaarde miljonair, ongetrouwd maar met een heel leger mooie maar onbeminde maîtresses. Maar daar kwam niets van in, want op een goeie dag, dit jaar, volgend jaar, het jaar daarop, eens zou ze met hém trouwen. En degenen die hem daarbij in de weg stonden, zou hij opruimen. Zondag nam Rachel op, maandag en dinsdag Maeve.

Rachel zei: 'Ik haal haar wel,' en ze liet een theatrale zucht horen en een opmerking die hem deed knarsetanden. 'Ze dacht wel dat jij het was. Ze had net zo'n soort voorgevoel, zoals mediamieke mensen wel eens hebben vlak voor een verkeersongeluk.'

Maeve zei, toen hij om Leonora had gevraagd: 'Is dat nou nodig?'

Hij was ziedend. 'Wat bedoel je "nodig"? Zal jou een klotezorg zijn.'

'Jouw toon bevalt me niet. Je krijgt Leonora niet te spreken met vuilbekkerij.'

'O nee? Ik blijf dit klotenummer draaien tot ik haar krijg. Je wordt trouwens nog bedankt dat je me vorige week in het park voor paal liet staan. Mooie opvoeding hebben jij en je vriendje gehad.'

'Waar heb je het over? Ik ben jou niet tegengekomen in het park, vorige week niet en nooit niet.'

Ze ging weg en Leonora kwam aan het toestel. De volgende dag kreeg hij Rachel weer en die zei dat ze nog altijd een ander nummer konden nemen, of hij dat wel wist. Hij antwoordde niet.

'Alexander Graham Bell heeft heel wat op zijn geweten,' zei Rachel.
Zij had echt de pest aan hem; haar stem klonk giftig. Merkwaardig toch dat al die vrouwen, Tessa, Rachel, Maeve, hun 'toewijding voor Leonora' dachten te tonen door haar tegen hem op te zetten, terwijl ze haar, door haar aan te sporen met hem te trouwen, de grootst mogelijke dienst zouden bewijzen en haar zouden verzekeren van liefde en romantiek, en wat meer was: van een toekomst zonder financiële zorgen, kortom, van een luizenleventje van liefde en overdaad.
Guy bleef 's avonds nooit thuis. Wat was daar te doen? Hij had geen vermogen bijeengebracht om thuis kant-en-klaarmaaltijden te eten en video's te kijken. Susanna Chisholm, die altijd aardiger tegen hem was geweest dan de rest, had eens verteld van iemand die ze in New York had ontmoet en had gezegd dat hij, sedert hij in Manhattan was komen wonen, geen avond thuis had gegeten. Anderen die erbij waren geweest hadden er verbaasd om gelachen maar Guy had zich in stilte afgevraagd waar ze zich zo druk over maakten, want hij had, sinds hij in Scarsdale Mews woonde, ook geen avond thuis gegeten. 's Avonds uitgaan betekende buitenshuis eten en drinken en dan naar een sociëteit gaan en nog wat bijtanken.
In de schouwburg kwam hij zelden, maar hij ging wel eens naar de bioscoop om Celeste een lol te doen. Nadat hij vierkant geweigerd had ook maar te piekeren over *Vrouwen op het randje van de afgrond* in de Lumière had hij ingestemd met *Parijs bij nacht* in de Curzon West End. Ze waren naar de voorstelling van vijf voor zeven geweest omdat beiden liever naderhand aten en het was pas negen uur toen ze eruit kwamen. Guy had een tafel laten reserveren in een restaurant dat hem bijzonder beviel, ergens in Stratton Street, waar Leonora voor geen geld mee naartoe genomen zou willen worden, zelfs niet om te lunchen.
Het was toen een warme drukkende avond na de zoveelste hete dag. Celeste droeg een witte katoenen jurk van broderie anglaise, kort en nauw, maar niet opvallend nauw, want ze was heel slank. Ze had witte sandalen aan met witte en verguld leren

riempjes, wit-met-groene armbanden aan beide armen en elk miniatuurvlechtje in haar haar, alle vijftig, eindigde in een puntig gouden kokertje. Guy droeg een linnen pak van heel lichtbeige-grijze stof met een openvallend hemd in de kleur van bittere chocola. Zijn broek werd opgehouden door een gevlochten grijsleren riem en zijn witte schoenen waren afgezet met grijs leer. Een paar uur daarvoor had hij gevonden dat ze een knap stel vormden, maar dat was gewoon zijn oordeel en niet iets om bijzonder blij om te zijn.

Bij het uitgaan van de bioscoop zag hij Leonora en William Newton voor hem uit naar buiten gaan. Hoewel hij Leonora die middag nog gesproken had, kreeg hij, toen hij haar zag, toch die merkwaardige kenmerkende reactie die sterker was als hij haar, wat zelden gebeurde, toevallig tegenkwam. Het leek of zijn hart stilstond om even later niet sneller maar lúíder te bonzen. De mensen om hen heen – een hele horde voornamelijk jonge en nog net niet oude lieden die hij, tot hij haar in het oog kreeg, aantrekkelijk en kleurrijk had gevonden en best een kijkje waard – vervaagden tot gezichtloze schimmen, de doden misschien of de figuranten uit een zwart-witfilm. Alleen hij en zij bestonden. Die sensatie hield even aan. Toen de menigte weer gezichten had gekregen, stonden hij en Celeste en Leonora en Newton op het trottoir. Leonora draaide haar hoofd en keek hem recht in het gezicht. Ze was blij hem te zien, dat zag hij aan haar. Ze gunde hem haar heerlijke, zorgvuldig afgemeten glimlach, greep Newton bij zijn mouw en trok hem mee in hun richting.

'Guy,' zei ze, 'je hebt er niets van gezegd dat je naar de bioscoop ging.'

'Jij ook niet. Dit is Celeste. Celeste, Leonora.' Hij vertikte het om Newtons naam uit te spreken.

'Dit is William.'

Doordat hij zoveel van haar hield, kon hij in stilte toegeven dat ze eruitzag om op te schieten. Net een stel hippies, overblijfselen uit de jaren zestig hadden ze kunnen zijn. Newton in zijn kakikleurige katoenen broek uit een dumpzaak en een T-shirt dat eens lichtblauw geweest moest zijn, voor het een keer of hon-

derd meegedraaid had met de koude was met een heleboel donkerblauwe en rode kledingstukken. Haar jurk was een van Laura Ashleys minder geslaagde producten, en ongetwijfeld een jaar of vier geleden in de uitverkoop gekocht, een verschoten of verwassen donkerblauw-met-wit imprimeetje met elastiek in de taille en te lange korte mouwen en een zoom die halverwege haar gruwelijk kaal gelopen roodleren laarzen hing. Guy was tevreden. Een vrouw die zich zo toetakelde om uit te gaan met een man, kon niet veel om die man geven.
Hij vertelde hun over het restaurant in Stratton Street en stelde voor dat ze meekwamen met hem en Celeste. Newton zei nee, toch maar niet, bedankt. Guys wenkbrauwen schoten omhoog: nou zeg, hadden ze gegeten of hadden ze niet gegeten? Een mens moet toch eten?
Guy meende bij die opmerking de schim van een glimlach over Newtons gezicht te zien flitsen, maar hij begreep niet wat er te lachen viel. Newton was een tikje groter dan hij gedacht had en eigenlijk helemaal niet een bijzonder korte man, maar die paardenkop en dat rossige haar waren precies zoals hij zich herinnerde. En hij droeg een bril! Guy vond dat ieder jong mens met een greintje gevoel van eigenwaarde die met zijn ogen sukkelde, aan de lenzen moest.
'We eten thuis, Guy,' zei Leonora. 'We hebben van tevoren alvast een hapje genomen.'
'Dat moet uren geleden zijn.'
'Goed dan, we gaan mee. Dan nemen we iets goedkoops,' zei ze. 'Eén gerecht maar, een pasta of zo.'
Ze wilde bij hem zijn! Na zo'n ontmoeting vond ze het idee om naar huis te gaan onverdraaglijk. Nu kon ze hem eens mooi met Newton vergelijken. Nu kon ze hem met Celeste zien! Een warme genegenheid voor Celeste welde in hem op en onverwachts pakte hij haar hand. Het gebaar ontging Leonora niet want ze keek naar hun verstrengelde handen, maar ze pakte die van Newton niet. In het restaurant gingen de beide vrouwen rechtstreeks naar de dames-wc. Hij was alleen met Newton en zette zich schrap voor een ruzie of een stilte.

Maar Newton, van wie Leonora tijdens de zaterdaglunch had gezegd dat hij iets bij de BBC was, een producer van documentaires over sociale problemen of iets anders saais, begon over de film die ze net hadden gezien. Hij vroeg of Guy het een goede film vond en waarom. Guy had het geen goeie film gevonden maar vond het moeilijk uit te leggen waarom niet. Dus gooide hij het over een andere boeg en vroeg Newton wat hij van Parijs vond. Was hij er kortgeleden nog geweest en zou hij er graag naartoe gaan om de tweehonderdste verjaardag van de revolutie mee te vieren? Hij stak een sigaret op, wat hem hielp zijn gedachten te bepalen.
Newton wuifde de rook niet weg of zo, maar verschoof zijn stoel een eindje. Tot Guys verbazing nam hij een borrel, een gin-tonic net als Guy, in plaats van het alcoholloze bier dat je verwacht zou hebben. Hij was dat voorjaar nog in Parijs geweest, zei hij, om de Gauguin-tentoonstelling te zien, die hij vervolgens beschreef en bezong. Guy vroeg zich af of dit een steek onder water voor hem was, een hatelijkheid vanwege zijn onderneming van handgeschilderde-oorspronkelijke-olieverfschilderijen. Newton leek te merken dat hij zich verveelde, stopte zijn verhaal over Gauguin en zei dat Parijs te vol zou zijn, dat hij trouwens meestal een week of twee naar Schotland ging in augustus, behalve dit jaar.
Guy wist waarom hij dit jaar niet ging. Waarom hij dácht dat hij dit jaar niet ging. Waar bleven de vrouwen? Ze waren nu al tien minuten bezig. Misschien waren ze wel bezig elkaar om hem de ogen uit te krabben. Schotland en augustus, dat kon maar één ding betekenen voorzover hij wist. Hij moest toch iets vinden om met die gozer over te praten.
'Dus jij jaagt op korhoen?'
'Alleen uit zelfverdediging. Maar tot nu toe ben ik nooit door een korhoen aangevallen.'
Degene die gezegd had dat sarcasme de minste vorm van geestigheid was, had gelijk, vond Guy. 'Het is niet te geloven hoe gemakkelijk het is goed te leren schieten. Veel gemakkelijker dan je misschien denkt. Het geeft een heel lekker gevoel, de eerste vogel die je uit de lucht schiet.'

'Ja, dat zal best, als je het zo bekijkt. Gezien de heldhaftige botteriken die het prima kunnen, moet je wel gelijk hebben. Ik zou er geen plezier in hebben vogels en andere dieren dood te schieten. Het feit dat ze worden gefokt met het doel ze later dood te schieten maakt het nog erger.'
'Waar zou jij dan op willen schieten? Mensen?' Guy lachte nogal luid om zijn eigen grap.
'Ik ben erin geslaagd dertig jaar te leven zonder iets te schieten en toch redelijk tevreden te zijn, Guy, en ik neem aan dat ik nog wel een jaar of dertig op dezelfde voet zal kunnen doorgaan. Dat domme bloederige gepaf trekt me niet zo.'
'Een man hoort met een vuurwapen te kunnen omgaan,' zei Guy. 'Ik ben lid van een schietvereniging. Maar wij schieten natuurlijk op een schietschijf.'
Newton wendde zijn hoofd een beetje af, zoals iemand die zich verveelt en niet echt onhebbelijk wil zijn, maar het evenmin erg vindt als hij dat wel is.
Guy zei: 'De meisjes hebben een hoop tijd nodig.' Weer een knik van Newton. Guy wist niet wat hem op de gedachte bracht, maar toen het eenmaal zover was, voelde hij een onverklaarbare opwinding opkomen. 'Ooit aan schermen gedaan?'
Newton draaide zijn hoofd om en keek hem recht in de ogen. Die glimlach was er weer, haast onzichtbaar, meer in zijn ogen en in zijn gezicht dan rond zijn lippen. Guy zag dat die ogen die hij, zonder Newton in zijn nabijheid, beschreven zou hebben als grijs of lichtbruin, in werkelijkheid donkergrijs-blauw waren, de tint die minder dan welke kleur ook bij dierenogen hoort.
Het duurde lang eer hij antwoordde. Toen zei hij: 'Op school.'
'Op schóól?'
'En daarna ook nog een tijdje. Ben jij dan lid van een schermclub?'
'Ikke? Nee, hoezo?'
Guy wist dat Newton hem op de hak nam, en dat was iets wat hij niet pikte. Hij stond op het punt zijn vraag te herhalen toen Leonora en Celeste terugkwamen. Beiden leken tevreden over zichzelf, vond Guy. Leonora vroeg waar ze het over hadden ge-

had en Newton zei met een grijns: over de kunst van de zelfverdediging.
Ze bestelden. Leonora en Newton bleven bij hun voornemen pasta te eten, hoewel Guy zijn best deed Leonora op andere gedachten te brengen. Wat Newton at liet hem koud. Dat was niet helemaal waar, want hij zou hem graag iets giftigs zien eten, iets dat aangelengd was met blauwzuur of zo of geïnfecteerd met zo'n modieuze bacterie, listeria of salmonella, en hem over de grond zien rollen aan de voeten van de vrouwen, kreunend, met het schuim op de lippen. Hij haatte Newton en zijn grijns en zijn koele slimme ogen. Hij had het nu over schermen, of liever: over het vroegere prijsvechten in de zestiende en zeventiende eeuw, toen de mannen elkaar, vóór de dagen van vuistgevechten, op een straattoneeltje te lijf gingen met stompe zwaarden en elkaar niet zelden over de kling joegen. Guy vond het niet zo'n geschikt onderwerp voor aan tafel, en nog wel in aanwezigheid van vrouwen.
Dit was dus een staaltje van Newtons hooggeprezen conversatietrant! Hij bezat, zo bleek, een stel sabels dat, gekruist, een van de wanden van zijn flat in Camden Town opvrolijkte. Hij dacht erover ze te verkopen omdat Leonora ze in hun nieuwe huis niet wilde hebben. Guy had graag geweten wat ze op het oog hadden, maar vertikte het te vragen. Celeste vroeg het.
'Ik verkoop mijn flat. Leonora verkoopt haar aandeel van de flat waar ze woont aan de vriendin die de andere helft al heeft.'
'Rachels grootmoeder is gestorven en die heeft haar wat nagelaten, dus kan ze mijn deel kopen,' zei Leonora. 'Maar we hebben geen haast. Ik trek zolang wel bij William in.'
Waarom kreeg hij dit soort dingen nooit te horen? Waarom werd hij onkundig gehouden? Nog een wonder dat Rachel überhaupt nog werkte, met al die rijke familieleden die almaar doodgingen en haar bergen poen nalieten. Zijn steak werd gebracht, een enorme bloedige driehoek die Newton volgens hem met spottende blik bekeek, hoewel hij, toen hij opkeek, met zijn rug naar hem toe zat en iets tegen Celeste zei. Guy dronk nogal stevig. Niemand wilde meer iets van de tweede fles wijn, en dus

dronk hij hem leeg en begon daarna borrels te drinken, dry martini's maar zonder ijs, hoewel het erg warm was.
Voordat de rekening kwam, leunde Newton naar voren en zei dat ze hem zouden delen.
'Geen sprake van,' zei Guy, 'ik heb jullie uitgenodigd.'
'Toe Guy, we zouden het veel liever delen.'
'Ik pieker er niet over. Ik ben zo vrij jullie vrij te houden.'
'Nou bedankt dan voor het vrijhouden,' zei Newton en daarmee stond hij op en liep naar de mannen-wc.
Was dat een steek onder water voor hem omdat hij een term had gebruikt die een slimme klootzak als Newton onjuist of uit de tijd vond, of zakkig of wat mensen als hij ook maar mochten vinden? Hij was er onmiddellijk van overtuigd dat Newton hem een loer draaide en van plan was stiekem naar de kelner toe te gaan om zijn aandeel te betalen, eer de rekening bij Guy belandde. Dat dat niet het geval was, dat de rekening voor hen alle vier bleek te zijn verbaasde hem bijzonder. Wat voerde die gozer in zijn schild?
Nu moest er een taxi geroepen worden. Leonora zag er moe uit, alsof ze die avond niet gezellig had gevonden en om de een of andere reden een corvee. Het was natuurlijk de eerste keer dat ze hem en Newton samen had meegemaakt. Had ze zich – verrukkelijk denkbeeld – bedacht wat Newton betrof? Als ze hen met elkaar had vergeleken, en dat was onvermijdelijk, zou dan blijken dat Newton tekortschoot?
'Als je toch naar het noorden gaat,' zei hij tegen Newton, 'kun jij beter de eerste taxi nemen. Dan kan Leonora met ons mee en dan zetten we haar wel af.'
'Nee, Guy, dat gaat niet. Ik logeer tot vrijdag bij William. En we nemen geen taxi. We nemen de ondergrondse.'
'Van Green Park naar Warren Street en dan verder met de Northern Line,' zei Newton zelfingenomen en onverstoorbaar. 'Zo simpel als wat. Welterusten. Welterusten Celeste, leuk je te hebben leren kennen.'
In de taxi zei Guy: 'Ik had haar om zijn telefoonnummer moeten vragen. Als ze bij hem is, kan ik haar morgen niet bellen.'

'Probeer het telefoonboek,' zei Celeste.
'Ja, daar zal hij wel in staan. Waar heeft ze het al die tijd dat jullie in de plee waren over gehad?'
'Over ditjes en datjes. Ze had het over ons en over William.'
'Hij is wel een mies mannetje.'
'Ik vond hem best aardig.'
'Maar kun jij je voorstellen dat een vrouw verliefd op hem wordt? Belachelijk idee.'
'Ik zal je vertellen wat ze zei, als je het weten wilt. Ze zei dat ze het echt erg fijn vond jou zo gelukkig te zien met mij. Ze vond me heel mooi en zei dat jij je handjes dicht mocht knijpen en dat ze zeker wist dat jij dat ook besefte en dat ze hoopte dat we erg gelukkig zouden worden. Wou je weten wat ze nog meer gezegd heeft?'
'Nou nee, eigenlijk niet. Het klinkt niet erg origineel. Ga je mee naar mijn huis? Nee zeker, als je morgen weer vroeg op moet voor die klus in l'Oriol. Zal ik tegen de chauffeur zeggen dat hij Old Brompton Road neemt? Jezusmina, Celeste, je zit toch niet te grienen? Wat valt er nou te huilen?'

Guy viel onmiddellijk in slaap en droomde dat hij en Newton elkaar met zwaarden te lijf gingen. Ze waren in Kensington Gardens op het grasveld langs de Flower Walk bij het Albert Memorial. Het was heel vroeg in de ochtend, de zon was nog niet op en behalve hun secondanten was er nog geen mens op de been. Hij had Linus Pinedo als secondant en Newton een man wiens gezicht Guy niet kon zien omdat hij een schermmasker droeg. Een jaar of vier, vijf geleden had Guy een blauwe maandag geschermd bij een vereniging, maar ten slotte toch de voorkeur aan squash gegeven omdat dat zo snel was en meer lichaamsbeweging gaf. In zijn droom was hij erg goed, wel zo goed als die filmster in *The Prisoner of Zenda* uit de jaren dertig.
Zijn bedoeling was alleen Newton te verwonden, desnoods ernstig, maar de man was kennelijk doodsbenauwd en amper in staat zich behoorlijk te verdedigen. Guy had het op zijn linkerarm gemunt – want in de droom was Newton links – sprong

naar voren, voerde een zogenaamde 'balestra' uit, liet die als de bliksem volgen door een 'flèche' die in een enkele snelle uitval Newtons hart doorboorde.
Geluidloos zonk Newton op zijn knieën, zijn wapen viel op de grond en zijn beide handen klemden zich om de *forte* van Guys zwaard. Hij rolde op zijn zij in het groene, nu door bloed doordrenkte gras. Zijn adem reutelde tussen zijn bleke lippen en in de armen van de gemaskerde man gaf hij de geest. Guy trok zijn zwaard vrij, dat blinkend schoon uit de wond kwam.
Linus keek Guy in de ogen en zei: 'Even tijd om uit te blazen, man. Je hebt weer wat meer armslag.'
Guy was blij en geweldig opgelucht. Newton was dood en Leonora kon dus niet met hem trouwen. Nu kon hij op zijn dooie gemak uitpluizen welke kwaadspreker haar geest tegen hem had vergiftigd. Hij boog zich over de dode, en voelde een zekere dankbaarheid, ja haast een zekere genegenheid voor hem. De gemaskerde man ontdeed zich met een snel gebaar van zijn masker en onthulde voor de nu trillende, ontstelde Guy zijn identiteit. Het was Con Mulvanney.

De volgende ochtend zocht hij, nog steeds geschokt door die droom, het nummer van Newton op in de gids en vond daar ook zijn adres in Georgiana Street. Vervolgens zocht hij dit op in de *London Streetfinder*. Linus' uitspraak dat de dood van Newton hem wat meer armslag zou geven viel hem weer in. Newton vormde als man misschien geen ernstige bedreiging, maar hij was er en op zestien september zou Leonora met hem trouwen. Ze zou ongetwijfeld binnen de kortste keren spijt krijgen van die stap, maar dan zou het te laat zijn. Een lichtpuntje was dat een echtscheiding betrekkelijk gemakkelijk was.
Waarom was Con Mulvanney in zijn droom opgedoken? Guy had weliswaar weinig van zijn hopeloos ontoereikende moeder geërfd en nog minder van haar aangenomen, maar toch had hij door de jaren en de veranderingen heen een paar van haar bijgeloofjes overgehouden. Nog steeds zou hij nooit onder een ladder doorlopen. Het gammele wandelwagentje had heel wat omtrek-

kende bewegingen moeten maken, waardoor het smoezelige kind in het karretje bloot kwam te staan aan de werkelijke bedreiging van langsrijdende auto's. Boze geesten moest hij 'afkloppen'; als er zout gemorst was moest hij een paar korrels over zijn linkerschouder gooien. Hij ging af op slechte voortekenen, hoewel hij beweerde dat hij er niet in geloofde. Voorgevoelens gaf hij in plotselinge vlagen van ongerustheid het volle pond. De volledig onverwachte aanwezigheid in zijn droom van Con Mulvanney was duidelijk een slecht voorteken: het was de eerste keer. Hij had nooit eerder van Mulvanney gedroomd. Wat kon het anders zijn dan een voorteken?

Hij begon zich af te vragen of het mogelijk was dat iemand Leonora over Con Mulvanney had verteld. Zo te zien leek het onwaarschijnlijk. Heel weinig mensen wisten ervan. Natuurlijk, honderden, duizenden wisten wie hij was en wat hem was overkomen, ofschoon de meesten het zo langzamerhand wel vergeten zouden hebben, maar alleen hij en die vrouw wisten immers van zíjn rol in Mulvanneys dood.

De politie wist het. Herstel, het was de politie vertéld. Dat was heel iets anders. Ze hadden niets gevonden en hadden haar tenslotte niet geloofd, of beseft dat het onmogelijk bewezen kon worden.

De naam van die vrouw zou hij van zijn leven niet vergeten. Niemand kon hem vergeten want ze heette Poppy Vasari. Ze had gedreigd het aan iedereen die ze kende te vertellen. Maar wat had het voor zin haar kennissen te zeggen dat hij Mulvanney van LSD had voorzien, als niemand ooit van hem had gehoord? Ja, de politie, dat was andere koek.

Maar stel nu eens dat ze haar dreigement ten uitvoer had gebracht en er met haar vrienden en kennissen over had gekletst, met beschrijving en al. 'Een knappe donkere man, heel jong.' Hij was toen nog maar vijfentwintig. Of: 'Zat heel goed in zijn slappe was, je weet wel met zo'n schattig huisje in zo'n Mews in South Ken.' Die details zouden genoeg zijn om verdenkingen te doen rijzen bij iedereen die hem zelfs maar oppervlakkig kende. Robin Chisholm bijvoorbeeld, of Rachel Lingard. Stel dat die

dan zouden vragen hoe die man heette. Die zouden zijn naam wel van Poppy Vasari loskrijgen. Allicht. Zij had niets te verliezen.
En die hadden het zeker aan Leonora doorverteld.
Dat was de zekerste manier om haar tegen hem te keren. Vier jaar geleden. Dat was ongeveer het tijdstip waarop haar gedrag jegens hem radicaal begon te veranderen: ze bedacht zich betreffende hun vakantieplannen en begon zijn uitnodigingen af te slaan. Dat was de tijd dat ze zich langzamerhand van hem begon los te maken, onder andere door niet in te gaan op zijn aanbod om de flat voor haar te kopen. En toen ze eenmaal in de flat was getrokken, maakte ze een eind aan hun gezellige avonden samen, zoende hem niet meer (behalve op de manier waarop ze Maeve kuste: op beide wangen), liet anderen de telefoon opnemen als hij belde, tot langzamerhand de huidige stand van zaken zijn beslag had gekregen: een dagelijks telefoontje en een lunch op zaterdag.
Om tien uur draaide hij Newtons nummer. Leonora nam op. Toen ze hoorde wie het was, zweeg ze, bleef even stil, en vroeg daarna heel monter, alsof ze echt blij was, hoe het met hem was. Ze zei hoe gezellig ze het gisteravond hadden gevonden en hoe blij ze was met Celeste kennis te hebben gemaakt.
'Waar wou je zaterdag naartoe?'
'Zeg jij het maar, Guy. Clarke's als je daar je zinnen op hebt gezet. We hebben tenslotte nog maar vier zaterdagen.'

7

Er waren mensen die daar werkten, die het een fabriek noemden, had Guy zich laten vertellen, maar voor hem was en bleef het een atelier. Het lag in Northold aan Yeading Lane. Gewoonlijk reed Guy er eens in de veertien dagen naartoe om te zien hoe de zaken vorderden. Zijn andere ondernemingen, het reisbureau en de sociëteit in Noel Street, rooiden het prima zonder zijn aanwezigheid, en als hij in de sociëteit kwam dan was het alleen om de gezelligheid.

Tessa, de gediplomeerde kunstenaar, had het atelier betiteld als slavenhok, hoewel ze het natuurlijk nooit gezien had. Het was trouwens een aperte leugen, want de mensen die Guy zijn personeel noemde, schilderden in een lichte luchtige omgeving met veel ruimte, ze maakten geen overdreven lange dagen en werden redelijk betaald. Hij had hun meer kunnen betalen want de schilderijen verkochten beter dan hij had durven dromen, maar ze verdienden toch al meer dan ze in het onderwijs ooit gekregen zouden hebben, meer dan Leonora bijvoorbeeld. Nee, hij overwoog ernstig een tweede atelier te beginnen om aan de grote vraag te kunnen voldoen.

Zo te zien vond niemand het erg als hij over hun schouders mee keek als ze aan het werk waren. Dat lag ongetwijfeld aan het feit dat hij, zoals hij ruiterlijk toegaf, absoluut geen verstand had van kunst. Hij bleef bij een heel begaafd Indiaas meisje staan kijken, een leerling van de St. Martins Kunstacademie, die bezig was de tranen in te vullen op de wangen van het huilende jongetje. Fantastisch, de handigheid waarmee ze dat deed! De tranen leken werkelijk nat. Net echte waterdruppels, alsof iemand het geschilderde gezicht had nat gespat. En ze was er waarachtig in geslaagd het gezichtje aanminniger en droeviger te maken dan anders. Guy voelde zich haast met het joch verwant, als hij terugdacht aan zijn eigen langvervlogen magere dagen in Attlee House.

Het was en bleef hem een raadsel wat Tessa, en in mindere mate Leonora, bedoelde door te beweren dat de dingen die hier gebeurden moreel – en dat andere woord, o ja, esthetisch – niet door de beugel konden. Zeker, zijn artiesten moesten zich aan een grondpatroon houden, aan bepaalde gebruiksaanwijzingen, waardoor de werkwijze in de verte iets leek op nummerschilderen. Maar was dat anders dan de praktijken in de ateliers van de oude meesters? Guy herinnerde zich het triomfantelijke gevoel in Florence, toen hij van de gids had gehoord dat Michelangelo en consorten studio's hadden als de zijne met jonge aankomende artiesten die het vak nog moesten leren door de werken van de meester na te schilderen of achtergronden in te vullen, en die vaste werkuren hadden en op bestelling werkten. Leonora had gelachen toen hij haar dat vertelde en gezegd dat dat niet hetzelfde was. Maar ze had hem het verschil niet uitgelegd.
En je moest niet denken dat het eigen werk van deze mensen ook maar iets voorstelde. Het meisje dat bezig was de finishing touch aan te brengen op *Koning en koningin van het dierenrijk*, had hem een keer een van haar doeken laten zien. Hij had gezegd: 'Heel aardig', maar het was gruwelijk, gewoon strepen drab met iets dat op ogen leek die door die drab heen loerden. In zijn huis in Scarsdale Mews had hij een Kandinsky hangen die dat werk het dichtst benaderde, maar die Kandinsky was tenminste in vrolijke kleuren en heel groot en bewerkelijk en dat verklaarde natuurlijk de prijs die hij ervoor had moeten neertellen.
Hij dronk koffie met de artiesten en een van hen vroeg hem of hij thuis werk uit het atelier aan zijn wand had hangen. Hij zei van wel, maar dat was niet waar en hij vroeg zich even af waarom niet. Die middag was er weer een veiling in Zuid-Londen, ditmaal in Clapham en hij overwoog ernaartoe te gaan om er als gewoon burger eentje te kopen.
Guy reed zuidwaarts en de rivier over via Kew Bridge. Dat had hij niet moeten doen want hij kende dat stuk van Londen niet en raakte verdwaald. Hij had het plan om een van zijn schilderijen te kopen allang laten varen: het was veel simpeler er één bij hem thuis te laten bezorgen. Hij wist niet eens of hij Clapham

zou halen voor de veiling sloot. Op de een of andere manier waren hij en de witte Jaguar ten zuiden van Wimbledon Park uitgekomen en dus moest hij weer naar het noorden.
Als het hem gevraagd was, zou hij gezegd hebben dat hij nooit eerder in deze buurt van Londen was geweest. Al die 'Commons' in Zuid-Londen, dat werkte verwarrend, maar dit was in elk geval niet Clapham Common. Misschien was het Tooting Common of Tooting Bec Common. Een bord verwees naar Clapham, Battersea, Centraal-Londen en opeens zat hij op een grote verkeersader die hem vaag bekend voorkwam. Hij was in Balham en dit was Bedford Hill met die kroeg, dat Victoriaanse kavalje van een kroeg waar hij op die noodlottige avond was aangeschoten door Con Mulvanney.
'Hèje nie een plukkie shit voor me?'
Die gevaarlijke bespottelijke vraag, die op zichzelf niks te betekenen had maar bij ingewijden speciale associaties opriep, bleef in zijn geheugen steken, waar de woorden weergalmden als getokkelde snaren, terwijl de rest van de gebeurtenissen van die avond grotendeels vervaagd was. Hij had uiteraard geen antwoord gegeven, had gedaan of hij van niks wist, had zelfs walging voorgewend en de man de rug toegekeerd.
Maar die kerel had volgehouden, had het nogmaals geprobeerd, maar de vraag anders ingekleed: 'Hèje helemaal níks?'
Guy reed door naar Clapham Common, naar het Broxash Hotel, waar de verkoop gehouden werd. Op het parkeerterrein van het hotel was nog net een plaatsje. Met een glas rioja in de hand deed hij de ronde langs de schilderijen. Hij had zich wel eens afgevraagd wat hij had moeten doen om bij Con Mulvanney die avond uit de buurt te blijven, om hem te slim af te zijn, maar hij wist toen nog niet dat het belangrijk was de benen te nemen. Het enige dat hij toen wist, was het feit dat Mulvanney zijn naam niet kende en dat was zo te zien het enige dat ertoe deed. Trouwens, hoewel hij hem in de context van die tijd Con Mulvanney noemde, had hij destijds niet geweten wat zijn naam was. Hij had zijn naam pas gehoord toen de gozer dood was, of zelfs, vreemd genoeg, een poosje na zijn dood.

De vrouw die de verkoop regelde, een slordige vrouw in een zwarte jurk, deed hem vagelijk aan Poppy Vasari denken. Niet dat ze erg op haar leek. Poppy Vasari was magerder en smoezeliger en met een wildere oogopslag. Guy was smoezelige mensen ontwend, en mannen en vrouwen die hun kleren zelden wasten en vrijwel nooit in bad gingen, vond hij stuitend. Misschien had dat iets te maken met het grote aantal van dat soort lieden die zijn jeugd had bevolkt. De vrouw die zijn schilderijen verkocht en bestellingen opnam, was waarschijnlijk best schoon op haar lijf, en het ingegroeide vuil aan haar vingers het gevolg van tuinieren, en de roos op haar zwarte sjaalkraag een ongelukje. Hij ontdekte dat hier, in tegenstelling tot Coulsden, het schilderij van de nobele leeuw staande op de rots met naast hem zijn zittende maat de meeste aftrek vond. Hij vertrok.
Dit moest de route zijn die de taxi op die avond genomen had om hem van de kroeg in Bedford Hill naar huis te brengen: Battersea Bridge, Gunter Grove, Finborough Road of misschien Beauford Road en zo de Boltons in. Zou dat kunnen? Zou het verkeerssysteem dat toelaten? Het was toen laat en pikkedonker. Te donker om iets te zien of althans om de donkerrode eend te zien die achter de taxi aan reed.

Guy kwam anders nooit in kroegen. Hij ging bij uitzondering naar deze omdat er een feestje werd gegeven; hij was er trouwens pas achter gekomen dat het een kroeg was, toen hij al binnen was. Robert Joseph, de man met wie hij samen het reisbureau ging opzetten, vierde zijn veertigste verjaardag. Hij had de kroeg beschreven als een hotel.
Hij was zo verstandig geweest een beetje laat te komen. De kroeg had een extra vergunning tot halfeen en Guy kwam pas tegen elven opdagen. Een als vrouw verklede man, foeilelijk en oud en gekleed in zwarte lovertjes en gele pluimen, maakte bokkensprongen op het toneel en zong een liedje dat zo ongelooflijk smerig was dat Guy zijn oren amper kon geloven. Een nog vrij jonge man die bij de bar stond, protesteerde lichtelijk en werd

ogenblikkelijk, haast eer hij zijn zin had afgemaakt, door twee zware jongens buiten de deur gezet. De deuren gingen op slot en op de grendel. Guy besloot hem flink te raken om zichzelf aldus te helpen de avond door te komen.

Bob Joseph was al dronken maar niet te starnakel om nog te kunnen merken dat Guy gekomen was, zijn arm om zijn schouders te slaan en hem zijn beste kameraad te noemen. Een groepje kwam het toneel op en begon Beatle-nummers te zingen. Guy nam nog een wodka-martini en toen nog één. Op dat moment kwam Con Mulvanney, wiens naam hij niet kende, naar hem toe en stelde zijn vraag.

'Hèje nie een plukkie shit voor me?'

Hij bedoelde hasjiesj. Guy had nooit hasj verhandeld. Een tijdlang was hij betrokken geweest bij een onderneming die stickies uit Thailand leverde, maar later had hij zich bepaald tot cocaïne en eerste kwaliteit marihuana, meest Santa Marta Gold. Hoe het ook zij, hij had sedert zijn jongensjaren dat goedje nooit meer geleverd of aangeraakt. Hij had hogere aspiraties. Toen Con Mulvanney hem benaderde, handelde hij vrijwel uitsluitend in cocaïne, maar overwoog wel de mogelijkheden van dat nieuwe spul dat ze crack noemden en dat gerookt werd.

In antwoord op de vraag: 'Hèje helemaal niks?' zei hij: 'Ik weet niet waar je het over hebt. Maak dat je wegkomt.'

'Ik weet dat je 't heb. Ze hebben me over je verteld en ze zeien dat je vanavond hier zou komen, en hoe of je d'r uitzag.'

Dat gaf Guy een heel zonderling en kwetsbaar gevoel. Achteraf begreep hij niet van zichzelf waarom hij niet gevraagd had wie gezegd had dat hij zou komen en wie hem had beschreven. Maar in plaats daarvan zei hij: 'Je ziet me voor een ander aan.'

De man die Con Mulvanney zou blijken te heten, drong niet verder aan. Toen althans niet. Het was een magere tengere man, niet groot en niet klein, met smalle lichtgebogen schouders en een ziekelijk uiterlijk, een man die er over het geheel genomen ongezond uitzag. Hij had een lang bleek gezicht en vrouwelijke lippen en kin, alsof daar nooit haar op zou groeien. Zijn hoofdhaar was lang en vlassig zonder kleur, hoogstens een stoffig tin-

tje. Hij had lichte grijsbruine ogen die Guys blik trachtten te ontwijken toen hij hem aankeek.
Guy liet hem staan waar hij stond en begon een gesprek met Bob Joseph en toen die zich bij een ander groepje voegde, sprak hij een stel mensen aan die bij Bob in de buurt woonden in Chingford of Chigwell of zo. Zijn ontmoeting met Con Mulvanney, wiens naam hij niet kende, deed hem op zoek gaan naar een borrel. Na nog twee wodka-martini's had hij er genoeg van. Genoeg van de drank, de mensen, deze gruwelijke tent; het was trouwens al na twaalven. Hij belde niet om een taxi maar liep de straat op en als geroepen kwam er één langs. Toen hij op weg ging, reed een donkerrode eend achter hem aan.
Guy zag de eend niet weer, want hij keek niet door het achterraampje van de taxi. Terwijl hij in Scarsdale Mews de taxichauffeur betaalde, zag hij aan het eind van de straat een kleine auto wegrijden. Dat wil zeggen: achteraf meende hij zich te herinneren dat hij op dat moment een kleine auto had gezien. Dat was de avond daarop toen, net op het moment dat hij ergens iets wilde gaan eten, Con Mulvanney bij hem op de stoep stond.
Er werd gebeld en Guy dacht dat het de taxi was die hij had besteld. Zodra hij hem zag, zei Con Mulvanney, om grappig te zijn: 'Meneer X, als ik me niet vergis?'
'Ja, je vergist je wel,' zei Guy. 'Ik heb niets voor jou. Nou opgekrast, alsjeblieft.'
'Ho ho, mag ik even uitleggen waar ik voor kom?'
'Dat heb je al gedaan. En nou wegwezen.'
'Nee, dat heb ik niet,' zei Con Mulvanney, en toen zei hij: 'Noem mij maar meneer Y.'
'Doe niet zo bezopen,' zei Guy. 'Vooruit, maak dat je wegkomt. Ik heb niets voor je. Ik moet weg.' De stoep en de vloer van de hal lagen op hetzelfde niveau en Con Mulvanney, alias meneer Y, bespottelijk, maar de enige naam die Guy hem kon geven, stond op de mat met één voet in de hal. 'Ik heb je niet binnengevraagd. Nog even en ik zal me gedwongen voelen je eruit te smijten.'
'Ik wil een hallucinogeen,' zei meneer Y zijn stem dempend.

'Ken niet schelen welk. Ik heb geen verstand van dat soort dingen en jij allicht wel. Ik betaal de officiële prijs. Noemen ze dat niet de straatwaarde? Dat ken je van me krijgen.'
Guy zei: 'Ik heb niks van dat soort dingen.'
Hij begon te denken dat meneer Y van de politie was. Niet dat hij in de verste verte leek op de politiemannen die Guy kende, maar ze zouden uiteraard nooit een man inzetten die eruitzag als politieagent. Ze zouden iemand gebruiken die eruitzag als meneer Y. De voordeur stond nog open en daar kwam Guys taxi. De chauffeur stapte uit en Guy riep hem toe even te wachten. Hij deed de voordeur dicht. Hij zei tegen meneer Y dat hij hem later te spreken kon krijgen, om tien uur, maar waar? Nergens was het veilig, maar sommige plaatsen waren gewoon veiliger dan andere. Meneer Y zei dat hij, als hij zonder auto zat, de Northern Line gebruikte, dus wat vond Guy van het Embankment Station? Guy zei: het midden van Hungerford Bridge om tien uur.
Hij ging niet. Allicht niet. Hij piekerde er niet over te gaan. Maar tijdens het eten en daarna piekerde hij er wel degelijk over. Hij zag zichzelf al midden op Hungerford Bridge staan, die koude winderige voetbrug waar, naar hij had vernomen, moorden gepleegd werden; en dan op de terugweg naar de Embankment twee mannen die uit de schaduw tevoorschijn kwamen. Ongeveer een uur na uur U kwam hij thuis en het zou hem niet verbaasd hebben meneer Y op de stoep te vinden, maar er stond niemand. Pas de volgende dag kwam meneer Y weer opdagen, ditmaal in zijn donkere eend.
Guy deed of hij hem niet zag. Hij zette de Jaguar in de garage en liep binnendoor zijn huis binnen. Er werd gebeld. Guy liet hem bellen. Hij had een kleine hoeveelheid marihuana in huis, een paar capsules Durophet en een beetje LSD. Hij zou kunnen opendoen en meneer Y de stuff geven, de deur weer sluiten en hem vergeten. Dat was misschien het beste. Weer werd er gebeld, drammerig en langdurig. Guy liep naar boven en keek uit het slaapkamerraam. Er stonden geen auto's in dit eind van de straat behalve de eend, en het was niet aannemelijk dat iemand

het huis in het oog hield, tenzij ze in een van de huizen aan de overkant posteerden, en dat leek Guy hoogstonwaarschijnlijk. Hij opende de safe waar naast Leonora's saffieren verlovingsring in zijn doosje een assortiment verdovende middelen lag. Hij haalde de marihuana eruit en terwijl hij de trap af liep werd er opnieuw gebeld.

Meneer Y zei: 'Wat je daar heb mot ik nie. Ik wil een hallucinogeen.'

'Een wát?'

'Mescaline misschien of psylocybine. Dat toverspul uit paddestoelen. Ik was eigenlijk niet uit op shit, maar iemand had me verteld dat, als ik om shit vroeg, jij dan wist dat het menens was.'

Een politieagent die zo naïef kon zijn, die zo kon klinken moest wel een genie zijn. Voor de antidrugsbrigade zou hij zijn gewicht in goud waard zijn – meer dan zijn gewicht in Santa Marta Gold. Hij moest wel echt zijn.

Guy zei: 'Oké, kom dan maar binnen. Je naam wil ik niet weten.'

'En ik de jouwe niet.'

Waarom had hij het gedaan? Waarom had hij meneer Y binnengevraagd? Omdat meneer Y, ook al wist hij zijn naam niet, hem duidelijk wel kende als handelaar, wist waar hij woonde en, als hij bot ving, zich zou kunnen wreken door die gegevens door te spelen naar de antidrugsbrigade. Guy zou er natuurlijk voor zorgen dat zijn huis in Scarsdale Mews intussen brandschoon zou zijn, maar daar ging het niet om. Hij wilde geen politie over de vloer. Als de politie een keer langskwam, dan zou hij zijn handel eraan moeten geven: dat wist hij. Dat was het teken aan de wand.

Tot dan toe was zijn strafblad blanco. Hij was een burger van dezelfde onberispelijke levenswandel als al zijn buren, en hij moest smetteloos blijven. Eén vlekje, en dat zou het eind van alles betekenen.

Hij herinnerde zichzelf aan een feitje dat hij altijd voor ogen hield, dat altijd even onder het dunne velletje van zijn bewustzijn dwarrelde: de maximumstraf voor het bezitten van verdovende middelen van klasse A met het voornemen ze te verhandelen is veertien jaar gevangenisstraf.

Meneer Y stapte de gang binnen maar gaf geen enkel blijk meer van het huis te willen zien. Hij ging in een van de Georges Jacob-bijzetstoelen zitten. Hij zei: 'Je ben gisteravond niet komen opdagen. 'k Heb een hele tijd staan wachten maar ben ten slotte toch maar opgestap, want ik wou mijn trein niet missen.'
'Wat wil je precies?'
Tot op dat ogenblik was het bij Guy niet opgekomen dat meneer Y wel eens knettergek kon zijn. Eigenaardig, excentriek, raar, een man die iets in zijn schild voerde misschien, maar niet gek. Maar de volgende uitlating van de gozer veranderde zijn mening drastisch.
'U moet weten dat ik een reïncarnatie van Sint-Franciscus van Assisi ben.'
Guy staarde hem sprakeloos aan.
'Je weet toch wel wie ik bedoel? Je heb toch wel van de heilige Franciscus gehoord?'
Guy maakte een ongeduldig gebaar. Hij zei: 'Ik heb je gevraagd wat je wilt.'
'Ik ken 't met m'n handen bewijzen.' Meneer Y stak zijn handen uit met de handpalmen naar boven gekeerd. Ze waren niet erg schoon. 'Je ziet de stigmata vandaag heel goed.'
'De wát?'
'Sint-Franciscus, en dus ik, was de eerste die op z'n eigen lichaam de wonden vond die Christus bij z'n kruisiging werden toegebracht. Daar is geen twijfel aan. De beweringen van de apostel Paulus en van de heilige Angelo del Paz zijn op geen enkele manier toelaatbaar. Wat Sint-Franciscus, en dus mijzelf, betreft, alle littekens zijn aanwezig, de spijkerwonden in handen en voeten, de speerwond in de flank en de schrammen van de doornenkrans.'
Zijn toon werd pedant, belerend en nogal schril. Guy kon geen stigmata op zijn handen ontdekken behalve die van ingegroeid vuil, en toen meneer Y zijn handen omhoogbracht om de vlassige lok stofkleurig haar naar achteren te vegen, zag hij ook niets van dien aard op zijn voorhoofd.
'Mij best, maar wat heb ik daarmee te maken?'

Meneer Y begon een verwarde verhandeling over de natuur die de spiegel Gods was en over de nieuwe franciscaanse levensstijl die hij zou formuleren. Het had iets te maken met de enige hoop voor het mensdom: de terugkeer tot de gemeenschap met God door middel van een nieuwe eerbied voor de natuur.
'Maar dat ken ik nie doen als ik m'n eigen innerlijke ruimte niet terugvind.'
Dat begreep Guy. Jaren geleden, toen hij nog een tiener was, had hij iemand die LSD gebruikte horen zeggen dat hij verdwaald was in zijn eigen innerlijke ruimte, een zin die hij destijds verontrustend had gevonden.
'Ik heb geen mescaline,' zei hij. 'Ik heb geen peyote of iets wat daarop lijkt.'
Maar boven in de safe had hij nog wat LSD-25 dat hij met liefde kwijt wilde: uit zijn huis en uit zijn leven. Het was in tabletvorm.

In die dagen zag hij Leonora veel. Ze was bijna klaar met haar opleiding aan een pedagogische academie in Zuid-Londen. Hij wist zeker dat ze geen ander vriendje had, maar vrijen deden ze niet. Ze hadden in geen jaren meer gevrijd. Hij zei tegen haar dat hij naar haar verlangde, dat hij zo graag wilde dat ze weer samen naar bed gingen. Ze zei niet met zoveel woorden dat dat wel weer zou komen, maar ze zei ook geen nee. Hij meende zich zelfs te herinneren dat ze eens met een glimlach gezegd had: op 'een goeie dag'. Ze bedoelde natuurlijk: op een goeie nacht. Afgezien van hun eerste avonturen, de idylle op de begraafplaats, weigerde ze 's middags met hem naar bed te gaan, of op enig ander uur dan het uur van slapengaan. Dat gebruikte ze als excuus. Ze zat in een studentenflat, haar kamer was zo gehorig, er zou gedonder van komen, en bij hem blijven slapen ging niet.
In die dagen zei ze dat ze geen thuis meer had. Hoewel ze bij Tessa thuis in Sanderstead Lane een eigen kamer had en een tweede bij Anthony in Lamb's Conduit Street, was het toch 'anders'. Hoe dan ook: ze kon hem onmogelijk daar mee naartoe nemen. Niet om te blijven slapen. Dat zou zo gênant zijn, zo

moeizaam. Maar uitgaan deden ze wel. Naar de bioscoop, ze gingen uit eten, ze belden elkaar vaak. Ofschoon ze niet samen sliepen, was hij toch haar vriend en zij zijn vriendin. Ze hadden afgesproken samen met vakantie te gaan, en dan, zo beloofde hij zichzelf, zou er een eind komen aan die lange periode van onthouding die Leonora hun had opgelegd.
Zolang ze bezig was met haar opleiding, waren er lange perioden dat ze gescheiden waren. Het gebeurde wel dat hij haar een heel kwartaal niet te zien kreeg. Ze had hem niet gevraagd hoe hij zijn geld verdiende, maar hij wist dat de tijd zou komen dat ze dat wel zou vragen en dan moest hij zijn antwoord klaar hebben. Het was grotendeels aan Leonora te danken en aan het feit dat ze in zijn leven was gekomen, dat hij een aandeel in die sociëteit had genomen, om daarna absolute eigenaar te worden, dat hij vervolgens met dat reisbureau was begonnen en aan die schilderijenonderneming. Hij had haar niet kunnen vertellen dat hij leefde van de handel in drugs. Hij moest haar leugens verkopen en er de waarheid van maken. Op den duur zou hij, als ze eenmaal weer minnaars waren en er aan trouwen gedacht werd, een radicaal eind aan die handel moeten maken.
Vier jaar geleden. Dat alles was nu vrijwel precies vier jaar geleden. Meneer Y, alias Mulvanney, zat in zijn gang op de Georges Jacob-stoel op een van de laatste dagen in juli – misschien wel de allerlaatste, in elk geval na dat feest – te ouwehoeren over Franciscus van Assisi en over zijn innerlijke ruimte. En hij, Guy, had hem, om hem de mond te snoeren en van hem af te zijn, de LSD gegeven die hij in de safe had liggen. Gegéven, niet verkocht, maar hij wist nu niet meer waarom hij zo ongewoon vrijgevig was geweest. Een schrikreactie waarschijnlijk, een allesoverheersend verlangen meneer Y het huis uit te krijgen.
Guy had zelf nooit LSD gebruikt. Hij had nooit anders dan zo nu en dan een beetje marihuana genomen en twee keer cocaïne. Hij was bang voor slangen, de meest voorkomende fobie, en daarom had hij nooit met LSD durven te experimenteren, voor het geval hij een slechte trip zou krijgen en slangen zou zien. Maar LSD, dat in de jaren zestig en aan het begin van de jaren

zeventig, het hippietijdperk, zo in trek was geweest, was bovendien uit de mode geraakt toen hij zelf een tiener was en was nu net bezig een beetje terug te komen. Maar hij wist er genoeg van om meneer Y een waarschuwing te geven.

'Heb je het ooit eerder gebruikt?'

Meneer Y zei nee. 'Ik weet dat het gevaar bestaat dat je te snel oog in oog met de werkelijkheid komt te staan.'

'Flauwekul. Maar zorg ervoor dat er iemand in de buurt is als je het neemt. Zorg ervoor dat ze niet bij je weglopen. Je wilt toch terugkomen uit die innerlijke ruimte en er niet in blijven steken?'

Geld kwam er niet aan te pas. Guy maakte zichzelf wijs dat dat goed was, hoewel hij wist dat het geen verschil maakte. Toen meneer Y in zijn donkerrode eend wegreed, voelde hij zich geweldig opgelucht. Hij ging naar boven om de marihuana weer in de safe te stoppen bij de amfetaminen en om de safe af te sluiten. Om de een of andere reden – gewoon uit voorzorg misschien of uit bijgeloof, een van zijn voorgevoelens – deed hij dat niet. Het druiste in tegen zijn principes. Hij zou er misschien spijt van krijgen, maar hij liep met de drugs naar de badkamer voor de logés en spoelde ze door de wc. In het licht van wat er later gebeurde, was dit maar goed ook.

Twee avonden later nam hij Leonora mee uit. Ze verbleef bij haar vader en stiefmoeder in Bloomsbury.

Anthony Chisholm was aardiger tegen hem dan alle anderen rondom Leonora. Anthony en Susanna. Zij was ook aardig. Ze was natuurlijk maar acht jaar ouder dan hij en ze gaf hem niet het gevoel met de zoveelste ouder te maken te hebben. Als een ouderwetse aanbidder haalde Guy Leonora af en bracht haar weer thuis.

Hij was vroeg. Als hij Leonora afhaalde, was hij altijd vroeg. Ze zat nog in bad. Anthony, die architect was, partner in de firma Purdey Chisholm Hall, was nog niet thuis van zijn werk. Susanna verzorgde de public relations voor een handel in cosmetica en voor een paar speelgoedfabrikanten en deed haar administratie thuis. Ze schonk hem een borrel in, zei dat ze mensen te eten

kregen en dat ze iets ingewikkelds aan het koken was, en of hij haar wilde excuseren. De avondkrant waar Leonora mee was thuisgekomen lag op de armleuning van de bank.
Guy dronk zijn borrel en las het eerste katern. Daar stond een vreemd verhaal in van een man in Zuid-Londen die was doodgestoken door bijen.
De man heette Cornelius 'Con' Mulvanney, wat Guy niets zei. Hij las het verhaal en daarna een ander stukje over de echtscheiding van een of andere tennisster en begon net aan het verslag van een brand in Fulham toen Anthony binnenkwam.

8

Toen Guy Leonora's flat belde op de dag na hun lunch bij Clarke's, nam Rachel Lingard op.

'Sorry, Leonora is niet thuis.'

'Waar is ze dan?'

'Ik ben niet mijn zusters hoeder.'

'Watte?'

'We weten natuurlijk niet precies wat God tegen Kaïn zei na de uitlating die ik zojuist aangepast aanhaalde, maar ik wens met nadruk verschoond te blijven van dit soort verwikkelingen.'

Zo praatte ze. Zo praatte ze vaak en hij had er langgeleden van afgezien haar te vragen waar ze het over had.

'Ze zit zeker bij die rooie kobold thuis. Oké, daar hoef je niet op te antwoorden. Ik weet hem te vinden.'

Georgiana Street gaf geen gehoor. Een uur later probeerde hij het nog eens en weer een uur later opnieuw, en daarna ieder half uur. Hij nam Celeste mee uit eten en daarna naar een bar in Green Street. Daar draaide hij om elf uur wederom het nummer van William Newton en opnieuw kreeg hij geen gehoor. Voor zijn doen was het nog niet erg laat maar hij wist dat het voor de meeste mensen wel laat was. Ze waren óf niet thuis óf Newton had zo'n stopcontacttoestel dat de opbeller de rinkeltoon gaf, ook al was de stekker uit het stopcontact getrokken. Newton had de zijne eruit getrokken om hem de kans te ontnemen met Leonora te praten. Met aan zekerheid grenzende waarschijnlijkheid wist Leonora daar niets van.

De volgende dag belde hij haar thuis. Geen gehoor. De hele avond kreeg hij geen gehoor en in Georgiana Street hetzelfde liedje. Vlak voor tienen belde hij Inlichtingen om het nummer van ene M. Mandeville, Sanderstead Lane, South Croydon. Dat kreeg hij, waarna hij Tessa belde.

Toen ze hoorde wie het was, begon ze met te zeggen dat ze geen

notie had waar Leonora uithing. Leonora, die ze betitelde met 'mijn dochter', was zesentwintig en haar eigen baas. Ze vervolgde: 'Weet je, het is niet meer dan fatsoenlijk je te vertellen dat ik denk dat je een ernstig gestoorde man bent. Jij hoort in therapie te gaan. Maar ja, het zou wel eens te laat kunnen zijn. Blijvende schade werd al lang geleden aangericht.'
'Wat moet ik daar nou van maken?'
'Vroeger beschouwde ik jou als een misdadiger, maar tegenwoordig voel ik eerder medelijden. Ik heb met je te doen, echt waar. Al die smerige troep die je in de loop der jaren in je lichaam hebt opgenomen, werpt nu zijn vruchten af. Tja, wie wind zaait...'
Guy hing op, behoorlijk van zijn stuk gebracht. Het was de eerste bevestiging dat zij, of een ander uit de buurt van Leonora, ervan wist hoe hij vroeger zijn brood verdiend had. Was er iets dat de Mandevilles niet over hem wisten? Hij had het van Leonora zelf dat Magnus wist van zijn afperspraktijken in Kensal. Maar Tessa had het toch bij het verkeerde eind. Hij was nooit verslaafd geweest. Had Leonora haar verteld van wel? Het denkbeeld dat Leonora laatdunkend over hem had gepraat tegen haar moeder was heel grievend.
Maar Tessa kon die wetenschap, of vermeende wetenschap, ook op een andere manier hebben opgedaan. Ze woonde in Zuid-Londen, evenals Poppy Vasari, evenals wijlen Con Mulvanney. Ja, er woonden zeker vijf miljoen mensen in de grote metropool ten zuiden van de Theems, maar Poppy was een soort maatschappelijk werker, net als Tessa Mandeville, maar dan anders. Leonora had hem immers verteld dat haar moeder vrijwilligerswerk deed in een ziekenhuis en een of ander baantje had bij het Citizens Advice Bureau. Wat lag er meer voor de hand dan dat zij en Poppy elkaar tegen het lijf waren gelopen?
Stel nou eens dat Tessa en Poppy elkaar regelmatig tegenkwamen, op dat adviesbureau of tijdens het rondrijden van bejaarden. Guys ideeën hierover waren nogal vaag, maar iets dergelijks was mogelijk. Poppy had bij het praten over Con Mulvanneys dood best een beschrijving van hem, Guy, kunnen geven en Tes-

sa in haar verontwaardiging kunnen vertellen wat hij gedaan had. Ze wist hoe hij heette: daar was ze achter gekomen. Ze kon Tessa zijn naam genoemd hebben.
Het stukje in de krant, het verslag over Mulvanneys dood dat hij in Anthony's flat had gelezen, had geen melding gemaakt van Poppy. Maar Poppy was dan ook niet Cons vriendin geweest, ze woonden niet samen, misschien waren ze niet eens erg bevriend. Sommige van die 'weldoeners' konden zich erg opwinden over zogenaamd 'maatschappelijk onrecht' of een 'ongehoorde inbreuk' op dit of dat. Wat hemzelf aanging: hij had het stukje met belangstelling gelezen en was lichtelijk ontdaan over het lot van die Con Mulvanney, een gruwelijk lot, hoe je het ook bekeek. Die gozer, die Mulvanney, had het dak of het deksel van een bijenkorf gehaald en was in zijn gezicht, nek en hele hoofd gestoken. Kon je daaraan doodgaan? Kennelijk wel. Er zou een lijkschouwing zijn. Con Mulvanney werd beschreven als een werkloze man van zesendertig, die woonde in de 'tuinflat' of wel de begane grond van een huis in Upper Tooting.
Anthony Chisholm kwam thuis. Sedert zijn tweede huwelijk leek hij meer dan ooit op een knappe teddybeer, de grijns jongensachtiger, de ogen minder vermoeid. Geen wonder. Wie zou zich niet in de zevende hemel wanen, na ontsnapt te zijn aan de klauwen van die kat Tessa? Het was Guy een raadsel hoe hij het zo lang bij haar had uitgehouden. Toentertijd, nu vier jaar geleden, was Anthony heel aardig tegen Guy, heel toeschietelijk.
'Heb je al iets te drinken, Guy? O, goed zo, Susanna zorgt goed voor je. Waar is dat meiske van me? Alsof ik dat niet kan raden. Ik dacht dat twee badkamers meer dan genoeg was in een eenvoudige duplexwoning... zo heten ze in Amerika, wist je dat?... maar ik zie nu dat we er drie nodig hebben.'
Guy vroeg of hij het erg vond als hij rookte. Dat zou hij Tessa nooit gevraagd hebben. Bij haar had hij er gewoon één opgestoken.
'Weet je wat, ik geloof dat ik er ook een neem. Officieel, laten we zeggen in huwelijkstaal, ben ik ermee gestopt, maar eentje van jou telt niet mee.'

Het toppunt van gezelligheid dus. Vriendjes onder elkaar. De gemoedelijke, ontwikkelde, hoffelijke en liefderijke vader met zijn aanstaande schoonzoon. Zijn rijke, geslaagde, ondernemende schoonzoon in spe. Guy was er zeker van dat Anthony hem in dat licht zag. Toen wel. Anthony was niet wereldser of inhaliger dan de rest, maar hij was een realist en wist waar Abraham de mosterd haalde. Wat Leonora zelf ook van die houding vond, zij met haar feministische neigingen, Anthony zag een rijke geslaagde echtgenoot voor zijn dochter als een buitenkansje. Guy reed in die dagen rond in een Porsche. Anthony had die Porsche natuurlijk voor het huis zien staan (bij een dubbele gele lijn vóór de dagen van de wielklemmen, want wie maakte zich toen dik om een bekeuring?). Hij had van Leonora over Guys huis gehoord en op dat half mislukte verjaardagsfeestje van Guys zakelijke praktijken. Misschien dat hij in zijn hart de voorkeur gegeven zou hebben aan een intellectueel voor Leonora, maar intellectuelen zijn meestal niet rijk en beter één vogel in de hand dan tien in de lucht.
Zo redeneerde Guy in die dagen en zijn toon tegen Anthony was gemoedelijk. Hij accepteerde nog een borrel en gaf hem nog een sigaret, had het over dat afschuwelijke berichtje in de krant. Wie had gedacht dat iemand aan bijesteken kon doodgaan!
Guy, die zich alles uit die tijd herinnerde als de dag van gisteren, wist nog dat hij de volgende ochtend voor het eerst naar zijn schietvereniging was gegaan. Hij nam les en dit was de eerste. De instructeur zei dat hij een goed oog had en een vaste hand. Daarna nam hij een taxi naar West End om de tickets op te halen voor hun vakantie op Samos. Het reisbureau dat hij en Bob Joseph bezig waren op te richten lag nog op de tekentafel. Guy had de 'wittebroodshut' van het hotel gereserveerd en dat stond óp het privé-strand. Ze vlogen eersteklas en hij vroeg zich af of hij Leonora niet kon wijsmaken dat deze bekakte manier van reizen economyclass was. Ze stond erop voor zichzelf te betalen uit de verdiensten van haar vakantiebaantje. Misschien kon hij suggereren dat de luchtvaartmaatschappij hun economyclass tot eersteklas plaatsen had gebombardeerd omdat daar nog stoelen leeg waren.

Hij voorzag strubbelingen met Leonora over het geld. Ze zou beseffen dat het hotel haar begroting mijlenver te boven ging. Het was zelfs best mogelijk dat de prijs van de 'wittebroodshut' ergens was aangeplakt, in een kast of zo of achter de deur. Maar dan zou het te laat zijn er iets aan te doen, dan zou ze er het beste van moeten maken en hem zijn zin geven en laten betalen.
Guy en Bob Joseph zouden gaan lunchen met de jurist die de huur van hun nieuwe pand in Milner Street zo voordelig mogelijk zou regelen. Hij was van plan daarna naar De Gladiatoren te gaan voor een nummertje zweten en dus voelde hij zich gerechtigd behoorlijk te drinken. Het was bij vieren toen hij thuiskwam.
Voor zijn huis had een vrouw in een auto woorden met een parkeerwachter. Vrijwel over de hele lengte van Scarsdale Mews waren parkeerfaciliteiten voor de bewoners en aan de kant van Marloes Road stonden vijf parkeermeters. Guy waarschuwde haar dat er juist iemand was weggereden van een van de meters. Had hij geweten dat het Poppy Vasari was en waar ze voor kwam, dan zou hij haar niet geholpen hebben; dan had hij met plezier haar auto zien wegslepen. Ze zei niet wie ze was of dat ze voor hem kwam. Hij stapte zijn huis binnen.
Twee of drie minuten later werd er gebeld. Daar stond ze. Ze stelde zich voor en zei dat ze bevriend was met Con Mulvanney. Guy, die de naam van de man in het stukje over de bijenzwerm had vergeten maar het verhaal zelf niet, zei dat hij nooit eerder gehoord had van Con Mulvanney.
'Ja, dat heb je wel, meneer X,' zei ze.
'Word ik verondersteld te weten waar u het over heeft?' Maar hij wist het wel, had althans een vermoeden.
'Jij hebt hem een hallucinogeen gegeven,' zei ze.
Ze zei het hardop, met haar normale stem of luider.
Guy dacht dat hij van zijn stokje ging, op de grond zou vallen. Hij zei: 'Godallemachtig,' en vervolgens, omdat alles beter was dan haar buiten zo van leer te laten trekken: 'Kom maar even binnen.'
Het was een forse zigeunerachtige vrouw, met grote gouden rin-

gen in haar oren en gouden kettingen en gekleurde kralen om haar hals. Ze had een scheef, zwaar opgemaakt, gegroefd maar levendig gezicht, een haakneus en zwarte hartstochtelijke ogen. Ze had een donkere huid en woeste zwarte haren. Haar kleren hingen los om haar heen, misschien om haar omvang te maskeren of gewoon omdat die rode slobberige tuniek en zwarte etagerok haar lekker zaten. Verder droeg ze een ruim grijskatoenen jasje, een rood-met-blauwe sjaal en sandalen aan haar blote voeten.

Dat alles kon pas veel later tot hem zijn doorgedrongen, want op het ogenblik zelf was hij niet in staat het in zich op te nemen. Die eerste ogenblikken was ze een wraakgodin die gekomen was om hem gek te maken en te vernietigen. Haar woeste uiterlijk, haar kleren pasten zelfs bij die rol. Maar hij snoof haar geur op toen ze zich voor hem langs naar binnen drong. In plaats van de mengeling van badzout, shampoo en eau de cologne waar de vrouwen die hij kende naar roken, gaf haar lijf een overweldigende stank van zweet af. Ze rook als een goedkope hamburgerkraam. Sedert die dag wekte de geur van hamburgers bij hem herinneringen aan haar op.

'Je zult er wel over gelezen hebben,' zei ze toen ze in de zitkamer waren. 'Jij moet er minstens evenveel van weten als de kranten.'

'Ik wist niet dat het over hem ging,' zei Guy.

Ze keek hem aan. Ze lachte. Het was de onaangenaamste lach die hij ooit had gehoord. 'Dus dit komt wel aan.'

'Dat kunt u wel zeggen, ja.'

'Mooi zo. Ik vind het een fijn idee dat je straf alvast begonnen is.'

Ze was helemaal niet bang voor hem. Het was een vrouw die zeker vijftien jaar ouder was dan hij en niet in al te beste vorm, ze was in een onbekend huis met iemand die zij ongetwijfeld aanzag voor een misdadiger, ze was aan hem overgeleverd, maar desondanks was ze niet bang. Met opgeheven hoofd keek ze hem dreigend in de ogen. Ze had gelijk niet bang te zijn. Zijn kracht was met de alcohol vervluchtigd en niets restte van de bravoure die zijn oorsprong vindt in de magie van de drank.

'Hij heeft me gesmeekt hem iets te geven. Hij maakte me het leven zuur en liet me niet met rust.' Guy besefte dat hij zich in de kaart liet kijken en erger dan dat, maar er waren geen getuigen. 'Ik wou er geen geld voor hebben,' zei hij, alsof dat een verzachtende omstandigheid was. 'Ik heb hem nog zó gewaarschuwd het niet te nemen zonder dat er iemand bij was.'
'Dat heeft hij ook niet gedaan. Ik was erbij.'
'U?'
'Ik was erbij. Ik heb in een rehabilitatiecentrum voor verslaafden gewerkt. Ik had wijzer moeten zijn.'
'Dat had u zeker.' Guy klemde zich aan deze strohalm vast. 'Mooie begeleider, verdomme!'
'Bek houden,' zei ze. 'Bek houden. Waag het niet zo'n toon tegen mij aan te slaan! Wil je weten wat er gebeurd is? Nou ja, je zult het horen, of je wilt of niet. Bij de lijkschouwing komt het allemaal aan het licht. Wil je het weten?'
'Natuurlijk wil ik het weten.'
'Nou, luister dan. Hij wist niet hoe je heette. Hij wist alleen je adres. Ik weet wel hoe je heet. Ik ben het bij de buren wezen vragen. Hij zei dat hij de pillen die jij hem had gegeven wilde innemen om zijn innerlijke bewustzijn binnen te gaan. Dat soort flauwekul. Ik zei: doe het nou niet. Ik zei: je weet er niet genoeg vanaf, je weet niet hoelang hij dat spul al in huis heeft bijvoorbeeld of waar het vandaan komt. Ik zei dat het innemen van dat spul onder zorgvuldige begeleiding moest gebeuren. Nou, hij kletste nog wat uit zijn nekharen. Als ik hem niet wilde begeleiden dan nam hij het op zijn eigen houtje, zei hij. Hij was toch al knettergek, met al die onzin over reïncarnatie en zo. Ik ben vroeger verpleegster in een psychiatrische kliniek geweest en je kunt van mij aannemen dat dat reïncarnatiesprookje een van de eerste voorboden van een psychose is.
Hij was de laatste die dat soort spul binnen handbereik mocht krijgen. Maar je kunt anderen niet commanderen, niet zonder de baas over hen te spelen. Die LSD-smeertroep... godallemachtig, en ik die dacht dat we daarvanaf waren toen het eind zeventig in onbruik raakte. Oké, waar het op neerkomt, is dat hij het heeft

ingenomen en hij... ik had haast gezegd dat hij een slechte trip had, maar zo is het niet. Hij had een goeie trip. Hij zei maar dat hij prachtige dingen zag, prachtige kleuren. Waar hij woont... woonde, hebben ze een tuin. De bloemen in die tuin waren niet prachtig, nou ja, hoe zouden ze ook, maar hij begon die bloemen te beschrijven, de madeliefjes in het grasveld, en hij noemde het zonnebloemen zo groot als een etensbord en met de geur van rozen. De mussen werden ijsvogels en parkieten en Joost mag weten wat. Hij begon tegen de vlinders te praten. Ze hebben daar koolwitjes maar hij zei dat hun vleugels blauw en rood en paars waren.'

'En die bijen?' zei Guy met droge mond.

Ze keek grimmig. Ze kneep haar mond tot een gemene glimlach. 'De bijen, ja. Die bijen woonden in een korf in de tuin achter de zijne. De buren hadden bij de gemeente geklaagd... ik werk voor de gemeente... maar anderen waren juist voor die bijen omdat ze goed zijn voor de bloemen en omdat ze vruchtbomen bestuiven. Maar ja, die kun je nu wel afschrijven, da's zeker.' Haar ogen zochten de zijne. 'Hij is over de schutting geklommen.'

'Maar waaróm?'

'Om met de bijen te gaan praten. Hij was Franciscus, weet je nog wel? Broeder bij en zuster vlinder, en al dat soort gezeur. Nou, hij over die schutting. Die was niet zo hoog en aan zijn kant van de schutting stond een houten kist waar hij op ging staan. Ik kon hem niet tegenhouden... nee toch? Hij deed waar hij zin in had. Tja, zo zijn de mensen. Het stel uit dat huis, die bijenhouders, waren naar hun werk. Iedereen was naar zijn werk of weg of zo.

Nou, hij naar die bijenkorf en maar praten tegen die bijen. Hij hield van bijen, maar ik geloof niet dat hij tegen ze praatte als hij, nou ja, gewoon was. Het was meer een bijenkast met een los deksel. Hij boog zich eroverheen en zei dat er geen vuiltje aan de lucht was. De bijen zouden hem herkennen en weten dat hij hun vriend was. Ik pakte hem vast maar hij duwde me weg. Hij zei dat ik de bijen zou verstoren en misschien had hij gelijk, mis-

schien heb ik ze verstoord. Nou ja, hoe dan ook: hij heeft het deksel van die bijenkast opgetild.
De bijen kwamen naar buiten. Met wel honderden, honderden leken het wel. Een hele zwerm van razende bijen. Ik wist dat ze hem staken want hij schreeuwde en sloeg naar ze. Hij zette het op een lopen en viel en de bijen achter hem aan. Dat doen bijen, wespen doen dat niet. Ze steken je en hun angel met een stuk van hun lijf blijft in je vel zitten. Daarom gaan ze dood. Jezusmina, heb je daar nou van terug? Dat er nog altijd mensen zijn die in een god geloven die een schepsel bedacht heeft dat zich alleen kan verdedigen met zijn eigen dood.'
De tranen liepen langs haar wangen. Ze deed geen moeite ze weg te vegen. Guy besefte dat hij haar aangaapte en wendde zich af.
'Ze hebben mij ook gestoken,' zei ze. 'Ze raakten in mijn haar verward en staken me in mijn handen en nek. De angel en een stuk van hun lijf blijven in je vel zitten. Ik zat vol angels en stukjes bij.'
'Maar u bent niet doodgegaan,' zei Guy onnozel.
'Ik ben niet allergisch.'
'Was hij allérgisch? Je zou zeggen dat hij zich dan wel tweemaal bedacht zou hebben. Waarom bij die bijen komen als hij allergisch was?'
'Dat wist hij niet,' zei ze. 'Dat kan hij ook niet geweten hebben. Dat weet je niet als je maar één keer in je leven gestoken bent. De eerste keer gebeurt er niet veel. Het is een kwestie van overgevoelig raken. Het veroorzaakt een sterke en ongunstige reactie op latere aanraking met dat spul, wat het ook wezen mag. Bijensteken of schaaldieren of brandnetels, het is allemaal één pot nat.'
'En hij had dat?'
'Ik wist er niks van. Ik heb geprobeerd hem daar weg te sleuren. Die verdomde bijen... Ik begon te gillen. Je kunt hier en in de rest van Londen gillen tot je een ons weegt, en geen mens die op je let. Maar er kwam een man en ik zei dringend tegen hem hulp te halen, een dokter, een ambulance, de politie of wat dan ook.

En de bijen waren hier en daar en overal, en bedreigend. Het was een hel!'
'De politie?' zei hij. 'Is de politie erbij geweest?'
Ze keek hem smalend aan. 'Zit je daar zo over in? Is dat het enige waar jij over inzit? Nee, die kwamen niet opdagen. Die zijn er nooit als je hen nodig hebt. Nog zoiets: het is verrekte moeilijk in een dergelijk geval anderen te overtuigen. Ze geloven je niet, ze geloven je niet, ze willen niet geloven dat iemand kan doodgaan aan bijensteken. Ik kon aan hem zíén dat het een allergische reactie was. Ze hadden het in elk ziekenhuis kunnen constateren als we hem daar op tijd hadden kunnen krijgen. Maar voor die tijd was hij al dood. Hij is gestikt. Hij zwol helemaal op en stikte.'
Guy zei niets. Hij zat daar maar met afgewend gezicht. Hij keek uit het raam naar zijn eigen lieve stadstuintje met zijn ronde vijvertje met het eilandje in het midden, maar nog zonder de bronzen dolfijn en zonder de tuinmeubelen uit Florence. De sinaasappelboompjes waren toen piepklein in hun Chinese vaas en tegen de tuinmuur stonden nog de blauwe en donkergroene jeneverbesstruiken die hij later had laten kappen om plaats te maken voor de clematis. Het miezerde, en de regendruppels maakten putjes in de waterspiegel van de vijver. Er bloeide een enkele waterlelie. Hij herinnerde zich alles haarfijn.
'Hij kon niet praten,' zei ze met koele neutrale stem.
Betekende dat dat hij niemand over die LSD had verteld?
'Ik weet wat jij denkt. Nee, hij heeft het niemand verteld.'
'Maar u wel.'
Ze lachte. 'O ja. Die troep die jij hem gegeven hebt, kan bij de lijkschouwing voor de dag komen. Dat hoor ik te weten maar ik weet het niet. Het doet er ook niet toe.' Langzaam keek ze de kamer rond. Hij wist wat haar door het hoofd speelde, alsof ze het hardop gezegd had. Al die mooie spullen, allemaal van hem, zijn niet-verdiende loon, maar niet lang meer, boontje komt nog wel om zijn loontje, hij kan ernaar fluiten, naar dit alles. Veertien jaar, dacht Guy. 'Ik ben naar de politie gegaan,' vervolgde ze. 'Ik heb hun verteld wat ik wist. Ik denk dat ze wel

eens bij je langs zullen komen. Ze zeiden dat ik niet moest proberen jou te zien te krijgen, maar ik moest wel. Ik had een appeltje met jou te schillen. Nu ga ik maar.'

'Hoe kon ik weten dat hij allergisch voor bijen was?' zei Guy.

Het liefst had hij haar vermoord, maar hij raakte haar natuurlijk niet aan. Bij het weggaan huilde ze. Het leek of haar lichaamsgeur van het huilen nog erger werd. Het idee dat zijn buren een huilende vrouw in wapperende kleren en op vuile blote voeten zijn huis uit konden zien komen, vond hij maar matig, maar er was niets aan te doen.

Nog geen uur later arriveerde bij hem de narcoticabrigade.

9

Hoe komt het dat je van iemand gaat houden? Waarom heb je geen keus, terwijl je vrijwel alle andere dingen in het leven wel voor het kiezen hebt? Als je rijk bent, welteverstaan. Je kunt kiezen hoe je je brood zult verdienen, waar je zult wonen, wat voor soort huis, auto, kleren en tijdverdrijf je zult hebben. Waarom valt degene van wie je houdt niet ook onder die vrije keus?

Guy vroeg zich dat dikwijls af in verband met hemzelf en Leonora. Waarom was hij verliefd op haar, terwijl hij dat helemaal niet wilde zijn, terwijl het zo lastig was en zoveel dingen stukmaakte en tijd verspilde? In zijn ogen was ze mooi, maar hij besefte dat ze helemaal niet zo knap was. Ze kleedde zich matig, de dingen die hem aanspraken, zeiden haar niets en de meeste dingen waar zij plezier in had, stonden hem tegen. Ze hadden niets gemeen. Ze was niet geïnteresseerd in eten en drinken en dure kleren, nachten doorzakken, exotische oorden, snelle auto's, zonnige stranden en paardenrennen. Sport, daar vond ze niets aan. Ze was nog nooit wezen skiën, had nooit met een jacht gevaren. Het was mogelijk dat diamanten de beste vrienden waren van Brigitte Bardot en consorten, maar zij was Brigitte Bardot niet. Zij demonstreerde tegen de handel in pelzen.

Zij hield van lezen en films met diepgang, liefst uit Japan of Chili die in het Filmhuis draaiden. Wat zij graag deed, was kamperen en van jeugdherberg naar jeugdherberg sjouwen met een rugzak op haar rug. Zij hield van gezond eten, vruchtensap, fietsen, alternatief toneel, klassieke muziek en 'groene' documentaires op BBC 2. Hij zou zichzelf dwingen ook van al die dingen te gaan houden als ze weer bij elkaar waren, maar voorlopig had hij er een hekel aan. Hij gruwde van haar kleren en van het feit dat ze zich zelden opmaakte, en nu ze met die rooie kobold optrok zelfs nog minder. Nooit meer gelakte nagels, en het ontbrak er

nog maar aan dat ze de haren op haar benen liet groeien, dacht hij wel eens.
Maar als hij haar aan zag komen, als hij haar hun zaterdagse restaurant zag binnenkomen maakte zijn hart een sprongetje. Het sprong een eindje opzij en bonsde alsof hij in shocktoestand verkeerde. Dat was iedere keer weer hetzelfde. Soms was het of er iets binnen in zijn hoofd opzwol of misschien wel de schedel zelf uitzette van een soort warmte, en dat gaf een vage pijn. Maar tegelijkertijd werd zijn lijf koud, niet zo dat hij ervan sidderde, eerder of een koude hand hem streelde langs armen en flanken, en zijn hart beroerde. Telkens weer.
En waarom? Ze had iets, dat was al wat hij ervan zeggen kon. Misschien ging het altijd zo met de liefde. Iets wat die ander had. Een blik, een glimlach, de oogopslag, een gorgelend lachje, een gebaar van de schouders, een kleinigheid. Maar dat verklaarde nog niet hoe zo'n kleinigheid zoveel kon aanrichten. Met hem en Leonora was het haar glimlach, de manier waaróp ze glimlachte, met een merkwaardige strakheid van de lippen, die nooit het uiterste van hun kunnen toonden, een soort afgeremde glimlach. Haar tanden waren uiteraard volmaakt, klein, wit en regelmatig. De enige die hij ooit had zien glimlachen als Leonora, was Vivien Leigh in *Gejaagd door de wind*.
Dat die glimlach van haar zoveel voor hem betekende, dat die hem een gevoel van pijn en verrukking bezorgde, dat die in hem een verlangen wekte naar iets wat hij niet kon omschrijven, dat kwam niet doordat die glimlach afgeremd was, maar doordat hij wist dat haar glimlach de belemmerende lippen kon vermurwen zodat hij gul en compleet werd, maar nooit voor hem.
Drie dagen verstreken zonder dat hij haar te spreken kreeg. Op de vierde dag dat hij het nummer in Georgiana Street gedraaid had, nam zij op. Ze waren erg uithuizig geweest, zei ze. William was naar zijn werk geweest. William was bezig met een film over mannen die thuis voor hun invalide vrouw moesten zorgen. Nee maar, dat was spannend! De kijkcijfers zouden ernaar zijn. Alsof het hem iets kon schelen waar die verdomde William uithing. Hij had die William wel kunnen vermoorden!

Waar zullen we gaan lunchen, vroeg hij, en zij zei: waarom niet nog eens in dat ding aan Kensington Park Road. Dus daar zat hij. Hij was er als eerste en zat aan de bar waar de Franse jongen die daar de barman was hem een wodka-martini inschonk. Hij had zijn zonnebril afgedaan, omdat hij er geen zin in had voor een maffioso te worden uitgemaakt.

Toen hij langs het straatje kwam waar zij vroeger gewoond had, had hij aan liefde moeten denken en aan haar glimlach. Het was negentien augustus, precies vier weken voor haar huwelijk – voor de datum die zij met Huwelijksdag betitelde. Maar zo gemakkelijk gaf hij zich niet gewonnen. Hij gaf zich helemaal niet gewonnen. Hij had zich gedwongen niet naar de wenteltrap te kijken en zat juist te denken dat hij toch even moest kijken, zich toch even om moest draaien, toen ze haar hand op zijn schouder legde.

'Guy, je zat te dromen.'

De koude hand beroerde hem en zijn hart maakte zijn sprongetje. Hij keek haar aan. Ze glimlachte naar hem en hij vertelde haar wat hij had gedacht over die glimlach van haar.

'Dat is de reden waarom ik van je hou. Dat is zo'n beetje de kern.'

'Als ik nou eens een plastisch chirurg op mijn mond losliet die de vorm drastisch veranderde, zou je dan niet meer van me houden?'

'Dat weet ik niet. Misschien wel niet. Ik krijg altijd zo'n gevoel dat je voor mij niet voluit glimlacht. Je haalt er niet uit wat erin zit. Als je naar mij lacht, hou je hem in.'

'Doe niet zo bespottelijk, Guy,' zei ze.

'Wat vindt Newton ervan dat jij zaterdags met mij luncht? Vindt hij het erg?'

'Hij begrijpt het,' zei ze.

Ze zochten een tafeltje. Leonora nam een jus en hij een campari-soda. Zij bestelde een grapefruit-avocadococktail en gevulde courgettes, en hij slakken, gevolgd door kalfslever in frambozensaus. Hij dacht na over dat 'begrip' van Newton. Wat een jofele vent toch, die neerbuigende klootzak!

'Iemand begon mij bij jou zwart te maken toen je negentien was,' zei hij.
'Ach, wat een onzin. Wat een onzin!'
'Was mijn huis soms niet naar je zin?'
'Jawel, het is een prachtig huis.'
'Beter dan het huis van je ouders, of niet soms?'
'Stukken beter, maar ik begrijp niet waar je naartoe wilt.'
'Je moet me eens iets vertellen. Je moet me vertellen of er tussen mij en Newton nog anderen zijn geweest.' Een nederig toontje was hier op zijn plaats, dacht hij. 'Ik heb eigenlijk het recht niet je dat te vragen, maar ik hoop toch dat je het me vertelt.'
'Nooit echt,' zei ze.
Dat viel hem tegen. Het greep hem naar de keel. 'Maar tussen mij en Newton waren er andere mannen?'
'Natuurlijk.'
'Wie dan?'
Haar ogen fonkelden. Hij kon niet zien of ze blij was of boos. Ze zei kortaf: 'Nou vooruit, als je erop staat. Eerst die man met wie Robin zich had geassocieerd en daarna twee studiegenoten en o ja, nu ik erover nadenk: er was ook nog een man die ik op Robins vijfentwintigste verjaardag leerde kennen. Nou tevreden?'
'Ben je met hen naar bed geweest?'
'Dat gaat jou niet aan, Guy, dat is jouw zaak niet. Je zei daarnet dat je het recht niet had daarnaar te vragen en je hebt gelijk, dat recht heb je ook niet.'
'Dus wel.' Een hartaanval moest ongeveer zo aanvoelen, met dezelfde soort pijn, diezelfde beklemming in de borst die je min of meer verlamt. 'Ik vraag me alleen af wat je vader daarvan zou vinden,' barstte hij uit.
'Je wát?'
'Ik zei dat ik me afvroeg wat je vader daarvan zou zeggen. Hij zou een rolberoerte krijgen. Dat zou iedere man als het om zijn dochter gaat. Jouw vader had heel graag gezien dat jij en ik gingen trouwen. Hij had graag gewild dat ik de enige was in jouw leven. Dat weet ik zeker. Hij zou het besterven als hij wist dat jij met Jan en alleman naar bed bent geweest.'

'Ik ben niet met Jan en alleman naar bed geweest. Doe niet zo bespottelijk.'
'De ene man na de andere, hoe noem jij dat dan? Trouwens, waarom? Wat mankeerde er aan mij? Waren zij knapper om te zien? Rijker? Wat hadden zij dat ik niet had? Ik was de man aan wie je vader zijn dochter met alle liefde had afgestaan.'
Ze begon te lachen. Daarna schudde ze haar hoofd.
'Waar lach je om?'
'Om jou. Je bent zo ouderwets. Jij beschouwt jezelf als een bijdetijdse yup... Nou ja, je bent ook een yup, jong en bij de tijd, maar in feite ben je ouderwets en bovendien een seksist. "Ik vraag me af wat je vader ervan zou zeggen." Waarachtig, Guy, je klinkt als iemand van zestig. Zelfs mijn vader zou zoiets niet zeggen. En mannen staan hun dochters niet meer af. Was je dat nog niet opgevallen?'
'Je kunt niet ontkennen dat je vader veel invloed op jou heeft, Leonora.'
'Dat heeft er niets mee te maken. Dat ontken ik helemaal niet. Ik zeg alleen dat de dagen dat mannen een echtgenoot voor hun dochters uitkozen ver achter ons liggen.'
Haar uitdrukking en glimlach stonden hem tegen en hij zei somber: 'Jouw vader staat nu anders tegenover mij dan vroeger.'
Sedert die avond, dacht hij. Die avond toen hij Leonora kwam halen en het verhaal van Con Mulvanney in de krant had gelezen; dat was de laatste keer dat Anthony Chisholm hem een borrel had aangeboden, zijn sigaretten had gerookt, hem als vriend had bejegend. Toen hij hem een paar weken later weer tegenkwam, was de verandering hem opgevallen. Destijds had hij gedacht dat Anthony zakelijke muizenissen aan zijn hoofd had, zich zorgen maakte, en daarna duurde het weer maanden eer ze elkaar zagen. Dat was toen Guy aanbood Leonora het geld voor de flat te 'lenen', en Anthony, die er op de een of andere manier was bijgesleept, was bij die gelegenheid heel stuurs en afwijzend. Er kon geen kwestie van een lening zijn; hij had begrepen dat Leonora het aanbod al had afgewezen. Guy moest goed begrijpen dat zijn aanbod gewaardeerd werd, maar dat er geen sprake van kon zijn.

Guy bestelde nog een campari. Hij stak een sigaret op terwijl ze op het eten wachtten. 'Je hebt me nooit verteld hoe je Newton hebt leren kennen,' zei hij.
'Waarom zou ik? Jij hebt het me nooit gevraagd.'
'Nou? Hoe en waar?'
Haar blik was eigenaardig, schichtig, en geen wonder, gezien wat nu volgde: 'In Lamb's Conduit Street.'
'Bij jouw vader thuis? Maak het nou een beetje. Zeg waar het op staat, Leonora.'
'Maak jij het een beetje, Guy. Wie ken ik nog meer in Lamb's Conduit Street? Mijn vader stelde ons aan elkaar voor, als je het weten wilt.'
'Wat? Hij deed wat? Zie je wel? Wat heb ik gezegd? Ik ben helemaal niet zo ouderwets en seksistisch als jij beweert. Jouw vader heeft jou in aanraking gebracht met de man met wie hij wil dat jij trouwt.'
'Ik wil met hem trouwen, Guy. Ik ga met hem trouwen. Trouwens, zo was het niet.'
'Hoe was het dan wel?'
'William was bezig met een programma over architectuur. De aanzet daartoe was een uitlating van prins Charles. Hij kwam langs voor een voorbereidend gesprek en ik was daar toevallig bij.'
'Wanneer was dat?'
'Guy, alsjeblieft, is dit een verhoor? Het is een jaar of twee geleden. In juli om precies te zijn.'
'Toen woonde je niet meer bij hem in huis. Je zat al meer dan een jaar in je flat.'
'Ik heb nooit gezegd dat ik daar woonde. Ik zei dat ik William bij hem aan huis heb leren kennen. Het was paps verjaardag. Ik kwam hem een cadeautje brengen en William was er ook.'
'Dat verklaart nog niet hoe je ertoe kwam met hem uit te gaan. Heeft je vader dat bedisseld? Misschien vertelde hij Newton wel dat jij een ongewenste vrijer had en dat hij blij zou zijn met een geschiktere kandidaat. Misschien heeft hij hem jouw telefoonnummer wel gegeven.'

'Dat heb ik hem zelf gegeven,' zei ze. 'Hij vroeg erom.'
Hoe was het mogelijk zo boos op een ander te zijn en toch zoveel van die ander te houden? Hoe was het mogelijk zo'n hekel te hebben aan de manier waarop die ander zich kleedde en gedroeg en toch van die ander te houden? Meer van die ander te houden dan van wie ook ter wereld. Meer dan van jezelf.
'Als je zo... Ik geloof dat het progressief heet. Als je zo progressief bent, waarom wil je dan met hem trouwen? Waarom trek je niet gewoon bij hem in?'
'Ik ben bij hem ingetrokken, min of meer.'
Hun eten kwam eraan. Leonora vroeg om water, hij om een fles rode Graves.
'Waarom trouwen?' zei hij nadat het dienstertje was vertrokken.
'Als een soort belofte in het openbaar. Dat is toch de gebruikelijke reden? Ja, ik geloof dat wij het daarom doen. Als een belofte dat we ons voor ons hele leven aan elkaar verpanden.'
'Voor je hele léven? Je rekent erop dat dit tot je dood toe zal duren?'
'Waarom niet? Vroeger vonden de mensen het heel natuurlijk dat een huwelijk het hele leven zou duren. Ik hoop dat het onze dat zal doen. Ik weet het niet. Ik kan het niet zeggen. Wie kan het zeggen? We kunnen niet meer doen dan het te proberen.'
Ze had een broodje uit het mandje gepakt maar at er niet van. Haar linkerhand lag op tafel. Hij pakte haar bij de pols, legde hem losjes in zijn hand alsof hij de polsslag trachtte te voelen. Toen spanden zich zijn vingers.
'Je moet iets voor me doen.'
Hij meende haar te horen zuchten. 'Wat dan, Guy?'
'Trouw niet. Wacht. Wacht een jaar. Je bent jong, hij is jong. Wat is nou een jaar? Trek bij hem in, dat kan me niet schelen... nou ja, dat kan ik wel aan. Trek bij hem in en zie maar.'
Ze keek hem aan en schudde heel even met haar hoofd. 'Guy, laat me los. Je doet me pijn.' Ze trok haar hand naar zich toe.
'Doe dat voor mij. Het is niet veel.'
'Niet veel? Mijn huwelijk uitstellen omdat een vriend, mijn exvriend, het zegt?'

'Ik beteken meer voor jou dan een ex-vriend, Leo. Ik ben jouw grote liefde en dat weet je. Als je dit weigert, zal ik er een stokje voor steken. Ik heb het recht jou dat huwelijk te verbieden en dat zal ik doen ook.'

'Guy,' zei ze, 'zo nu en dan zeg jij dingen tegen me waardoor ik ernstig aan je verstand ga twijfelen. Dat méén ik. En het wordt erger. Ik vind echt dat je er iets aan moet laten doen.'

'Jij luistert te veel naar je moeder.'

'En waarom niet? Ja, ik luister inderdaad af en toe naar mijn moeder. Volgens mij kan ze heel verstandige dingen zeggen. Maar wat jouw verstand betreft, heb ik niet naar haar geluisterd. Daar heb ik het met haar nooit over gehad. Ik geloof dat jij bezig bent je verstand te verliezen, en alleen door dat idiote waandenkbeeld van jou dat jij en ik samen gelukkig zouden kunnen worden. Dat zouden we niet. Jij bent veel beter uit met Celeste, als je het logisch bekijkt. Ik denk dat het wel beter zal worden als ik eenmaal getrouwd ben en uit je omgeving verdwenen en jij me niet meer ziet. Dan kom je er wel overheen.'

Ze konden geen van beiden een hap van de lunch naar binnen krijgen. Maar hij dronk wel zijn wijn. Drinken kon hij altijd. Zij dronk water en draaide rolletjes van haar broodje. Ze zei dat hun ontmoetingen haar de laatste tijd alleen maar doodongelukkig maakten en hem ook, maar ze beloofde volgende zaterdag weer met hem uit lunchen te gaan.

Ze had hem veel stof tot nadenken gegeven. Wanneer had hij ook weer aangeboden voor haar flat te betalen? Dat moest in december of januari nu drieënhalf jaar geleden geweest zijn. Tussen dat tijdstip en augustus van het jaar daarvoor had iemand Anthony Chisholm van de Con Mulvanney-affaire verteld. Misschien Leonora wel. Maar van wie had zij het? Wie had er tegen haar gezegd: 'Weet je met wat voor soort man jij optrekt?'

Dat was weliswaar lang voor hij haar die 'lening' had aangeboden, maar dat kwam gewoon doordat hij Anthony in geen halfjaar had gezien. Anthony had hem natuurlijk opzettelijk vermeden. Het moest hem een dag of wat nadat Poppy Vasari hem, Guy, de politie op het dak had gestuurd ter ore zijn gekomen.

Poppy was meteen met haar lastercampagne begonnen zoals ze gedreigd had, en een van de mensen aan wie ze het verteld had, was – waarom was dat nooit eerder bij hem opgekomen – Rachel Lingard.
De kans dat Poppy's weg die van Tessa had gekruist was niet groot. Tessa was gewoon vrijwilliger in een ziekenhuis en bij het Citizens Advice Bureau. Maar Rachel was maatschappelijk werker in een of andere wijk van Londen. Hij was vergeten waar, áls hij het ooit geweten had. Als ze in een of andere wijk in Zuid-Londen werkte, toen Poppy daar met verslaafden werkte, wat lag er dan meer voor de hand dan dat die twee elkaar kenden? Misschien waren ze wel vriendinnen.
'Hij heet Guy Curran. Hij heeft zo'n bekakt gerenoveerd huis in een Mews ergens in de duurste buurt van Kensington.'
'Guy Curran?'
'Vertel me nou niet dat je hem kent.'
'Nou, en of ik hem ken. Mijn beste vriendin denkt met hem te trouwen.'
Dat was ze inderdaad eens van plan geweest. De eerste keer dat hij haar meegenomen had om haar zijn huis te laten zien – in die dagen reed hij een Mercedes – had hij gezegd: 'Het wordt ook jouw huis.' Toen had ze hem die glimlach van haar getoond, alleen onbevangener, voorzover hij zich herinnerde, minder geremd. 'Als we getrouwd zijn,' had ze gezegd.
Dat hád ze toch gezegd? Hij had het zich niet verbeeld? Natuurlijk niet. Hij was niet bezig zijn verstand te verliezen. Ze had hem zonder terughouding liefgehad, maar ze waren uit elkaar geraakt door de perioden van scheiding die haar studie hun oplegde. Dat was heel natuurlijk: zo gingen die dingen nu eenmaal. Maar het punt was dat ze elkaar weer nader waren gekomen, ze had ermee ingestemd samen met vakantie te gaan, ze gingen elke week wel twee of drie keer samen uit. En toen stierf Con Mulvanney.
Het was of Poppy Vasari nog geen tien minuten weg was, toen de narcoticabrigade op het toneel verscheen. Ze doorzochten het huis en vonden niets. Er was ook niets te vinden. Goddank

had hij de stuff en de amfetaminen drie dagen geleden door de wc gespoeld. Het was bekend dat ze soms de riolering opgroeven. Niet dat ze in Scarsdale Mews zover gingen. Het was hun aan te zien dat ze onder de indruk van zijn huis waren; wat een wonder! En de rust, de goede smaak en de fraaie kunstvoorwerpen konden hun uitwerking niet missen.
Ze ondervroegen hem bij hem thuis en op het politiebureau. Het verhoor duurde uren. Hij ontkende alles. De sociëteit bloeide in die dagen, het reisbureau was het blauwdrukstadium allang voorbij en zijn schilderijenbusiness bracht al aardig wat geld in het laatje. Ze konden zien waar zijn geld vandaan kwam. Zijn twee buksen kwamen aan het licht, elk in zijn foedraal. Als lid van een erkende schietvereniging had hij een vergunning. Hij zei dat hij nooit had gehoord van Cornelius Mulvanney. De man was nooit bij hem thuis geweest. Eén ding wilde hij graag kwijt, zei hij: toen hij het afgelopen weekeinde op een feestje was, in een kroeg in Balham, was hij door iemand aangeschoten die hem gevraagd had of hij cannabis had. Was dat het woord dat hij gebruikt had? Nou nee, eigenlijk niet. Hij zei het liever niet, maar als ze erop stonden: de man had gevraagd of hij geen shit had. Hoe wist hij wat die man daarmee bedoelde? Hij was nieuwsgierig geworden en had het de kroegbaas gevraagd.
Beschrijf de man. Welke? De man die hem om cannabis had gevraagd. Guy had gezegd dat hij dat niet kon. Hij herinnerde zich de man niet meer. Ten slotte kwam hij toch op de proppen met een vaag profiel van een magere man, bleek en met nogal lang blond haar. Wat was de naam van de kroeg? Het tijdstip, wie gaf het feest? Hoe laat ging hij naar huis? Enzovoort, enzovoort. Het was na middernacht toen ze hem lieten gaan. Hij had er nooit meer iets van gehoord.
Maar Poppy Vasari was een paar dagen later teruggekomen. Ze zei dat ze niet binnenkwam, nee, dank je. (Hij had het haar niet gevraagd.) Ze bleef op de stoep staan, want hij zou haar wel eens iets kunnen doen als ze met hem alleen was. Daar moest hij om lachen. Alsof hij ooit iemand die er zo walgelijk uitzag zou aanraken. Diezelfde stank hing nog om haar heen. Die zat waar-

schijnlijk in haar kleren. Hij stond haar in de deuropening uit te lachen, zo belachelijk was het allemaal.
'Jij hebt Con vermoord,' zei ze, 'dus waarom ook niet mij? Het zou voor jou niks geen verschil maken. Jij bent verziekt.'
Hij dwong zich te blijven lachen, maar natuurlijk klonk het niet oprecht. Als hij de deur dichtgooide, zou ze blijven bonken tot hij weer opendeed.
'Van de politie heb je niks te vrezen,' zei ze, 'maar van je soortgenoten des te meer.'
'Wat bedoelt u met soortgenoten?'
'Ik vertel iedereen die ik ken over jou, iedereen. En ik vertel het aan iedereen die Con gekend heeft. Ik vertel hun de feiten, dat het wel wezen kan dat Con gestorven is aan bijensteken, maar dat hij die heeft opgelopen door dat smerige middel dat jij hem hebt gegeven. Jij hebt hem vermoord door hem een dodelijk gif te geven en ik zal ervoor zorgen dat iedereen dat te weten komt. Ik ben bij mij thuis begonnen. Ik ga er hier mee verder. Ik zal uitzoeken wie je vrienden zijn en ik zal het hun vertellen. Ik zal op alle deuren van deze straat kloppen en de mensen vertellen wat jij hebt gedaan.'
De narigheid met dat soort dingen is dat de mensen die een dergelijke boodschap, op die manier gebracht, aanhoren, denken dat de boodschapper gek is. Hij of zij is een stakker die opgeborgen dient te worden, nooit ontslagen had mogen worden, bewaakt moet worden. Zulke mensen kun je het beste negeren, vergeten, en wat de boodschap betreft: geen mens die er geloof aan hecht. De buren in Scarsdale Mews dachten inderdaad vast en zeker dat Poppy Vasari knettergek was, als ze haar dreigement ten uitvoer had gebracht – Guy was niet gaan kijken – en misschien was ze inderdaad tijdelijk ietwat geschift.
Ik wou maar zeggen (dacht Guy): denk je eens in, die vent van dat tv-praatprogramma die de deur opendoet en dan te horen krijgt: 'Ik vind dat u moet weten dat de man die op nummer zeven woont een vriend van mij vermoord heeft met verdovende middelen.'
Hij zat er eigenlijk niet zo erg mee. Als zij dacht dat hij bevriend

was met die mensen, dan vergiste ze zich schromelijk. Hij had zijn buren altijd op een afstand gehouden. Die ene uitnodiging om met Kerstmis een borrel te komen drinken had hij afgeslagen. De dagen daarna was hij een beetje op zijn hoede geweest, maar allemaal gedroegen ze zich als altijd en zeiden of goeiemorgen of hoi of helemaal niks. Zoals hij al gedacht had: ze hadden helemaal niet geluisterd. Maar dat was heel iets anders dan Poppy Vasari die het vertelde aan iemand die ze persoonlijk kende, iemand met wie ze werkte, vooral als ze een beetje gekalmeerd was. Het was heel wat anders dan Poppy Vasari die het vertelde aan iemand die hem kende, iemand die zijn naam herkende.

Rachel Lingard.

Nog geen veertien dagen na het vooronderzoek zouden hij en Leonora samen met vakantie gaan. Er kwam bij het onderzoek niets bijzonders aan het licht. Zijn naam werd godzijdank niet genoemd. Poppy kreeg een uitbrander van de rechter omdat ze niet had ingegrepen toen Con Mulvanney dat verboden en gevaarlijke hallucinogeen nam. Haar trof vooral schuld in het licht van haar opleiding en de baan die ze gehad had, de baan die ze, naar de rechter de rechtbank tot zijn genoegen kon melden, had opgegeven. De uitspraak was: dood ten gevolge van een ongeval. Maar Rachel had kennelijk niet stilgezeten want halverwege de week daarop, toen hij en Leonora elkaar op Cambridge Circus troffen – hij nam haar mee uit naar de musical *Les Misérables* – toen vertelde ze hem dat ze niet meeging naar Griekenland.

Ze deed daar niet beschroomd over, niet gegeneerd. Er was geen sprake van dat ze het vervelend vond hem dat te vertellen, dat ze het afschuwelijk vond. Ze kwam er zomaar mee voor de dag.

'Ik kan niet mee. Het spijt me.'

Hij was ontzet. Hij protesteerde. Maakte ze zich zorgen over de kosten? Zat ze erover in dat hij voor hen allebei moest betalen? Door de schok lette hij niet op zijn woorden en hij zei wat hij zichzelf beloofd had nooit weer te zullen zeggen: 'Een dergelijk bedrag merk ik niet eens.'

Die zin deed haar altijd met de ogen knipperen. 'Dat en andere

dingen. Ik kan niet mee. Vraag me niet het uit te leggen. Dat zou te pijnlijk zijn. Laten we het maar vergeten... Vind je dat goed?'
Eens had hij gedacht dat het het geld was en misschien – vervelend idee – dat ze zich verplicht voelde met hem naar bed te gaan als hij betaalde, dus dat ze dan maar beter helemaal niet moest gaan. Maar nu wist hij beter. Rachel had haar over Con Mulvanney verteld.
Ze woonde samen met Rachel, Rachel was constant in de buurt en vergiftigde haar geest, zette haar tegen hem op. Het liefst zou hij Rachel vermoorden.

10

De bediening van Danilo's barbecue was in handen van een aantal koks met gestreepte schorten voor en hoge witte mutsen op, en die van het voedsel in handen van op z'n achttiende-eeuws geklede melkmeisjes. De meisjes achter de bar zagen eruit als hoeladanseressen. Gelukkig dat het een warme avond was. De tuin van Danilo's neo-Georgiaanse huis was enorm, met hier en daar geïmporteerde bijna volwassen palmen, die het deze zomer goed deden, maar zich volgend voorjaar waarschijnlijk niet zo lekker zouden voelen. Zijn laatste nieuwigheid was een fontein in de siervijver in het grasveld onder het terras. Deze avond stond de fontein in strijklicht, roze stamrozen in roze potten stonden om de marmeren rand terwijl een roze verfstof aan het water was toegevoegd. Danilo vertelde de gasten die het effect bewonderden dat de natuurlijk aandoende stenen van echte rozekwarts waren.

Er waren zo'n man of honderd. Guy kende er een paar oppervlakkig. Bob Joseph was er met zijn vriendin en Bobs ex met haar nieuwe echtgenoot; verder Danilo's vader, die ouwe snoeper, vergezeld van zijn derde vrouw, en Danilo's broer die de zaak van zijn vader had overgenomen en nu eén reeks bookmakerskantoren had. Dan nog een heel stel vrienden van Tanya, collega's uit de modewereld, en veel meisjes die eruitzagen als mannequin maar dat waarschijnlijk niet waren. Danilo en Tanya die al tijdenlang zeiden dat ze op een goede dag wel zouden trouwen, waren daar nog niet aan toe gekomen, ondanks hun vier kinderen.

Dat viertal, volgens Guy onuitstaanbaar verwend, rende krijsend rond tussen de gasten, smeet met het eten en spatte iedereen die in de vuurlinie kwam nat met het roze water uit de fontein, in plaats van in hun bed te liggen of op een ver verwijderd plekje aan het toezicht van hun beide kindermeisjes te zijn toe-

vertrouwd. Ze zagen er piekfijn uit, de jongetjes in gestreepte broek, matrozenkiel en vlinderdas, de meisjes in witte organdie over vele lagen onderrok, alsof hun ouders opgeklommen Italiaanse pachters waren in plaats van parvenu's uit de Londense binnenstad. Het oudste jochie, Charles, maar altijd Carlo genoemd, had zich een Bellini ingeschonken die, omdat dit Tanya's feestje was, behalve champagne en perziksap ook cognac bevatte, en stond omringd door gillende meisjes in minirokjes het spul naar binnen te gieten en met zijn lippen te smakken.
Lichtjes hingen in de palmen naast de ultraviolette muggenverjagers. Een bandje speelde muziek à la *Down below the Rio Grande*, als voedsel voor de illusie die Danilo en Tanya graag in het leven riepen, dat ze van Latijns-Amerikaansen bloede waren. Ondanks de patchoeli-asemende kaarsen hing er in de tuin de stank van schroeiende olie en verbrande biefstuk. Guy begreep dat hij Leonora hier nooit naartoe had kunnen meenemen. Ze zou het banaal genoemd, of erger: erom gelachen hebben. Voor haar betekende een feestje vijftien mensen in een flatje in Camden Town, die witte wijn en Perrier dronken en over het milieu praatten. Maar Danilo en Tanya te laten schieten zou een ondraaglijk offer geweest zijn.
De nachtelijke hemel was purper. Er waren geen sterren maar wel een citroengele maansikkel die echt moest zijn maar eruitzag of Danilo hem had opgehangen, toen hij zijn fontein een kleurtje gaf. De palmbladeren wuifden in het lichte briesje. Guy had voor de vorm één Bellini gedronken en ging daarna over op wodka. Hij zag hoe Celeste genoot van haar dans met Danilo's buurman, een miljonair en eens lid van een heel geslaagde rockgroep uit de jaren zestig. Ze droeg een felrode rok tot op haar enkels en een zwart-met-gouden topje dat een paar centimeter gouden middel vrijliet. Haar haardracht met zijn tientallen goudgepunte vlechtjes leek net de kam van een fantastische tropische vogel. Danilo's jongste, een meiske in een dansende witte tutu, kwam op haar af rennen en Celeste trok haar mee en hand in hand danste het drietal verder. Celeste was gek op kinderen: daar had hij al eerder tekenen van gezien.

Hij liep naar de bar om zijn glas nog eens te laten bijvullen, toen een extra luid gespetter en een kreet uit de richting van de fontein zijn blik naar links trokken. En daar, te midden van een groepje gasten die zich de druppels van de kleren sloegen – Carlo was bij de rand van de vijver in actie gekomen – stond Robin Chisholm.

Guy haalde zijn wodka en liep naar een uitkijkpost in de schaduw waar alleen het geurende kaarslicht doordrong. Robin stond te praten met Tanya, een man die Guy niet kende en twee broodmagere vrouwen met hun haar in een enorme wolk als van gesponnen suiker, de ene citroen-, de andere aardbeikleurig. Tanya's haar was gekapt in dezelfde stijl, alleen heb je geen gesponnen suiker in dropkleur. Tanya droeg een soort hemd van goudlamé met een zwart-en-goud gestreepte geplisseerde broek en hooggehakte groene schoenen die ze waarschijnlijk bij vergissing had aangetrokken en vergeten had te verwisselen. Geen Maeve te bekennen.

Robin zag eruit alsof hij zo uit een operette was gestapt. Het enige wat eraan ontbrak, was de strohoed à la Maurice Chevalier. Hij had sinds kort zijn gouden lokken in het midden gescheiden, wat erg vreemd aandeed. Zijn gezicht was jeugdiger dan ooit, niet gewoon jeugdig voor een man van zevenentwintig, maar als van een tien jaar jongere jongen. Zijn wangen bloosden, zijn lippen waren rood als die van een meisje. Hij droeg een witflanellen broek en een gestreepte blazer en zag er welvarend en grenzeloos zelfingenomen uit.

Guy zei tegen Danilo: 'Ik wist niet dat jij Robin kende.'

'Ik ken hem nog van vroeger, net als jij. Minder goed misschien, tot een tijdje geleden. Toen heeft hij wat peseta's voor me gewisseld. Ik had mijn villa in Spanje verkocht en de vraag was hoe ik dat geld het land uit moest krijgen. Ik had juffertje Leo ook moeten uitnodigen. Daar zit jij op te broeien, of niet soms? Juffertje Leo en haar verloofde?'

'Helemaal niet,' zei Guy kortaf. 'Hoe ben je hem tegen het lijf gelopen?'

'Ik ben benieuwd waarom je dat vraagt. Maar ja, mijn leven is

onder vrienden een open boek. Het was toeval. Tanya's zus woonde in hetzelfde flatgebouw als hij, in de buurt van Clapham Common. Die rossige daar, die met hem staat te praten.'
'In Clapham? Hij woont in Chelsea.'
'Ik heb het over drie jaar geleden,' zei Danilo. 'Vanwaar die belangstelling ineens? O, ik ga het begrijpen. Zeg, je hebt toch hoop ik geen prijs op zijn hoofd? Ik kan niet zonder hem, hoor. Hoe kom ik aan een andere wisselruiter met een babysmoeltje en zonder geweten? Kijk nou toch, je zou hem twaalf jaar geven.'
Guy haalde zich nog een wodka. Het liefst was hij naar Robin toegelopen en had hem de wodka in het gezicht gesmeten, om te zien wat er zou gebeuren. Hij had nooit iemand een borrel in het gezicht gegooid maar het denkbeeld was opeens erg verleidelijk. Alsof hij zoiets nog moest doen voor hij doodging. Het was niet meer zo warm. Voor het eerst van zijn leven dacht Guy: de nachten in dit land zijn nooit warm... nou ja, misschien één keer in het jaar. Toen liep hij naar Robin die nog steeds met Danilo's rossige schoonzuster stond te praten en nu ook met een wat oudere man die naar men zei modeontwerper was.
'Hallo zeg, hoe maak jíj het?' Hij zei het op zijn Amerikaans met alle nadruk op het 'jij', en de woorden waren amper verstaanbaar. Dat deed hij opzettelijk, en zonder bijbehorende glimlach. Robin verkoos die retorische vraag letterlijk te beantwoorden, waar de rossige om moest lachen: 'O geweldig, beter dan ooit.'
Guy kreeg een opzettelijk onnozele grijns als van een levende Dik Trom.
'Maeve niet meegekomen?'
Dat leidde tot een kwalijke pantomime. Robin keek rechts van zich, links van zich, strekte zijn nek en keek achter de rug van de modeontwerper. Zijn wenkbrauwen gingen omhoog, hij werd ineens bijziende, verbijsterd, keek naar de grond, tuitte zijn lippen voor een onhoorbaar gefluit. 'Het lijkt wel van niet,' zei hij. 'Nee, als je het mij vraagt is ze niet meegekomen.' Hij had zich, misschien alleen voor die avond, misschien alleen voor Guy, een joviale onschuldige houding aangemeten. 'Zeg, dat fantastisch mooie meisje, is die met jou?'

Het was niet handig te vragen wie hij bedoelde, maar Guy deed het toch.
'Dat kleurlingetje met die rastaharen.'
Guy smeet Robin de wodka in het gezicht.
Danilo's schoonzusje gilde. De modeontwerper schreeuwde: 'Godallemachtig!' Robin schudde zijn hoofd, spuugde, gooide zijn haren naar achteren en sprong als een getergde kat met gestrekte armen op Guy af. Het hele gezelschap stond verstomd, met starre ogen, in versteende beweging. Guys vuist schoot uit en trof Robin niet waar hij het bedoeld had, maar tegen zijn rechtersleutelbeen. Vrijwel meteen daarop raakten Robins maaiende armen met de vingers gestrekt Guy in het gezicht, als de klauwen van een tijger. Guy haalde uit, terwijl de omstanders tussenbeide kwamen. Iemand greep hem van achteren vast en een ander pakte Robin in zijn lurven, maar niet voor Guy Robin nog een voltreffer op zijn linkeroog had verkocht. Beiden hapten snorkend naar adem.
'Hou op, schei uit,' zei iemand.
'Ben je belazerd?'
'Het is mijn fuif.'
'Wat is hier in 's hemelsnaam aan de hand?'
'Ik kon mijn ogen niet geloven.'
'Ja, hij gooide die borrel recht in zijn gezicht.'
'Klootzak,' zei Guy. 'Jij bent de grootste klootzak in Londen.'
'En jij bent een psychopaat en een moordenaar,' zei Robin, zijn hand tegen zijn oog drukkend. 'Waarom donder je niet op, terug naar het slop waar je uit gekropen bent?'

Celeste reed hem naar huis. Guy zat naast haar zijn bebloede gezicht te koesteren. Hij had schrammen opgelopen op zijn rechterwang, de rechterkant van zijn bovenlip, de linkerkant van zijn kin en in zijn nek.
'Dat wordt hoogstwaarschijnlijk bloedvergiftiging. God weet wat voor smerige bacterie die klootzak bij zich heeft, listeria, hepatitis, noem maar op.'
'Domme Guy,' zei Celeste. 'Wat ben je toch dom. Ga jij er mor-

gen maar mee naar de dokter. Die zal van zijn leven niet geloven dat dat het werk van een vent is. Zeg maar dat ik het gedaan heb, oké?'
Hij was niet verliefd op haar, maar hij was verzot op haar manier van spreken, dat accent. Rasta zou die klootzak dat genoemd hebben. Morgen werd moggu en dokter doktuh.
'Celeste, ik moet je wat vertellen.'
Het was donker in de Jaguar. De duisternis hielp. Hij stak een sigaret op. Hij zou liever doodblijven dan Leonora vertellen over Con Mulvanney, maar Celeste zou hij alles opbiechten, alles, zonder bedenkingen, vrijwel zonder terughouding. Kwam dat doordat het hem eigenlijk niet kon schelen wat ze van hem dacht, terwijl Leonora's oordeel van levensbelang was? Kwam het doordat het hem geen barst kon schelen als ze, na alles aangehoord te hebben, zei dat ze hem niet weer wilde zien? Of zat er iets heel anders achter – kwam het doordat Celeste precies wist wat ze aan hem had en de ware man in hem kende en liefhad zodat hij zich bij haar niet beter hoefde voor te doen dan hij was? Leonora wist, ondanks hun lange en intieme omgang, eigenlijk niet wat ze aan hem had en hij vond het maar beter dat ze hem niet door en door kende en haar illusies over hem bewaarde.
'Nou, voor de dag ermee,' zei Celeste.
Hij vertelde het haar. Hij hield niets achter. Alles kwam eruit, zijn twijfel, zijn angsten, zijn lafheid, en later het besef dat iemand Leonora op de hoogte had gebracht. Hij had gedacht dat het Rachel Lingard moest zijn, maar op het feest die avond had hij doorgekregen dat zij het niet was. Het was Robin Chisholm. Robin had destijds in Clapham gewoond, op nog geen kilometer bij Poppy Vasari vandaan.
'En heb je hem daarom je wodka in zijn smoel gegooid?'
De ware reden was Robins racistische opmerking over Celeste, maar dat hield hij voor zich. Ze zou het zich aan kunnen trekken en hem bovendien in een belachelijk ridderlijk licht zetten.
'Min of meer, ja.'
'Guy, liefje, je bent een beetje getikt, weet je dat? Je bent als een

bezetene wat Leonora betreft. Weet je eigenlijk wel zeker dat iemand haar heeft ingelicht? Heb je het haar gevraagd? Nee, want áls ze het nog niet wist, dan zou ze er op dat moment achterkomen. Zie je dan niet dat het alleen in je hoofd bestaat? En er is met jouw hoofd de laatste tijd iets raars aan de hand. Neem dat van mij aan, Guy.'
'Haar houding tegenover mij is veranderd. Nog geen twee weken na dat akkevietje met Con Mulvanney is ze omgeslagen. Toen wilde ze ineens niet meer met me op vakantie.'
'Ze wilde niet dat jij voor haar betaalde. Ze wilde niet om de dingen die eraan vastzaten. Zo is het toch? Dat was de enige verandering in haar. Oké, nee, ik ben anders. Als een man voor mij wil betalen kan hij zijn gang gaan, mij best, blij toe. Als hij wil dat ik dingen doe waar ik geen zin in heb en hij blijft drammen, dan gooi ik hem het raam uit. Ik ben niet voor niks vijf jaar lang naar tai-ji geweest, dat kan ik je wel vertellen.'
Guy moest ondanks zichzelf lachen. Hij keek uit het raampje, maar ook zonder te kijken wist hij waar ze waren. Ze zaten op Balham Hill en daarginds even naar links lag Clapham Common. Mulvanney-terrein. Het was of hij tegen een web van een miljoen onzichtbare draadjes opliep en ieder draadje fluisterde de boodschap van zijn misdaden en schuld. Robin Chisholms stem zei weer: psychopathische misdadiger en moordenaar. Hoe had Leonora's broer kunnen weten dat dat de woorden waren waar het om draaide, als hij de feiten niet gekend had?
Celeste reed hen over Battersea Bridge. 'Liefje,' zei ze, 'ik wil je geen pijn doen.' Hij grijnsde bij zichzelf. Dan waren ze met z'n tweeën: geen van beiden wilde de ander pijn doen. 'Maar Guy, ligt het niet meer voor de hand dat ze veranderd is doordat ze in de gaten kreeg dat jullie tweeën niks meer gemeen hebben? Jullie zijn heel verschillend. Dat kan ík zelfs zien, en ik heb haar maar één keertje meegemaakt. Oké, ik ben bevooroordeeld, jaloers, dat is een feit, dat is zo. Maar dat wil niet zeggen dat het niet waar is. Ze werd wakker en toen gingen haar ogen open.'
'Uitgerekend toen? Dat zou de grootste toevalligheid van deze eeuw zijn.'

'Ja misschien, als jullie tot op die dag samen naar bed waren gegaan, als jullie samen hadden gewoond of zo nu en dan, zo'n beetje als wij, als jullie elkaar van alles beloofd hadden en op het punt stonden er iets blijvends van te maken. Dan zou het inderdaad raar geweest zijn. Als ik veranderde, dan zou het echt heel raar zijn. Maar was jullie omgang wel zo, Guy?'
Hij zweeg, haalde zijn schouders op. Zij was degene die het niet begreep. De straten waren donker maar weerkaatsten een geel schijnsel: het koperkleurige licht van de straatlantaarns, van een koude zomernacht, van de kille kleine uurtjes van een zomermorgen. De krabben in zijn gezicht schrijnden. Hij zei haar de auto maar buiten te laten staan en niet in de garage te zetten. Een kat die op de tegenoverliggende tuinmuur op de loer lag, wierp hem een lange ondoorgrondelijke blik toe uit zijn lichtende, bijna pupilloze gele ogen. Misschien had hij verstand van krabben. Als de mensen ernaar zouden vragen, zou hij zeggen dat hij door de kat van zijn buurman was gekrabd.
Dit was een van de nachten dat hij Celeste liever niet mee naar huis had gehad. Het zou ondenkbaar zijn haar weg te sturen. Arme meid, dacht hij, zijn arme lotgenote. En toen was hij ineens een en al razernij, razend was hij op Rachel Lingard, op de Chisholms, alle Chisholms. Zijn vuisten balden zich. Celeste liep voor hem uit de trap op, maar niet triomfantelijk, helemaal niet met het air of ze het huis met hem deelde, meer of ze verwachtte teruggeroepen of zelfs naar huis gestuurd te worden.
Ze ging op het bed zitten en peuterde de gouden puntjes uit haar vlechtjes. 'Guy, liefje,' zei ze, 'heb je alleen in marihuana en misschien een beetje LSD gehandeld?'
Wat zou hij zich hebben vastgegrepen aan die strohalm als Leonora hem dat had gevraagd. Maar het had geen zin er met Celeste omheen te draaien. Op haar hoefde hij geen indruk te maken. Het zou bezijden de waarheid zijn te zeggen dat het hem niet kon schelen wat zij van hem vond. Het was meer dat hij rekende op haar onvoorwaardelijke vergevensgezindheid. 'Ook in het harde spul,' zei hij. 'Ik heb in alles gehandeld.'
'Opium?'

'Heroïne. Heroïne is toch opium?'
Idioot toch dat hij het, na zoveel jaren en zo'n fortuin, nog steeds niet precies wist. Misschien had hij het niet willen weten.
Ze knikte, haar blik op hem gevestigd.
'Van het spul zelf krijg je niks,' zei hij. 'Waar je wel wat van krijgt, zijn de vuile naalden, de infecties, het maar raak spuiten. Het is niet erger dan verslaafd zijn aan de drank, maar alcohol wordt sociaal door de vingers gezien. En wat de handelaren aangaat: je veroordeelt een wijnboer toch ook niet?'
'Een vriendin van mij had een Koerdische grootvader,' zei ze. 'Het was een *aga*.' Ze had zeker het begin van zijn glimlach gezien. 'Nee, een aga is niet alleen een Zweeds fornuis, het is ook een soort feodale vorst in bepaalde streken van Turkije. Daar verbouwt iedereen papavers en daar halen ze de ruwe morfine uit. Zo verdien je daar je brood, in dat stuk van Azië. Wel gek wat jij zei van die man en de bijen, want dat deden ze vroeger ook, bijen houden bedoel ik, maar tegenwoordig gebruiken de smokkelaars de korven om hun verdovende middelen in te vervoeren.
Haar moeders familie is erg belangrijk. Ze hebben in de dorpen rond Van wel vier laboratoria waar ze morfine maken. Haar grootvader stuurde de jongemannen weg om het scheikundig proces te leren en twee van haar ooms werden in Iran gepakt en terechtgesteld. Duizenden smokkelaars en laboranten worden in Iran terechtgesteld.'
'Waarom doen ze het dan?' vroeg hij met holle stem.
'Uit armoe.'
Dat woord vond weerklank. Armoe was iets wat hij vroeger goed gekend had, maar het woord werd in dit huis zelden gehoord.
'Je zou dus kunnen zeggen dat het niet helemaal verkeerd is zolang het werkgelegenheid schept.'
Alsof hij niets gezegd had, vervolgde ze: 'Zelf gebruiken ze het niet. Ze zijn wel wijzer. En ander werk is er niet, zelfs niet op het platteland. Zij kunnen niet kiezen hoe ze zullen leven. Je kunt zesduizend pond verdienen als je een kilo heroïne naar Istanboel brengt en nog veel meer per kilo als je laborant bent.'

Hij had haar nog nooit zo horen spreken, die serieuze, die gearticuleerde, bijna gezaghebbende stem, in plaats van haar gebruikelijke lome simpele manier van praten. Het leek eigenlijk meer op de spreektrant van Leonora en haar vrienden.
'Het zal er in Zuid-Amerika wel net zo aan toegaan, denk ik,' zei ze. 'Misschien dat je alleen aan het innemen niet doodgaat, maar duizenden gaan wel dood en de zekerste manier om te sterven is het te pushen.' Met een stem die hij niet van haar kende, hard en klaar en recht op de gevoelige plekjes van zijn schuldbesef gericht, zei ze: 'Schaam je, Guy, schaam je.'
Het maakte hem niet boos, maar wel behoorlijk misselijk. Het drong tot hem door dat hij nogal wat gedronken had, maar de gevolgen kwamen nu pas aan het licht. Met ogen die niet al te duidelijk, ietwat dubbel zagen, bekeek hij in de badkamerspiegel de halen in zijn gezicht, de diepe kras over zijn bovenlip die waarschijnlijk een litteken zou nalaten, de krab in zijn hals. Wat voor soort man krabt nou een andere man? Nu hij erover nadacht, herinnerde Guy zich dat Robin altijd nogal lange nagels had.
Celeste lag al in bed, met haar armen boven haar hoofd, het gezicht in het kussen. Hij kwam naast haar liggen, reikte naar het knopje en knipte het licht uit. De plotselinge duisternis gaf zijn geheugen een zetje. De laatste keer dat ze samen geluncht hadden, hij en Leonora, had ze bekend dat ze wel eens uit was geweest met een vriend van Robin. Iemand die een tijdje Robins partner was geweest, dat was een van de mannen tussen hemzelf en Newton. En dan was er nog een ander geweest, een man die ze op een feestje van Robin had leren kennen. Het zou helemaal niet vergezocht zijn te beweren dat Robin zó'n hekel aan hem had dat hij zijn zusje de ene na de andere man in de armen had gestuurd. Hij was praktisch haar pooier geweest. Guy hoorde zichzelf een geluidje maken, een soort gekreun.
Celeste hoorde het ook. Ze legde haar armen om hem heen en drukte hem tegen zich aan.

11

Waar Guy niet aan gedacht had die avond was dat Leonora wel eens boos op hem kon worden omdat hij haar broertje een blauw oog geslagen had. Hij was er zeker van dat hij dat gedaan had. Robin Chisholm zou meer moeten goedpraten dan hij. Guys dokter had de schrammen bekeken en niets geloofd van het verzinsel van de kat. Hij had eigenlijk het ware verhaal van een vechtpartij tussen twee mannen ook niet geloofd. Toch gaf hij Guy een anti-tetanusprik.
Leonora was in Georgiana Street. Hij kreeg haar daar 's middags aan de telefoon. Ja, ze was volledig op de hoogte van de vechtpartij, Robin had Maeve gebeld, en Maeve had het aan haar verteld, en toen had Robin zelf het haar verteld. Het verbaasde Guy niets. Het bevestigde gewoon wat hij al wist van de hechtheid van de familiebanden en van de invloed die ze op elkaar uitoefenden. Robin vertelde iedereen die het maar horen wilde dat Guy hem zo te zien zonder enige reden als een wildeman had besprongen, hoewel hij, Robin, voor zichzelf zeker wist dat het een gevolg was van zijn zotte obsessie voor zijn zuster.
'Niks ervan,' zei Guy koel, 'hij beledigde Celeste.'
Dáár hoorde ze van op. 'Echt waar? Wat heeft hij gezegd?'
Guy vertelde het haar en het kon hem in dit geval niets schelen dat zij besefte dat hij heldhaftig en ridderlijk kon zijn. 'Ben je boos op me?'
'Niet bozer dan anders. Ik denk dat jullie elkaar niet veel toegeven.'
'Heeft Robin je allerlei gruwelijke dingen over mij verteld?'
Er volgde een aarzeling. 'Wanneer? Bedoel je kortgeleden?'
Ze had niet duidelijker kunnen zijn. 'Laat maar,' zei hij. 'Waar gaan we zaterdag lunchen?'
Stel nu eens dat ze ervoor paste, omdat hij haar broertje een blauw oog had geslagen. De stilte duurde een seconde of vijf-

tien, maar hem leek het een uur. 'Zeg jij het maar,' zei ze. 'Ik heb al zo vaak gekozen, nu is het jouw beurt, vooral omdat we niet veel zaterdagen meer te goed hebben.'
Hij knipperde met zijn ogen. 'We hebben er in het geheel nog drie te goed,' zei hij. Honderden, zei hij overmoedig bij zichzelf. Die trouwerij is een droom, die gaat niet door. Met luchtige, plagerige stem zei hij: 'Kom nou, lieve schat, je weet best dat je niet echt gaat trouwen.'
Weer volgde een stilte. Deze keer duurde hij werkelijk bijna een volle minuut. Een klikje uit de hoorn gaf hem een afschuwelijk ogenblik het idee dat ze had opgehangen.
'Leo, ben je daar nog?'
'Ik weet niet wat ik moet zeggen,' zei ze afgemeten. 'Ik weet niet wat ik zeggen moet als jij dat soort dingen uitkraamt. Maar ja, als jij liever in een waanwereld leeft, dan moet ik je maar laten begaan.'
Hij ging daar niet op in. Hij produceerde zelfs een wetend, werelds lachje. 'Waar gaan we lunchen?'
'Kom bij mij eten op Portland Road.'
'Dan zijn we niet met ons tweeën.'
'Dat zijn we in een restaurant ook niet bepaald. Rachel is vrijwel geen zaterdag thuis en Maeve gaat uit met Robin. Dat doen ze altijd.'
'Ik vind het een prachtplan.'

Nadat de narcoticabrigade zijn huis had doorzocht, was hij met de handel gekapt. Nou ja, hij had hem laten uitpieteren. En dat was niet eens zo gemakkelijk geweest, nu en dan bepaald gevaarlijk. Een van zijn leveranciers had hem nog net niet met de dood bedreigd, maar wel met de belofte dat hij zijn knappe tronie weleens onder handen zou nemen. Het was onzin te zeggen dat alleen vrouwen om hun uiterlijk geven. Hij had evenmin behoefte aan een gezicht vol littekens als een meisje dat had. Wekenlang had hij met angst in zijn hart rondgelopen en een pistool bij zich gestoken. Het eind van het liedje was dat er niets gebeurde en een halfjaar later had hij zijn laatste portie drugs verkocht. Hij

had nooit meer iets van de politie gehoord, noch van Poppy Vasari. Poppy had rechtstreeks noch via een omweg bewezen dat ze haar dreigement ten uitvoer had gebracht en zijn aandeel in de dood van Con Mulvanney overal had rondgefluisterd.
Maar in de maanden die erop volgden, waren de Chisholms van houding veranderd. Leonora was veranderd. Die anderen lieten hem koud, maar Leonora was zijn leven. Om te beginnen had ze niet met hem naar Samos gewild, en dat was het begin van veel andere afzeggingen. Ze wilde hoe langer hoe minder met hem uit in de avond. Anthony werd koel en gereserveerd. Terugdenkend herinnerde hij zich Anthony's heftige afwijzen van het geld dat hij Leonora wilde lenen voor haar flat.
'Je begrijpt toch wel dat daar geen sprake van kan zijn?'
'Het zou een lening zijn,' zei hij. 'Ze zal het van iemand moeten lenen, waarom niet van mij?'
'Vraag je dat echt nog?'
'Ja, natuurlijk. Waarom zou ik haar geen rentevrije lening aanbieden?'
'Omdat jij een man bent en zij een vrouw,' had Anthony bruut gezegd. 'Grote god, man, je bent geen familie, je bent niet haar broer of neef. Wat voor verplichtingen zou zij zich niet op de hals halen?'
En Robin in die dagen? Het ergerlijke was dat Guy geen enkele herinnering had aan Robin in die herfst en winter, behalve dan die opmerking van 'hoe de dames aan je te verplichten in één simpele les'.
Maar hij kon zich een heel goed beeld vormen van de gesprekken tussen Robin en Poppy Vasari, de vrouw die in hetzelfde flatgebouw bij Clapham Common woonde als hij: 'Denkt je zus erover met die man te tróúwen?'
En dan Robin, zijn hoofd een ietsje scheef, zijn blonde lokken dansend, zijn onweerstaanbaar babysmoeltje: 'Zou dat niet zo'n goed idee zijn?'
'Dat zal je niet meer vragen als ik je verteld heb hoe hij aan de kost komt. Laat ik beginnen met je te vertellen wat hij een vriend van me heeft geleverd.'

Maar als hij Danilo drieduizend pond gaf om Robin Chisholm te laten opruimen – en hij zag zichzelf dat wel doen, zonder zich al te veel zorgen te maken over een 'opruiming' in de zoveelste graad – veranderde je daarmee niets aan het verleden. Het zou althans niets veranderen aan het verhaal dat Robin die noodlottige augustusmaand vier jaar geleden aan Leonora had verteld. Misschien niet, maar het zou Robin wel beletten haar geest verder tegen hem te vergiftigen, want het stond voor hem vast dat hij daar al die tijd mee bezig was geweest. Hoeveel smerige praatjes had Robin bijvoorbeeld niet over hem verkocht tijdens het telefoongesprek over zijn blauwe oog? Het zou nog een ander gevolg hebben. Als al het andere mislukte dan zou Leonora toch in geen geval die trouwerij op zestien september laten doorgaan, als haar broertje veertien dagen voor die datum vermoord werd.

Het was hem een doorn in het oog dat hij Leonora niet meer dagelijks te spreken kreeg. Ze logeerde drie of vier dagen per week in Georgiana Street en daar nam ze overdag de telefoon nooit op. Toen hij haar vroeg waarom niet, antwoordde ze dat de bel niet was overgegaan of dat ze uit was geweest.

Hij hóórde Robin zeggen: 'Niet opnemen, dat is de oplossing. Er zal je niets overkomen als je de telefoon niet beantwoordt, weet je. Daar staat geen boete op. Geen man van de inquisitie zal jou in je lurven pakken en voor het gerecht slepen en je verhoren tot je zegt waarom je niet opgenomen hebt. Hier heb je drie woordjes die je met een magneetje tegen je ijskast kunt plakken: LAAT MAAR BELLEN.'

En er was niets op tegen. Newton werd overdag nooit opgebeld om iets belangrijks. Iedereen wist dat hij naar zijn werk was. Als de telefoon ging dan was hij het, Guy, en hoe graag ze ook met hem zou spreken, ze hadden haar misschien weten te overtuigen dat het verstandiger was het niet te doen. Ze zat onder de plak bij de hele familie, en ook bij Rachel Lingard, want dat was bijna een zuster, zo na stonden die elkaar.

Op vrijdag belde hij Danilo.

'Ach joh, zand erover,' zei Danilo. 'In oorlog en liefde kun je dat soort dingen verwachten.'

Guy was helemaal niet van plan zijn verontschuldigingen aan te bieden. Hij besefte best dat de vechtpartij het druilerige feest aanzienlijk had opgevrolijkt en de gasten voor maanden gespreksstof verschaft.
'Tanya vond het wel erg maar ze vergeeft het je.' Danilo lachte zo hard dat het pijn deed in Guys oor. 'Ziezo, en hoe staan de zaken bij jou?'
'Dan,' zei Guy, 'hij is het. Hem moet ik kwijt.'
Hij had er geen zin in de naam uit te spreken, en die weerzin uitte zich in lijfelijke verschijnselen zoals een dichtgesnoerde keel en een heel lichte misselijkheid. Danilo zweeg, maar zijn ademhaling was net hoorbaar als het vage gesnuif van de man die gaat niezen. De nies kwam niet, maar wel een gegrinnik, heel zacht, met veel adem.
'En wat moet ik dan met mijn financiële transacties aan?'
'Hij is niet de enige wisselruiter.'
Danilo leek niet naar hem te luisteren. Hij zei: 'Wel een geslaagd feest, vond je niet? Wat hebben we met het weer geboft!'
'De pot op met je weer. Wil je dat geld nou?'
'Natuurlijk. Ik vertrouw je wel, maar er zijn grenzen.'

Hij was maar twee keer in de flat in Portland Road geweest. De eerste keer op hun uitnodiging, kort nadat ze erin waren getrokken en toen Rachel hem Victoriaans had genoemd. De tweede keer was een soort inwijdingsfeestje voor het nieuwe huis, gegeven door Leonora, Rachel en Maeve. Ze woonden bij die gelegenheid al twee of drie maanden in hun flat. Hij had toen al het speciale plekje in Leonora's leven verspeeld. Niemand, laat staan Leonora zelf, zou hem haar vriend hebben genoemd. Niemand zou hem in een gesprek met de Chisholms aangeduid hebben als de man die 'jouw dochter' of 'jouw zuster' zal trouwen. Een enkele keer ging ze nog wel eens met hem uit. Ze had tegen hem gezegd dat ze elkaar eigenlijk minder moesten zien, beter eerst maar eens afwachten.
Er zou nog ruim een jaar verstrijken voor William Newton ten tonele verscheen. Dat was misschien de reden waarom hij welis-

waar de pest had aan William maar hem haar ontrouw niet aanwreef. Ze had zich al lang geleden door haar familieleden laten overtuigen dat hij en zij niet bij elkaar pasten. Op dat feestje was er geen andere man voor Leonora dan hij, maar Maeve had wel iemand, Robin Chisholms voorganger, en zelfs Rachel had een man met uitpuilende ogen achter een uilenbril. Hij trachtte zich te herinneren of Robin – of Rachel – bij die gelegenheid opvallend hatelijk was geweest, maar het enige wat hij zich voor de geest kon halen was de zoetzure krengerigheid van Tessa. Bij deze ontmoeting voegde zij hem na de woordenwisseling over leningen en hypotheken toe dat ze verbaasd was dat hij nog niet getrouwd was.

'Ik had vast gedacht dat je een schitterend schepseltje op sleeptouw zou hebben. Ik zei nog tegen Magnus: Magnus, waar of niet, ik zeg, Guy Curran komt vast aanzetten met een sterretje van de tv-reclame.'

De straat was niets veranderd; de Prince of Wales leek nog steeds een prettige kroeg om je meisje mee naartoe te nemen voor een borrel. Hier zou hij best willen wonen – als hij de kans kreeg. Hij voelde zich niet op zijn gemak in de fantasieën die ongevraagd bij hem bovenkwamen, maar meestal was hij niet in staat ze te regisseren. Ondanks zichzelf dacht hij zich in hoe het zou zijn als hij een van deze huizen kocht, het hele huis natuurlijk, omdat er een wonder was gebeurd, omdat Leonora tegen hem had gezegd dat ze al die tijd van hem had gehouden. Ze voelde zich in die buurt thuis, ze zou er willen blijven. Eten bij Leith, dacht hij, maar eerst een borrel in de Prince of Wales, hij en zij de week na hun terugkomst van de huwelijksreis voor het eerst uit eten. Hij had haar meegenomen naar India: Kashmir, Jaipur, Agra, en daarna een week naar de Maldiven. Hand in hand waren ze bij maanlicht naar de Taj Mahal gelopen, hadden zich naar elkaar toegewend en elkaar gezoend in de schaduw van de maanwitte muur om het glimmerende paleis.

Bij de bovenste bel was een kaartje met alle drie de namen. Haar stem kwam uit de intercom, de beleefde stem van de gastvrouw die zegt blij te zijn dat hij zo vroeg is. De traploper was al gesleten, de muren beduimeld. Het was een heel eind klimmen, tweeenveertig treden. Hij telde ze. En dan te bedenken wat hij haar te bieden had... Ze hoefde de rest van haar leven geen trap meer op.

Ze had een trainingspak aan. Plunje voor een dagje thuis natuurlijk. Het was donkerblauw en kon ermee door, tot de eerste wasbeurt. Sedertdien was het zo'n vijfhonderd keer gewassen. Hij hield zichzelf voor dat ze zich voor Newton ook niet opdirkte. Die donkerblauwe broek en blouse, de blote benen en de gezondheidssandalen waren een goed teken. Met hem kon ze zich ontspannen. Ze hoefde geen moeite te doen.

'Te gek, die oorbellen van jou!' zei hij.

Haar glimlach was gul voor haar doen. De oorbellen waren van goedkope Indiase makelij, dat zag je zo, maar leuk: witte emailmadeliefjes met gouden hart. Ze rustten tegen de roze oorlelletjes als echte door haar oren gestoken bloemen.

Hij wist niet wat hij van de flat verwacht had, misschien wel dat ze er grootse dingen mee hadden gedaan. Maar wat kun je beginnen met drie zitslaapkamers, een keuken en een piepkleine badkamer? Posters en potplanten, tweede keus huisraad en dingen uit een Indiase winkel. Het viel de verwende Guy op dat het er niet eens erg schoon was, niet zoals bij hem thuis, waar Fatima vier dagen in de week kwam schoonmaken. Hij stond bij haar in de keuken terwijl zij Marks & Spencer-pakjes openmaakte en het volkorenbrood sneed. Na een tijdje stak hij een sigaret op.

'Och Guy, vind je het erg? Dit is een rookvrije zone.'

'Niet te geloven,' zei hij.

'Wij roken geen van allen en houden niet van de geur, dus toen hebben we besloten het roken maar helemaal te verbieden.'

'En een borrel?'

'O jee, sorry, vergeten. Had het maar eerder gevraagd. Er staat een fles sherry op de plank en witte wijn in de koelkast. Het is zo'n kubusachtig geval met een kraan.'

Ze leefden in verschillende werelden. Niet dat zij aan haar wereld de voorkeur gaf, dacht hij, maar een betere kon ze zich niet

veroorloven en ze had haar trots. Het kubusachtige geval was van onder tot boven versierd met een patroon van wijnranken en druiven. Hij draaide het plastic kraantje om en de bleekgele wijn sijpelde eruit. Hij vond sherry niet te drinken en dus had hij niet veel keus.
'Als je per se roken moet, kun je altijd op het balkon terecht, terwijl ik hier bezig ben.'
Het balkon was bereikbaar via haar slaapkamer. Het bed was opgemaakt, maar op de manier waarop mensen een bed opmaken die alleen een dekbed en twee kussens gebruiken. Hij vroeg zich onwillekeurig af hoe vaak William Newton dat bed met haar gedeeld had, misschien die nacht wel. Het was de kamer aan te zien dat er haastig opgeruimd was. Een kastla was te vol gepropt om helemaal dicht te kunnen en een groene panty hing eruit. Aan de ene kant van het bed lag een aantal boeken op de grond, één open met de rug naar boven. De glazen deuren naar het balkon stonden open. Hij liep naar buiten, leunde over de ijzeren reling en stak een nieuwe sigaret op.
De daken en torenspitsen van Notting Hill lagen onder hem, de lussen van de rondlopende straten en de grote doorsteek van Ladbroke Grove. Stoffige bomen vormden donkergroene nesten tegen de geelroze Victoriaanse huizenrijen, de nieuwe baksteenrode blokken, en het duifgrijs van pleister en het donkergrijs van natuursteen. Ja, deze omgeving was geknipt voor hen, dicht bij de plek waar ze beiden geboren waren, waar ze elkaar hadden gevonden, waar hun levens verweven waren geraakt.
Een snakkend terugverlangen welde in hem op, alsof elke seconde die hij elders doorbracht een straf was. South Kensington leek een ballingsoord. Waarom was hij niet vlak bij haar gaan wonen? Waarom had hij zijn huis niet van de hand gedaan en hier een ander gekocht, zodat hij haar dagelijks zou zien en zij hem?
Hij zou een aardig huis kopen. Er stonden er genoeg te koop, de vitrines van de makelaars hingen er vol mee. Nu de prijzen daalden, kon je voor een miljoen een droomhuisje kopen aan de goede kant van de Grove. Lansdowne Crescent misschien of in een andere straat ergens binnen die concentrische cirkels van

ietwat vervallen deftigheid. Hij zag haar in zijn verbeelding bezig dat huis in te richten. Dan kwam hij tussen de middag thuis om haar op de grond aan te treffen te midden van stalenboeken van vloerbedekking, gordijnstof en behang, terwijl de een of andere nichterige binnenhuisarchitect erbij stond te glimlachen en te knikken en van alles opperde, en zij met haar ernstige frons van concentratie nadacht...

'Guy, het is zover,' zei ze achter hem.

Hij kwam weer tot zichzelf. Het was of hij uit een warm welriekend bad stapte waarin hij half in slaap was gevallen. Het ontwaken uit zo'n droom bezorgde hem een schrijnend verdriet en toch kon hij dat niet onderdrukken of in de hand houden. Hij volgde haar door de slaapkamer met het lege glas en de uitgedrukte sigaret in de hand.

Ze had in de kleine keuken gedekt. Hij zat klem tegen de zijkant van de koelkast. De wijnkubus stond op tafel naast een pak met sinaasappelsap en tussen twee borden, het ene met pastrami en een slaatje voor hem, het andere met kaas en een slaatje voor haar. Hij snakte naar een sigaret en hoewel hij alleen met haar was en al zijn wensen, al was het maar tijdelijk, in vervulling had zien gaan, voelde hij woede in zich opkomen. Hij moest het opnemen tegen haar trots, dacht hij, de arrogantie die haar moedig genoegen deed nemen met dit hokkerige gore keukentje, die haar ertoe bewoog af te zien van behoorlijk eten en zich goede kleren te ontzeggen.

'Weet je nog dat je zei dat je mijn huis met mij zou delen als we getrouwd waren?'

'Nee, daar herinner ik me niets van.'

'Het is ook al een hele tijd geleden. Negen jaar. Het was de eerste keer dat je mijn huis zag.'

'Ja, dat herinner ik me wel, maar ik geloof niet dat ik dat heb gezegd.'

'Oké. Herinner je je nog dat je zei: ik ben Guy en jij bent Leonora?'

'Och Guy, dat kan best. Ik was nog een kind. Ik las *De woeste hoogte* voor school.'

'Wat heeft dat ermee te maken?'
Ze at brood met kaas en deed met veel bravoure of ze dat lekkerder vond dan de verfijnde kost die hij haar te bieden had. 'Dat is een boek,' zei ze geduldig. 'Het meisje dat daarin voorkomt, praat op die manier... Die zegt: "Ik ben Heathcliff".'
Hij schudde geërgerd zijn hoofd. 'Ik kan er maar niet bij dat sommige mensen altijd en eeuwig dingen uit boeken napraten. Het leven is toch zeker veel belangrijker?'
'Soms zijn dingen in boeken van toepassing op het leven.'
Hij begreep het niet en haar lachje irriteerde hem, maakte hem nog bozer. Plotseling van gesprek veranderend zei hij: 'Vind jij dat de praktijken van jouw broer wat je noemt zuiver op de graat en ethisch verantwoord zijn?'
'Wát?'
'Geldsommen wisselen. Hij moet voortdurend de koersvoorschriften overschrijden.'
Ze stond op om hun borden weg te zetten en de Griekse yoghurt en de tuttifrutti uit de koelkast te halen. 'Ik ben niet verantwoordelijk voor de manier waarop Robin of wie dan ook de kost verdient. Dat gaat mij niet aan. Ik ben uitsluitend verantwoordelijk voor mijn eigen daden... o, en misschien voor die van William.'
Alles op alles zettend zei hij: 'Is dat ook op mij van toepassing?'
'Voor jou ben ik niet verantwoordelijk, Guy, en ook niet voor jouw doen en laten. Ik heb het je al eerder gezegd, Guy, ik weet hoe jij de kost verdient en dat is niets voor mij, maar het gaat mij niet aan. Behalve, nou ja...' Hij zag haar gezicht veranderen. Ze legde haar lepel neer. 'Als ik het niet eens ben met de manier waarop jij je geld verdient, hoor ik ook jouw lunchuitjes eigenlijk niet aan te nemen.'
'Wel godallemachtig!' Hij duwde de yoghurt weg. 'Leonora, ik kan die troep niet eten. Het lijkt wel of ik in het Leger des Heils ben beland. Ik verdom het om gegiste geitenmelk te vreten.' Hij pakte een sigaret zonder erbij te denken, verfrommelde hem in zijn hand, zijn razernij naderde het kookpunt. 'Wie denkt die klootzak van een Robin dat hij is, dat hij mij zwartmaakt? Denk

maar niet dat zijn eigen handen schoon zijn. Hij mag van geluk spreken dat hij niet in de bak zit.'
Ze zei: 'Guy, ik weet werkelijk niet waar jij je zo over opwindt, en ik geloof niet dat je het zelf weet.' Ze vulde de ketel om van die smerige oploskoffie te maken, dacht hij.
'Heb je wel eens gehoord van zenuwinstortingen?'
'Wat?'
'Afknappen. Zenuwinstortingen. Sommige mensen lijden daaraan, weet je. Dan wordt alles hun te veel en dan verliezen ze de greep op de werkelijkheid en kunnen het leven niet aan... dat soort dingen. Zie je, Guy, ik denk dat jij daaraan lijdt. Nou ja, ik denk dat je hard op weg bent, als je niet oppast.'
Dat was de tweede vrouw die week die zei dat hij geschift was. Hij hoopte dat zijn verdraagzame, beheerste, verveelde blik, hoewel hij innerlijk ziedde van woede, haar de mond zou snoeren, haar misschien zou bewegen te zeggen dat ze spijt had van haar woorden.
Hij kon zijn oren haast niet geloven toen ze zei: 'Guy, William heeft een vriend, een jaargenoot die de therapie van Jung toepast, een prima vent.' Gelukkig werd ze onderbroken eer ze meer kon zeggen dan: 'Als je eens naar hem...'
De keukendeur ging open en een lang, mager, vrijwel onherkenbaar blond meisje kwam binnen. Ze zag krijtwit, haar ogen stonden glazig. Ze bleef op de drempel staan met de hand aan de deurknop en ietwat zwaaiend op haar benen staarde ze langs hen heen. Guy dacht dat ze dronken was en vervloekte in stilte deze onverwachte onderbreking.
Leonora sprong ontzet op. 'Maeve, wat is er?'
'Robin... Robin heeft een ongeluk gehad.'

12

Robin Chisholm was niet dood of zelfs maar zwaargewond. Guy nam het Maeve erg kwalijk dat ze Leonora onnodig zo had laten schrikken. Dat mens maakte van alles een drama. Ze was natuurlijk zo hysterisch door de rit met hem in de ambulance naar het ziekenhuis voor een hersenscan. Voor zover Guy kon nagaan had Robin gewoon een lichte hersenschudding en een paar kneuzingen en schrammen opgelopen. Staat leuk bij dat blauwe oog, dacht hij.

Ze had haar verhaal verteld nadat Leonora haar had vertroeteld met een aspirientje en een glas van het spul uit de kartonnen kubus dat hij de naam wijn niet waard vond.

'We kwamen uit het park, je weet wel, waar allerlei straten zo'n beetje bij elkaar komen en uitmonden in Bayswater Road, bij de Royal Lancaster. Bij de verkeerslichten. Weet ik hoe of het daar heet!'

'Victoria Gate,' zei Guy.

Ze sloeg geen acht op hem. Al bij haar binnenkomen had ze hem genegeerd. Als het niet zo onnatuurlijk was al pratend angstvallig niet te kijken naar de rechterkant van de keuken, dan had hij er even goed niet kunnen zijn. Ze hield haar hoofd afgewend alsof daar een plas braaksel op de grond lag.

'Nou, wij kwamen van de kant van Kensington Gardens op weg naar de Swan om iets te drinken. Je weet hoe link het daar is om over te steken want de auto's scheuren over... heet dat de Ring? Dus we waren heel erg voorzichtig, maar keken natuurlijk naar rechts, als je snapt wat ik bedoel. We dachten dat links niet zo belangrijk was omdat het licht op rood stond en er bovendien niets aankwam. En toen gebeurde het. Er kwam een auto uit die straat scheuren, hoe heet hij, die langs Hyde Park Gardens...'

'Brook Street,' zei Guy, die geen bedankje verwachtte en ook niet kreeg.

'Robin liep voor me uit. Mijn veter was losgeraakt. Ik bukte me om hem vast te maken, maar dat had hij niet gemerkt en hij stak over. Nou, die auto kwam uit het niets aan scheuren... nou ja, uit...' eindelijk keek ze hem aan, 'Brook Street dus, dwars door het rode licht heen. Die verkeerslichten hadden er wat hem betrof net zo goed niet kunnen staan. Robin is godzijdank behoorlijk vlug in zijn bewegingen en ik zag het aankomen en schreeuwde. Ik gilde: "Robin, kijk uit." De auto raakte hem maar heel even. Hij raakte zijn hoofd niet, maar Robin is met zijn hoofd tegen een lantaarnpaal geslagen.
Als je een agent nodig hebt, is er nooit eentje in de buurt, of wel soms? Maar er kwamen een heleboel mensen omheen staan, dat is altijd prijs. Ik was nog niet in shocktoestand, dat kwam pas een uur later... Nou ja, zo gaat dat, waar of niet? De meeste mensen kwamen zich gewoon verlekkeren aan de sensatie, je kent hen wel, maar er was een man die verder keek dan zijn neus lang was en die belde om een ambulance. De man van de ambulance vroeg me of ik het nummer van de auto had genoteerd, maar dat had ik natuurlijk niet. Je hebt andere dingen aan je hoofd op zo'n moment.'
Guy voelde zich ietwat opgelucht, hoewel Danilo's huurmoordenaar ongetwijfeld een vals nummerbord gebruikt zou hebben. Een mislukking, maar toch een verdienstelijke poging. Volgende keer beter. Maeve had althans, voor zover hij kon nagaan, geen enkel vermoeden dat het gebeurde bij het park meer was dan een staaltje roekeloos rijden. Het liefst had Guy gezegd dat het Robins verdiende loon was, omdat hij zo onbeschoft was geweest op eigen houtje een behoorlijk gevaarlijke straat over te steken en zijn vriendin die bezig was haar veter vast te binden, op het trottoir in de steek te laten. Maar hij bedacht zich. Leonora leek tegelijkertijd ontdaan en opgelucht, en Maeve was aardig opgeknapt door het vertellen van haar verhaal. Zo had ze het van zich af kunnen zetten.
'Is er iets te eten?' vroeg ze. 'Je voelt wel dat we aan lunchen niet toe zijn gekomen.'
Als Leonora dat ogenblik had uitgekozen om naar de wc of zo te

gaan, dan had hij kunnen zeggen wat hem op de lippen lag, in de trant van: 'Nee maar, zeg, heb je nou ooit! Ik had gedacht dat ze in zo'n ambulance altijd kaviaar serveerden', of: 'Dus je bent helemaal niet naar die goeie ouwe Swan geweest?' Maar Leonora bleef in de keuken om overdreven veel meegevoel en een sandwich met pastrami toe te dienen.

Aldus versterkt slaakte Maeve een diepe zucht en schonk zich nog eens in uit de kubus met de wijnranken. Nu ze weer een beetje kleur had, was ze eigenlijk een buitengewoon knap meisje, als dat woord van toepassing is op iemand die eruitziet als een standbeeld, maar dan met vlammende blauwe ogen en een haardos als van een leeuw.

Guy was net tot de slotsom gekomen dat haar benen zowat even lang waren als de hele gemiddelde lengte van andere meisjes, toen ze zich tot hem wendde en giftig zei: 'En allemaal jouw schuld. Als jij hem niet zo'n oplawaai had gegeven, had hij beter kunnen zien wat hij deed. Hij kon maar met één oog kijken, weet je dat wel? Hij heeft gruwelijke aanvallen van hoofdpijn gehad. Als er op die hersenscan iets te zien is, kan hij dat net zo goed van jou hebben.'

Guy antwoordde door zijn hals te strekken en zijn gezicht van links naar rechts te draaien zodat ze de diepe krabbels kon zien die er, ofschoon ze bezig waren te genezen, erger uitzagen dan vlak nadat Robin zijn nagels in zijn vel had gezet.

Met een licht smalend lachje zei ze: 'O, ik twijfel er niet aan dat hij zich heeft moeten verdedigen.'

'Ja, en dat deed hij als een echte smerige rotkater,' zei Guy en hij kon niet nalaten eraan toe te voegen: 'Die worden op Bayswater Road nogal eens overreden.'

Toen kreeg hij de wind van voren van beide meisjes. Hoe kon hij! Hoe kon hij zo praten, terwijl die arme Robin in het ziekenhuis lag, en misschien ernstig gewond was! Waar was zijn menselijk medegevoel?

'Heb je dan helemaal geen gevoel?' vroeg Maeve duister.

Tegenover Leonora betuigde hij zijn spijt en die zei: praat er maar niet meer over, maar misschien moest hij nu maar gaan.

Ze moest haar ouders bellen. Misschien ging ze wel naar het ziekenhuis om Robin op te zoeken. Zij en haar moeder konden samen gaan. Het deed Guy deugd dat de rooie kobold helemaal niet ter sprake was gekomen. Het had er wat van dat die snel vergeten was. Had Maeve zich na haar nieuws nu maar teruggetrokken, dan had Leonora vast troost in zijn armen gezocht. Onder het aanhoren van het verslag had ze haar hand op een gegeven ogenblik waarachtig even op zijn schouder gelegd, als was dat de natuurlijke plek om steun te zoeken. Als het even kon, moest hij proberen bij Leonora te zijn als het bericht van Robins dood haar bereikte, wat over een dag of wat het geval zou zijn.
De volgende dag belde hij haar gewoontegetrouw. Ze was thuis. Dat was op zichzelf een goed, geruststellend teken. Je zou toch verwachten dat ze op een draf naar de man zou gaan die ze zogenaamd van plan was te trouwen. Maar dat had ze niet gedaan. Ze was thuisgebleven. Hij had geen gewetensbezwaren tegen een poging bij haar in het gevlij te komen.
'Hoe is het met Robin?'
'Kan het je wat schelen?'
'Leo, natuurlijk kan het me wat schelen. Omdat we een beetje onenigheid hebben gehad toen we beiden bezopen waren... Ik wou maar zeggen. Mannen vliegen elkaar in de haren, zo zijn we nu eenmaal, daar moet je maar aan wennen.' Was dat zo? Niet in haar wereld misschien. 'Maar dat betekent nog niet dat ik hem iets kwalijk neem.'
'Ik denk dat ik daar eigenlijk niets van begrijp, en niet alleen omdat ik een vrouw ben. William zou er ook niet bij kunnen.'
Zijn hart plofte omlaag. Zijn hart was een kleine koude steen die in zijn lijf omlaag plofte. 'Robin is oké,' zei ze. 'Ze houden hem tot morgen. Het is niet alleen dit ongeluk. Ze zoeken ook een beetje in de richting van die narigheid van vier jaar geleden, weet je nog wel, toen hij wekenlang in het ziekenhuis heeft gelegen.'
Dat was om en nabij het tijdstip dat zij zich bedacht had over hun vakantie in Samos. Weken waren verstreken waarin zij koel had gedaan tegen hem, en hij nijdig tegen haar. Maar er stond

hem iets bij van een of andere kwaal van Robin Chisholm – hoofdpijn, duizelingen, een vermoeden van epilepsie. Ten slotte bleek er natuurlijk niets met hem aan de hand te zijn.
'Heel toevallig was het op de kop af vier jaar geleden,' zei Leonora. 'Hij moet toen de eerste week van augustus zijn opgenomen en hij is er tot eind september gebleven. Maar ik zie niet hoe hem dat nu nog kan opbreken, jij wel, Guy?'
Guy zei: nee, hij ook niet, vooral omdat (en hij trachtte alle sarcasme uit zijn stem te weren) toen alle testen negatief waren uitgevallen. Was Maeve een beetje over de schrik heen?
'Ze is erg van streek, erg zenuwachtig, Guy.' Hij vond het heerlijk dat ze zijn naam voortdurend noemde op die vertrouwelijke manier. 'Het moet een afgrijselijke schok geweest zijn. Ik denk dat ze erg verliefd is op Robin.'
Wat sneu nou, dacht Guy. Ze zal er toch aan moeten wennen als het met die liefde niks wordt. Ik ben ook erg verliefd, maar wie trekt zich daar een scheet van aan? Er zat hem iets dwars, iets wat te maken had met Robin Chisholm, maar hij kon niet bedenken wat het was. De laatste tijd had hij vaak last van die doezeligheid, haast of er een verbinding verbroken was. 'Verward' was te sterk uitgedrukt, zo erg was het nou ook weer niet.
'Ga je vanavond met me uit eten?' vroeg hij.
'Nee, lieve Guy, dat doe ik immers nooit. Dat weet je.'
'Niemand hoeft erachter te komen, Leo. Ik zal heel zorgvuldig te werk gaan. Ze hoeven het niet te weten te komen.'
'Wie bedoel je met ze?'
Hij koos zijn woorden met zorg. 'Jouw familie. De mensen om je heen.'
Ze zweeg even en toen ze weer sprak, klonk ze ontdaan. Hoe is het mogelijk dat je blíj kunt zijn als iemand van wie je houdt ontdaan klinkt? 'O Guy, ik wou... Het heeft geen zin. Bel me morgen maar,' zei ze.
Zijn hart, dat verschrompeld leek tot de grootte van een erwt, werd plotseling gigantisch, week en kloppend. Het klonk of ze op het punt stond te gaan huilen. Om hem. Ze was tot tranen toe geroerd, door hem.

'Schat van een Leonora, ga morgen met me eten, of wanneer je maar wilt. Zeg het maar. Of ik kom naar je toe. Zal ik nu meteen komen?'
'Nee, Guy, natuurlijk niet.'
'Laten we dan een afspraak maken voor morgen.'
'We gaan zaterdag uit lunchen,' zei ze. 'Tot dan.' Er werd opgehangen eer hij kon protesteren.
Toen hij de dag daarop haar nummer draaide, was hij er nog steeds niet precies achter wat hem dwarszat, wat hem dat gevoel van onbehagen vlak onder het oppervlak van zijn bewustzijn gaf. Hij had merkwaardig gedroomd. Hij was een onzichtbare waarnemer bij een vergadering van de bewonersvereniging van een flatgebouw in Battersea Park. Dat gebouw stond eigenlijk op een plek waar het helemaal niet kon staan, midden in het plantsoen met uitzicht op de pier. Onder de bewoners bevonden zich Rachel Lingard, Robin Chisholm en Poppy Vasari. Ze bespraken aanvragen van gegadigden voor zo'n flat. Een van die aanvragen was van hem. Rachel las zijn brief voor en noemde zijn naam: 'Guy Patrick Curran, Scarsdale Mews 8, Londen W8.'
Wat zijn dromen toch zot, want dat adres was niet helemaal juist. Hij woonde op nummer 7 van Scarsdale Mews. Robin Chisholm zei niets. Hij spuugde. Hij spuugde net als toen Guy hem op het feest van Danilo een optater had gegeven.
Poppy Vasari, die er nog smoezeliger en slonziger uitzag dan in werkelijkheid, zei: 'Die nemen we niet. Dat is een moordenaar. Hij heeft mijn vent vermoord met een substantie die in het wetsartikel betreffende het misbruik van verdovende middelen van 1978 geregistreerd staat in klasse A.'
Guy had willen verdwijnen. Ze konden hem weliswaar niet zien, maar toch wilde hij weg. Wetend dat hij droomde, dat dit droomstof was en droomtijd, begon hij zijn wil aan te wenden om wakker te worden. Maar voor hem dat lukte, stond er een man op die hij niet kende. Deze begon een liedje te zingen over opium. Hij zong dat de eerste slaapbollen ontkiemden op de plek waar de oogleden van Boeddha terecht waren gekomen,

nadat hij ze had afgesneden om te verhinderen dat hij in slaap zou vallen. Guy ontwaakte met een schreeuw en kreunde.
Om tien uur die ochtend trachtte hij Leonora te bellen, maar er werd niet opgenomen. Even voor elven probeerde hij het nog eens en hij kreeg Rachel Lingard aan de lijn.
'Jullie hebben nogal wat vrije dagen op sociale zaken.'
Op de toon van de beheerder van een studentenflat in Oxford die op de buis wordt geïnterviewd, zei ze: 'Vrije dag, mocht wat. Ik lig in bed met een of andere infectie. Je hebt me uit bed gebeld.'
Guy onderdrukte de opwelling te zeggen dat een infectie waarschijnlijk het enige was wat ze mee naar bed kon krijgen. Daar klopte trouwens niks van. Zelfs de lelijkste weerzinwekkendste vrouw kreeg tegenwoordig wel een vent. Hij wist niet hoe dat kwam, maar het was een feit. Zolang hij haar kende, was Rachel nooit zonder vent geweest; ze had altijd wel zo'n baardige puisterige intellectueel op sleeptouw.
'Waar is Leonora?'
'Weet ik niet. Maar als je belde, dan was de boodschap dat het met Robin goed gaat en dat hij vandaag naar huis mag.'
'De klootzak. En stond er in die boodschap ook waar Leonora naartoe was?'
'Je hoeft niet zo'n brallerige toon aan te slaan, en van dat klootzak ben ik ook niet gediend. Dat krijg ik genoeg aan de zelfkant waar ik voor mijn werk moet zijn. Misschien wil je hier even nota van nemen: ik weet niet waar Leonora is omdat ik wist dat je daarnaar zou vragen en dus heb ik het haar opzettelijk niet gevraagd. Ik lieg je niet voor, ik vertel nooit leugens, zo lelijk ben ik niet.'
'O nee, mijn liefje?' zei Guy, beseffend dat hij er spijt van zou krijgen. 'Wanneer heb jij voor het laatst in de spiegel gekeken?'
Met een klap legde hij de hoorn neer.
Hij draaide Newtons nummer. Dat was in gesprek. Rachel natuurlijk die Leonora belde om over te brieven wat hij tegen haar had gezegd. Woede welde in hem op, onweerstaanbaar als altijd. Dat gebeurde de laatste tijd om de haverklap. Het kondigde zich

net aan als misselijkheid, dat verstikkende gevoel dat naar je strot steeg waar het zich nestelde, niet om zich te laten uitbraken, maar uitschreeuwen. Maar tot dusver had hij het nog niet uitgeschreeuwd. Hij liep de kamer door naar de openslaande deuren. De zon scheen alweer. Het leek wel Spanje of Italië. De waterlelies in de vijver waren allemaal open naar de zon. Hij draaide zich om, pakte de Chinese vaas die op een roodgelakt kastje vlak bij de deur stond en smeet hem tegen de flagstones aan gruzelementen. Het stuksmijten van de vaas miste zijn uitwerking op hem niet, maar het was een andere dan hij had gehoopt. Zijn woede was inderdaad tijdelijk bekoeld, dat wel. Hij vervulde hem bovendien met een soort ontzag, een soort angst voor zichzelf. Waarom had hij dat gedaan en zonder erbij na te denken? Hij had het gewoon in een opwelling gedaan.
Het was het vakantieweekend van eind augustus en Fatima zou dus niet komen. Hij schopte tegen de scherven en duwde ze met zijn teen bij elkaar. Het was een *famille noire*-vaas, kersenbloesem en kneutjes tegen het zwarte glazuur van de achtergrond en vijftienhonderd pond waard. Dat bedenkend huiverde hij. Hij nam de hoorn van de haak, draaide opnieuw Newtons nummer en kreeg ditmaal geen antwoord. Als hij nog langer thuisbleef, zou hij misschien alles kort en klein slaan, gezien zijn stemming. Dus nam hij een taxi naar de schietvereniging en ging oefenen op de schietschijf. Daarop naar De Gladiatoren voor gewichtheffen en een paar oefeningen op de brug. De weegschaal gaf aan dat hij die twee pond alweer kwijt was, plus nog drie pondjes extra. In de sauna zat een Noorse nicht wellustig naar hem te lonken. Wat zou hij er niet voor overhebben als Leonora eens zo naar hem wilde lonken!
's Middags probeerde hij het nogmaals. Stel je voor dat hij haar de hele week niet aan de lijn kreeg. Ze hadden nog geen restaurant afgesproken voor hun zaterdagse lunch. Wat moest er van hun lunchafspraak komen als hij haar die hele week niet te spreken kreeg? Ze was hoogstwaarschijnlijk naar Robins huis. Zij en Maeve waren daar natuurlijk naartoe gegaan om hem op te vangen bij zijn thuiskomst uit het ziekenhuis.

Guy ging Robins nummer opzoeken in het telefoonboek. Het stond er niet in. In heel Battersea geen Robin Chisholm. Toen bedacht hij dat Robin immers niet meer in Battersea woonde, maar in Chelsea. En tegelijkertijd ging hem plotseling een aantal andere lichten op. Waarom was hij de laatste tijd zo warrig? Waarom zei hij nu al dagenlang dat Poppy Vasari in hetzelfde flatgebouw had gewoond als Robin, terwijl het Danilo's schoonzusje was die daar had gewoond? En was er niet nog iets waar hij niet aan gedacht had, iets wat hem nu in het gezicht staarde? Robin had in augustus vier jaar geleden niet van Con Mulvanney kúnnen horen, niet via Poppy of via wie dan ook, want toen lag hij in het ziekenhuis voor al die hersenscans. Hij had het niet kunnen horen en hij had het niet door kunnen geven aan Leonora. Hij was uit de circulatie. Leonora moest twee weken voor hun vertrek naar Samos over Con Mulvanney gehoord hebben, want toen was ze van houding veranderd, maar het was niet Robin die haar op de hoogte had gebracht. Robin lag veilig opgeborgen in het Sint-Thomasgasthuis, of waar dan ook, en was vast en zeker alleen maar geïnteresseerd in het lot van zijn eigen hoofd.
Guy zag in zijn verbeelding een flits van een witgejaste chirurg gebogen over Robins bed, met een ontleedmes tegen zijn keel in plaats van een stethoscoop; of van een pantserwagen die de taxi ramde waarmee hij naar zijn huis in Chelsea reed; en van twee gemaskerde mannen met machinegeweren die achter uit de pantserwagen sprongen. Hij waarschuwde zichzelf dat hij niet in een tv-terroristenverhaal zat, en raadpleegde het telefoonboek opnieuw. Chelsea. Daar stond het: St. Leonard's Terrace, een keurige buurt. Het moest hem voor de wind gaan. Guy draaide het nummer. Het zou hem niet verbaasd hebben als de telefoon niet werd opgenomen, maar hij kreeg Maeve.
'Ja hallo, met wie?'
Wat een belachelijke manier om de telefoon te beantwoorden. Voor het eerst viel hem haar platte accent op, eerder verwant aan het zijne dan aan Robins regentenstem.
'Maeve, je spreekt met Guy. Ik wilde even horen hoe het met Robin is.'

Ze was sprakeloos van verbazing, en geen wonder. Met een stem waarvan de toon leek te duiden op een strijd tussen haar argwaan en haar bereidheid te leven en laten leven, zei ze: 'Hij is eigenlijk weer helemaal de oude.' Kennelijk moest ze koortsachtig nadenken en zei na een korte pauze: 'Bedankt, Guy... nou ja, welbedankt hoor.'
'Ik ben blij te horen dat het goed met hem is.'
Heel even dacht hij dat ze hem zou vragen of hij haar zat te jennen. Dat deed ze niet. 'Ze zijn erg tevreden over hem en ze zeggen dat de hersenschudding geen kwalijke gevolgen of zo zal hebben.'
'Zeg hem voorzichtig te zijn.'
Dat was het ware doel van zijn opbellen. 'Laat hem vandaag nog maar niet naar buiten gaan. Hou hem maar een beetje rustig.' Bijna had hij gezegd: en niet opendoen als er gebeld wordt. Ze zou denken dat hij knettergek was. 'Doe hem mijn groeten, wil je?'
'Dat zal ik zeker doen, Guy, bedankt.'
Hij aarzelde. 'Is Leonora daar?'
'Nee, dat is ze niet.' De toon van daarnet, verrast, aangenaam getroffen, was weer omgeslagen naar Maeves gebruikelijke agressieve toon. 'Waarom zou ze hier zijn? Natuurlijk is ze niet hier. Was dat eigenlijk de reden waarom je belde?'
Hij zei: 'Tot ziens.' Daarna trachtte hij Danilo te pakken te krijgen. Dat was altijd een gok, want Danilo kon wel op tien plaatsen zijn: in zijn sociëteit, in een van zijn beide kantoren in Soho, in zijn vaders vroegere bureau, in een van de lokalen waar zijn broer de bookmakersadministratie beheerde, of bij de paardenrennen. Na vijf vergeefse pogingen kreeg hij Tanya in haar boetiek in Richmond. Danilo zat in Brussel, maar ze zei niet waarvoor. Morgenavond heel laat was hij weer terug.
Guy was er nu vrijwel zeker van dat het Rachel Lingard was en niet Robin die Leonora had ingelicht over Con Mulvanney – vrijwel zeker, maar niet voor de volle honderd procent. Het was in elk geval raadzaam Rachel uit Leonora's onmiddellijke omgeving te verwijderen. Hij wilde dat hij met één woord of met het

overhalen van een hendel Danilo's huurmoordenaar van koers kon doen veranderen, van Robin naar Rachel. Hij wilde Robin niet meer dood. Dat zou ongelegen komen, en onnodig zijn.
Hij schonk zich een borrel in, de eerste die dag, een heel sterke campari-sinaasappel, driekwart campari met een eetlepel sinaasappelsap. Terwijl hij het nummer van Newton draaide, werd er gebeld.
Er werd bij Guy vrijwel nooit gebeld, tenzij hij iemand verwachtte. Celeste was in Totteridge voor een fotosessie, dus zij kon het niet zijn. Bovendien had ze een sleutel. Terwijl hij naar het overgaan van de telefoon luisterde die in de lege ruimte onbeantwoord bleef, dacht hij: het is Leonora. Hij legde neer. Natuurlijk was het Leonora – wat lag er meer voor de hand? De vorige dag tijdens hun telefoongesprek had hij gevoeld dat ze omsloeg, weer bij hem terugkwam, dat haar betere instincten de overhand kregen, dat die hele ziekelijke koppigheid van de laatste jaren als sneeuw voor de zon verdwenen was.
'O Guy, ik wilde...' had ze gezegd. Wat wilde ze? Dat ze het lef had haar trots overboord te zetten natuurlijk en weer bij hem terug te komen en weer de oude Leonora te worden.
Weer werd er gebeld. Hij zette zijn glas neer, bedacht zich en duwde het achter een vaas. Hij moest niet van puur geluk doodgaan als ze in zijn armen vloog... Hij weerhield er zich met moeite van naar de voordeur te hollen. Hij liep erheen, gooide hem open met een verrukte welkomstlach.
Op de stoep stond Tessa Mandeville.

13

De teleurstelling was zo gruwelijk – erger nog, bedacht hij, dan die dag vier jaar geleden toen Leonora de vakantie naar Samos had afgezegd – dat hij geen woord had kunnen uitbrengen. Hij was met stomheid geslagen, gaapte haar wezenloos aan en zag haar toch alleen maar door een waas. Niet in staat haar ook maar te antwoorden stond hij toe te kijken hoe ze hem voorbij stoomde, de gang in.

Op ieder ander moment zou hij gnuivend van trots zijn huis aan een lid van Leonora's familie getoond hebben. Geen van hen was ooit bij hem thuis geweest. Bekend met de burgerlijke Victoriaanse snuisterijen waar Tessa zich mee omringde, zou hij genoten hebben van de manier waarop ze de bewijzen van zijn rijkdom in zich op zou nemen – de kleden, de Kandinsky. Als er iemand een Kandinsky zou herkennen, dan was zij het wel. Maar nu liet het hem koud. Zwijgend liep hij achter haar aan de zitkamer in.

Als gewoonlijk was ze naar de laatste mode gekleed. Ze droeg een tabakskleurige japon die, hoewel zonder taille en rechttoe rechtaan, alleen gedragen kon worden door een heel ranke vrouw. Met het warme weer had ze amper rekening gehouden en ze droeg schoenen in de kleur van gepolijste eikels en een panty verlucht met bladtoefjes. Haar gezicht was meer getekend dan de laatste keer dat hij haar had gezien. Ze had het figuur en de benen van een jonge vrouw en een verdord gezicht vol groeven zo diep als littekens. Haar nagels waren gelakt in de kleur van een antieke roodkoperen ketel.

'Dapper van me zomaar in mijn eentje langs te komen, vind je niet?'

Hij hervond zijn stem. 'Dapper?' Het klonk als een zucht.

'Maar ik waarschuw je, minstens zes mensen weten waar ik ben. Mocht je iets willen ondernemen, je zou onherroepelijk tegen de lamp lopen.'

'Doe niet zo belachelijk,' zei hij.
'Je achtervolgt mijn dochter, je slaat mijn zoon in elkaar, je probeert mijn zoon dood te rijden...'
Hij was verontwaardigd over die valse beschuldiging. 'Ik zat te lunchen bij Leonora toen dat ongeluk gebeurde. Bij haar in de flat.' Toen besefte hij dat het eigenlijk helemaal geen valse beschuldiging was. 'Tessa, ik ben met een taxi naar Leonora gegaan. Trouwens, ik was mijlenver verwijderd van Lancaster Gate. Je gelooft toch zeker niet dat ik...'
'O nee? Wel vreemd dat je er alles van wist. Maeve zegt dat jij haar precies verteld hebt waar het gebeurd is en dat je het almaar had over Victoria Gate en Brook Street, alsof je er zelf bij geweest was. Ik geloof dat je niet goed wijs bent. Wat jij wilt is iedereen die mijn dochter dierbaar is uitvagen, door hen te vermoorden of te verminken. Ik had de omgang tussen haar en jou nooit mogen toestaan. Daar maak ik mezelf verwijten over. Ik had jaren geleden op mijn stuk moeten blijven staan. Voor we het weten, vergrijp je je aan William. Ik weet wat jij in je schild voert, ik weet alles, ik zag jou wel toen je in die poenige auto van jou voor mijn huis geparkeerd stond.'
Griezelig, zo weinig het scheelde of ze sloeg de spijker op de kop. Hij liep naar de tuindeuren en opende ze. Hij voelde zich in die kleine ruimte met haar even weinig op zijn gemak als zij met hem. De hitte sloeg naar binnen met de geur van de klimrozen. Hij zag het hoopje scherven nog op het terras liggen en zij zag ze ook.
'De boel kort en klein geslagen?'
'Waarvoor ben je eigenlijk gekomen, Tessa?'
Hij had haar geen stoel aangeboden, maar ze zat al. Waarschijnlijk hadden zijn kalmte en onverschillige houding haar gerustgesteld dat hij niet van plan was haar iets te doen. Ze staarde hem sprakeloos aan. Hij pakte zijn glas en, bewust van het ongerijmde van zijn vraag, vroeg hij of ze ook iets wilde drinken.
'Natuurlijk niet.' Het kwam er haast giftig uit.
'Wat wil je dan?'
'Jou iets vertellen. Om te beginnen zal mijn man een gerechte-

lijk bevel laten uitvaardigen om jou te beletten Leonora nog verder lastig te vallen, begrepen? Ten tweede: Leonora trouwt zaterdag zestien september om twaalf uur op het bureau van de burgerlijke stand van Kensington. Ik ben hier om jou ernstig te waarschuwen, heel ernstig te waarschuwen om bij die gelegenheid niet iets te gaan ondernemen. Begrepen?'
'Wat zou ik moeten ondernemen?' zei hij, zich bijna vrolijk om haar makend. Het was een lachwekkend figuurtje zoals ze daar zat, met haar dreigende blik, de lange bottige vingers met de roodkoperen nagels om de glanzende ontrokte knieën. De intensiteit van haar frons trok haar gezicht in een groteske grimas.
'Weet ik veel... stampij. Je bent ertoe in staat daar te komen opdagen en dingen te schreeuwen... nou ja, bijvoorbeeld de huwelijksvoltrekking te stuiten of iets dergelijks.'
'Ze stuiten daar niet,' zei hij, hoewel hij niet precies wist wat ze bedoelde.
'Je bent in staat William te lijf te gaan, mijn dochter mee te sleuren, je bent tot alles in staat. Roepen dat jij eerdere rechten op haar hebt.'
'Die heb ik ook.'
'Die heb je niet, Guy Curran. Hoe durf je het te zeggen! Ze houdt van William en hij houdt van haar en ze zullen dolgelukkig worden. Ik wil niet dat tuig als jij, een stuk vulles uit de smerigste buurt van Londen, zich met mijn dochter inlaat.'
Woede welde weer in hem op. Haar minachting had hem dieper geraakt dan haar dreigementen ooit zouden kunnen doen. Het liefst had hij gezegd dat dit zijn huis was en of ze maar wilde opkrassen en in zijn eigen huis niet zo'n toon tegen hem aan te slaan. Maar hij dacht aan Leonora en hoe haar dit alles ter ore moest komen. Het was al erg genoeg dat hij zo honds gedaan had tegen Rachel; zo zou zij het tenminste zien.
Hij moest rustig blijven. Met uiterst beheerste kalmte zei hij: 'Ze gaat niet met hem trouwen. Ze zal hem nooit trouwen.'
Tessa Mandeville verbleekte. 'Jij smerige drugshandelaar,' zei ze. 'O ja, je kunt kijken zoals je wilt, maar ik weet alles. Een heel goede vriendin van Leonora heeft me alles verteld van je handel,

van de jongelui wier leven je vernietigd hebt, van de ouders voor wie je het leven een hel hebt gemaakt.'
'Welke vriendin?'
'O ja, dat zal ik jou aan je neus hangen, dan kun je die ook in elkaar rammen. Een goede vriendin, meer zeg ik niet. Iemand aan wie Leonora meer heeft gehad dan ze ooit aan jou zou kunnen hebben.'
Hij zei: 'Ik wil je niet op straat zetten, Tessa. Jij bent Leonora's moeder en dat kan ik niet vergeten. Ik ga nu naar boven en terwijl ik boven ben, kun jij misschien vertrekken.'
Het was meer om alleen te zijn, niet alleen om van haar verlost te zijn. Dus hij had gelijk gehad wat Rachel betrof. Het was Rachel die een spaak in het wiel had gestoken en hem nog steeds dwarszat, Rachel die nu op dit ogenblik waarschijnlijk bezig was Leonora met haar giftige tong te bepraten. Voorzover hij zich herinnerde, was Leonora die dag zachter, warmer tegen hem geweest dan ooit sedert ze in die flat was getrokken. Het was weliswaar per telefoon geweest, maar vorige zaterdag was dat niet het geval. 'O Guy, ik wilde...' Wat had ze willen zeggen? Ik wilde dat het tussen ons weer was als vroeger? Ik wilde dat ik William nooit ontmoet had?
Maar nu was ze thuis met Rachel, met zieke Rachel. Hij zag haar in zijn verbeelding bij Rachel op de rand van het bed zitten en hij hoorde Rachel vertellen wat hij tegen haar gezegd had, met als toevoeging: 'Wat kun je verwachten van iemand uit de sloppen?'
Beneden hoorde hij Tessa's voetstappen. Ze stopten. Ze was blijven staan. Natuurlijk, ze stond voor de Kandinsky, nam het doek goed in zich op en taxeerde het. De voetstappen gingen verder, de voordeur werd stevig dichtgetrokken, bijna met een klap. Hij liep zijn slaapkamer binnen en keek door het raam. Ze liep in de richting van Marloes Road, op zoek naar een taxi. Hij hoopte dat ze er geen zou vinden. Dat zou haar op dit uur niet meevallen.
Dus het was Rachel. Het was precies zoals hij eerst al gedacht had: het maatschappelijk werk was de schakel tussen haar en

Poppy Vasari. Hij ging naar beneden en begon een van de nummers van Danilo te draaien, toen hij zich herinnerde dat Tanya hem gezegd had dat Danilo in Brussel was. Hij zat er een beetje over in dat hij nog geen kans had de honden terug te roepen die het op Robin Chisholm hadden voorzien, maar daar was zo te zien niets aan te doen.

Er was iets waar hij zich het hoofd over brak en waar hij die hele avond zo nu en dan over piekerde. Onder het eten met Celeste in de Pomme d'Amour en onder de afzakker met Bob Joseph in de sociëteit in Noel Street dwaalden zijn gedachten steeds weer af naar Tessa Mandeville en de dingen die ze gezegd had. Wat was de eigenlijke reden van haar komst geweest?

Dat van dat gerechtelijk verbod dat hem moest beletten Leonora 'lastig te vallen' was flauwekul. Hoe kun je iemand lastig vallen die jouw gezelschap zocht? Het was Leonora zelf die drieënhalf jaar geleden hun zaterdagse lunchuitjes had bedacht. Toen Rachel en de anderen getracht hadden haar over te halen niet meer zijn vriendin te zijn, had zij die zaterdagse lunch voorgesteld. Leonora was net zo op die lunches gesteld als hij. Dat stond vast. Had ze zaterdag bij het afscheid niet gezegd: bel me morgen?

Dus daar ging het Tessa helemaal niet om. Dat was maar een smoes. Ze was zogenaamd gekomen om hem te beletten rotzooi te trappen bij Leonora's huwelijk, maar in werkelijkheid om hem te vertellen waar dat huwelijk zou plaatsvinden, en dat was oud nieuws voor hem. Hij wantrouwde hen allemaal en nu wantrouwde hij Tessa meer dan ooit. Wat voerde ze in haar schild? Waarom die lange tocht ondernemen, waarom bij hem thuis komen – iets wat ze nooit eerder had gedaan – alleen om hem dat te vertellen?

Toen begreep hij het. Ondanks de aanwezigheid van Celeste had hij bijna hardop gelachen. Het mens had Kensington gezegd omdat het daar helemaal niet zou gebeuren. Het huwelijk zou voltrokken worden op het bureau van de burgerlijke stand in Camden, vlak bij King's Cross, Newtons district. Je had de keuze te trouwen in je eigen district of in dat van degene met

wie je trouwde. Zij had Kensington gezegd, voor het geval hij van plan was naar de trouwerij te gaan. Het mens was zo doorzichtig, dat je er haast om zou lachen.
Niet dat het er iets toe deed. Leonora ging niet trouwen. Ze wílde helemaal niet trouwen. Weer hoorde hij haar stem en de klank van oneindige tederheid en treurend verlangen toen ze zei: 'O Guy, ik wilde...' En toen ze uitlegde waarom ze niet met hem kon gaan eten, had ze hem haar lieve Guy genoemd. Waarschijnlijk bedreigden ze haar met van alles, als ze zei dat ze erover dacht weer naar hem terug te gaan. Neem nou Rachel, die Leonora's aandeel in de flat overnam, die had natuurlijk tegen haar gezegd dat die afspraak niet doorging als ze met hem bleef omgaan. Anthony Chisholm was in staat haar te onterven, of althans de bruidsschat te schrappen.
'Guy, liefje,' zei Celeste, 'waar zit je aan te denken?'
Hij vertelde haar over het bezoek van Tessa. Haar gezicht betrok. Ze zei niets. 'Ik heb hoofdpijn,' zei hij. 'Dat heb ik de laatste tijd voortdurend. Zou dat komen doordat ik vrijwel aan één stuk door boos ben?'
Ze ging met hem naar huis. 'Je moet je erbij neerleggen,' zei ze zacht. 'Vroeg of laat moet je erin berusten dat ze met William gaat trouwen.'
'Dat zou jou wel lijken, of niet soms?'
Ze bukte zich om de scherven van de vaas op te rapen. Hij wou dat hij dat niet gezegd had, maar ze antwoordde niet.
Danilo kwam morgenavond terug en na tienen zou hij hem blijven bellen tot hij beethad. Hij zou waarschijnlijk nog eens vijftienhonderd moeten dokken voor de overlast, maar wat dan nog?
Celeste zei: 'Je moest maar een heel mooi huwelijkscadeau voor haar kopen.'
Ze was nooit krengig, maar deze keer...? Ze had het toch niet gemeend? Hij schonk zich nog een afzakkertje in, wodka on the rocks, en besefte dat hij non-stop had gedronken sedert de campari om vijf uur toen Tessa aanbelde.
De volgende ochtend, terwijl Celeste nog sliep, belde hij de flat in

Portland Road. Maeve nam op. Ze stond op het punt naar haar werk te gaan. Hij vroeg niet naar Leonora, althans niet meteen.
'Hoe is het met Robin?' Hij wilde het werkelijk weten. Hij had vrijwel de hele nacht slapeloos liggen tobben over Danilo's huurling die Robin zou opruimen.
'Prima,' zei ze. Hoe kon ze dat weten? Of had ze het over gisteravond toen ze afscheid van hem nam?
'Heb je hem vanochtend al gesproken?'
'Een paar minuten geleden nog.' Wat een opluchting. Niet dat het hem iets kon schelen wat er met Robin gebeurde, maar hij besefte dat Leonora, na dat blauwe oog en de dingen die Tessa had gezegd, hem best eens de schuld zou kunnen geven als haar broer iets overkwam. 'Hij heeft me gebeld. Hij had fantastisch geslapen en voelde zich als herboren, weet je wel. Hij klonk alsof hij de wereld weer helemaal aankon. Is dat niet heerlijk?'
Guy vond dat ook en of hij Leonora even mocht?
'Ze is hier niet, Guy, ze is bij William.'
Hij belde het huis in Georgiana Street. Het was natuurlijk nog wel vroeg, nog geen negen uur, maar hij was toch verrast Newtons stem te horen – niet zozeer verrast, eerder verbijsterd, verstomd. Hij had bijna weer opgehangen, maar bedacht zich en zei: 'Met Guy Curran.'
'O, hallo.' Het klonk niet hartelijk. Maar Guy zou nog meer minachting voor die gozer gekregen hebben als hij geestdriftig of slijmerig had gedaan.
'Hoe is het met jóú, buddy,' zei hij zo Amerikaans mogelijk, maar koeltjes.
'Ik maak het prima, en hoop van jou hetzelfde. Wat kan ik voor je doen?'
'Ik zou Leonora graag even spreken.'
De meeste mensen beginnen een onwelkome boodschap met helaas: 'Helaas moet ik je iets vervelends vertellen...' Het viel Guy op dat Newton dat niet deed.
'Ze is er niet.'
'Nou zeg, maak het nou,' zei Guy, die zijn woede voelde opkomen. 'Mij is vijf minuten geleden verteld dat ze bij jou was.'

Het was de man aan te horen dat hij ervan baalde, maar dat zijn geduld nog niet helemaal op was. 'Minder dan die vijf minuten geleden was ze nog hier. Twee minuten geleden is ze uitgegaan. Moet ik je soms vertellen waarnaartoe?'
'Natuurlijk. Waar is ze?'
'Ze is naar haar vader. Susanna's moeder is gestorven en Leonora gaat met haar mee om van alles te regelen, het overlijden aan te geven en met de begrafenisondernemer te praten. Zo, nu heb ik je alles gezegd wat ik weet, dus als je het niet erg vindt, hang ik op, want ik ben al laat. Tot ziens.'
Hij had geen idee waar Susanna's moeder had gewoond, had amper geweten dat Susanna een moeder had. Het had geen zin te trachten het tweetal op te sporen, het had geen zin het aanlokkelijke beeld uit te diepen van hem, Guy, in een wachtkamer met Leonora, zachtjes tot haar sprekend, om daarna het tweetal mee uit te nemen voor een superlunch. Hij had nooit een hekel aan Susanna gehad en om haar te troosten zou hij haar wat afleiden van de gedachte aan haar moeder, op wie ze waarschijnlijk erg gesteld was geweest. Hij moest Leonora later te pakken zien te krijgen, in Lamb's Conduit Street.
Hij bracht Celeste een kop thee op bed.
'Dank je, liefje,' zei ze.
Ze opende haar ogen en strekte haar armen naar hem uit. Het was weken geleden dat hij met haar had gevrijd. Het leek wel of zijn seksuele verlangens waren afgetapt door alles wat er gebeurd was, door zijn angst en woede. Maar hij boog zich voorover en liet toe dat ze hem tegen zich aandrukte. Ze was warm en lief en voelde aan als zijde. Hij ging naast haar liggen en sloeg zijn armen om haar heen, zonder te beseffen hoe verstikkend zijn omarming wel was, tot ze zich losworstelde om haar neus en mond te bevrijden van de druk van zijn gezicht en zei: 'Nee Guy, je doet me pijn.'
Terwijl ze in bad zat, belde hij Anthony Chisholms nummer. In gesprek. Vijf minuten later was hij nog steeds in gesprek. Hij belde de storingsdienst, die hem meldde dat dat nummer inderdaad gewoon in gesprek was, en besloot toen het 's middags nog

maar eens te proberen. Fatima kwam net op het moment dat hij het huis uit ging. Ze maakte het geluid van een vogeltje in nood dat zijn jong kwijt is toen ze de zwart-met-roze scherven zag liggen: 'Ai ai ai.'

Guy haalde de auto uit de garage. Hij ging naar het atelier in Northolt en vandaaruit naar het motel aan het begin van de M1 waar zijn schilderijen werden geveild. Terwijl hij langzaam achteruit over de kinderhoofdjes van de Mews naar Earl's Court Road reed, vroeg hij zich af of hij zijn huis misschien niet ontgroeid was. In zijn positie was hij het huisje-in-een-Mews-stadium voorbij. Hij werd per slot van rekening in januari al dertig. Een huis in Lansdowne Crescent of misschien zelfs wel ergens in de buurt van Campden Hill, de Duchess of Bedford Walk bijvoorbeeld... Zou Leonora het erg vinden aan die kant, de dúre kant van Holland Park Avenue te wonen?

Ga zo voort, mijn Poesje deed het in Barnet zelfs nog beter dan *Schone uit Thailand*. De vrouw die de veiling leidde en aan wie hij tijdens de walgelijke lunch in de eetzaal van het motel was overgeleverd (ovaal volgeladen bord met aangebrande zenige biefstuk, erwtjes uit blik, halve tomaten, champignons slijmerig als slakken en broccolitoefjes die eruitzagen als de speelgoedboompjes van Lego) vertelde hem dat ze er twee of drie keer zoveel kon verkopen. Guy beloofde haar dat aantal te leveren. In het motel probeerde hij Lamb's Conduit Street nog eens, ving bot, maar het lukte hem Tanya aan de lijn te krijgen in haar boetiek. Danilo werd die avond laat thuis verwacht en zou er om elf uur zeker wel zijn.

Guy had een akelig bloederige fantasie over Robin Chisholm die met een druk op een knop de voordeur van het flatgebouw opende, en in zijn badjas de man binnenliet die kwam om iets te repareren of de meter af te lezen. Het pistool met geluiddemper, de ploertendoder of – als Danilo's trawanten tegenwoordig echte maffiosi waren – de ranke, rappe stiletto.

Hij reed naar zijn reisbureau. Ook daar zaten de zaken in de lift. In het kantoortje belde hij de flat in St. Leonard's Terrace. Er werd niet opgenomen. Hij liet de bel tien, vijftien keer over-

gaan. Hij hing op en draaide het nummer opnieuw. Deze keer kwam Robins stem al na vier keer bellen. Waarschijnlijk had hij de eerste keer verkeerd gedraaid. Het was een hele opluchting Robin met groeiende ergernis te horen zeggen: 'Hallo, hallo...'
De aanzienlijke succesjes van die dag gaven hem in hun verscheidenheid een geweldige kick. Het was in geen tijden zo goed gegaan! Om naar huis en zelfs om naar het West End te gaan zou het voor de hand liggen noordelijk van Regent's Park om te rijden, maar ineens merkte hij dat hij op weg was naar Euston Road. In Guildford Street aan de andere kant van Tavistock Place zat je vlak bij Lamb's Conduit Street... De afspraak was dat hij haar alleen op zaterdag te zien kreeg, voor de zaterdagse lunch, maar – nou ja, kóm nou, ze wilde hem graag zien. Had ze niet gezegd hoe graag ze wilde dat ze weer bij elkaar konden zijn?
Het was warm, de stille gele hitte van Londen in de zon. Alle plekjes waar hij met haar geweest was en met haar gelukkig was geweest, bezorgden hem pijn. Het was of hij op twee niveaus van haar hield: het bovenste waar optimisme, opgewektheid, zelfvertrouwen de overhand hadden, het onderste waar angst en twijfel huisden. De plekken waar ze samen geweest waren, riepen beelden op uit die onderste wereld. Daar herinnerde hij zich haar afwijzingen, daar herinnerde hij zich, meer met iets van paniek dan met spijt, dat het nu al zes jaar geleden was dat ze voor het laatst hadden gevrijd.
De huizen in dat deel van Londen zijn oud, meestal uit het begin en niet het eind van de negentiende eeuw. Hun bakstenen muren zien donkergrijsbruin, hun deuren en ramen zijn hoog en smal, hun dak is onzichtbaar. Er is weinig groens te bekennen, behalve van de boomtoppen in de verte, die de indruk wekken van groeisels in een ommuurde tuin. Susanna had bloembakken met in plaats van de gebruikelijke geraniums, kleinbladige klimop en planten met geelgrijs wollig blad. Guy belde aan en bereidde zich als altijd voor op zijn eerste blik op Leonora.
Er werd opengedaan door een vrouw die hij herkende maar niet onmiddellijk kon plaatsen. Ze scheen dezelfde moeilijkheid te hebben om hem thuis te brengen.

'Guy Curran,' zei hij.
'O ja. Ik ben Janice. We kennen elkaar van Nora's verjaardagsfeestje.'
Hij had het land aan die afkorting die haar familieleden wel mochten gebruiken en hij niet. Hij herinnerde zich dat de vrouw die haar Nora had genoemd naar Australië was gegaan om te trouwen. Ze was nogal mollig met een bleek vollemaansgezicht, uitpuilende ogen en een hele bos melkboerenhondenhaar in zo'n ingewikkelde vlecht. Guy had een uitgesproken hekel aan katoenen jurken uit India (goedkoop, slecht van snit en vormeloos) en natuurlijk, zo'n jurk had zij aan, een lichtbruine met zwarte hiërogliefen en witte kleine dingetjes. Ze had ronde heupen en hij vond dat ze er net uitzag als iemand die op weg was naar een bal masqué verkleed als volkorenbrood.
'Eigenlijk dacht ik dat het de begrafenisondernemer was,' zei ze. 'Susanna verwacht de man van de begrafenisonderneming. Je weet dat haar moeder is overleden?'
'Ja, dat heb ik gehoord. Mag ik binnenkomen?'
Janice liet hem tegen haar zin binnen. Hij besefte dat ze hem van het hoofd tot de voeten opnam, alsof hij zich aan een schandelijke faux pas schuldig maakte. 'Ze heeft net haar móéder verloren. Ik dacht dat de meeste mensen dan schreven of opbelden.'
'Ik kom voor Leonora,' zei hij ongeduldig.
Maar op dat moment stak Susanna zelf haar hoofd over de balustrade. De zitkamer lag op de bovenste verdieping van het appartement, de slaapkamers op de benedenverdieping. Susanna reageerde in tegenstelling tot de andere vrouwen uit Leonora's omgeving – deze verontwaardigde Australische inbegrepen – nooit agressief of afkeurend op hem. Ze riep naar beneden dat ze het erg aardig van hem vond dat hij was gekomen. Ze had kennelijk niet gehoord wat hij zojuist tegen Janice had gezegd. Toen hij boven aan de trap was, kwam ze hem tegemoet en kuste hem haast als een moeder, ofschoon ze daar bij lange na niet oud genoeg voor was.
Het was adembenemend op een áárdige manier gekust te wor-

den door een vrouw, hoewel Celeste natuurlijk nooit anders deed. Maar dit was iets anders. Susanna dacht klaarblijkelijk dat hij kwam condoleren. Nou, dat was hém best. Hij kreeg een warm en goedkeurend gevoel voor haar. Susanna was weliswaar verdrietig en in de rouw, maar daar liep ze niet mee te koop. Ze had zich zorgvuldig en zwaar opgemaakt, en dat kon Guys goedkeuring wegdragen. Haar dikke grove haar werd, naar de laatste mode, bijeengehouden in een wrong als een zee-egel, ze droeg een zwartzijden broek met daarboven een zwart-met-bruin gestreept jak, en nogal veel zilveren opschik van het maliënkoldertype, en een bijpassende brede glinsterende ceintuur. Wat jammer toch dat Leonora geen voorbeeld aan haar wilde of kon nemen.
Hij liep achter haar aan de kamer binnen, waar hij in geen vier jaar geweest was. En hij dacht terug aan de tijd toen Leonora hier na haar eindexamen aan de pedagogische academie gewoond had, en aan de dagen dat hij haar kwam afhalen en borrels aangeboden kreeg door Anthony Chisholm. Nou ja, zo lang geleden was dat eigenlijk niet... Het eerste wat hij zag, zelfs voor zijn blik op Leonora viel, was een witte kaart op de schoorsteenmantel, een witte kaart met een zilveren randje. Dat moest een huwelijksaankondiging zijn, hoewel hij op die afstand niet lezen kon wat erop stond.
Leonora stond op toen hij binnenkwam. Zijn hart had zijn salto al gemaakt en zijn gebons doorgegeven aan zijn hoofd. Ze zag er afschuwelijk uit, maar wat hinderde dat?
Ze kuste hem. Er was geen sprake van een omhelzing of veel warmte, maar ja, zij had niet zojuist haar moeder verloren (was het maar waar, dacht Guy). Janice stond achter hem omstandig uit te weiden over het feit dat ze hem niet had herkend en vervolgens voor de begrafenisondernemer had aangezien of de bloemist. Leonora droeg zwart-met-witte plastic oorbellen en geen spoortje make-up natuurlijk, en haar haar leek vet. Ze had een groene trainingsbroek aan en een zwarte trui met de roestige weerschijn van ouderdom en verkeerde wasprogramma's. Het kleine beetje gevoel voor kleren dat ze eens gehad had, was se-

dert haar omgang met Newton volledig naar de filistijnen. Die idioot zei waarschijnlijk tegen haar dat hij van haar hield om haarzelf en niet om haar uiterlijk.
Maar ze vroeg hem tenminste niet waar hij voor kwam. Hij dacht er op tijd aan iets passends over Susanna's moeder te zeggen.
'Lief van je om te komen, Guy,' zei Leonora stralend. Hij dacht dat hij haar in geen maanden zo gul en natuurlijk had zien glimlachen. 'Het is me het dagje wel. Sommige mensen kunnen zo bot zijn! Weet je wat de ambtenaar tegen die arme Susanna zei? Het was een vrouw. Het zijn daar bijna allemaal vrouwen. Mannen willen zo'n baan niet, te slecht betaald, het oude liedje. Ze zei: "Is dit het eerste sterfgeval dat u aangeeft?" En toen Susanna ja zei, zei ze: "Het zal wel niet het laatste zijn ook. Goedemorgen." Snap je nou zoiets?'
Janice was de kamer uit gegaan om thee te zetten, na een gefluisterd onderonsje met Susanna. Leonora begon een lang relaas over Janice, haar nichtje, die bij Anthony en Susanna logeerde, en haar man die volgende week pas kwam en hoe zielig het voor haar was dat ze te laat was gekomen om Susanna's moeder, op wie ze erg gesteld was geweest, nog in leven aan te treffen. Guy kende geen familie die zo verstrengeld was als de Chisholms. Zelfs de mensen aan het uiterste randje van het wortelsysteem, mensen die niet eens echt tot de familie behoorden, waren verzot op elkaar. Leonora wekte de indruk alsof Janice achttienduizend kilometer had gereisd om aan het sterfbed te kunnen zitten van een oude vrouw, de moeder van haar aangetrouwde tante, die ze waarschijnlijk maar één of twee keer in haar leven had ontmoet. Hij had gelijk de invloeden waar Leonora aan blootstond niet te onderschatten.
Vanaf zijn stoel probeerde hij de schoorsteenmantel in het vizier te krijgen en de kaart die daar stond, maar Susanna bleef halsstarrig voor de zorgvuldig geconserveerde antieke haard staan, leunend tegen de schoorsteenmantel, en hij wilde zijn hoofd niet al te opvallend heen en weer bewegen. Susanna had het nu over de begrafenis.

'We zitten met een probleempje, Guy. We weten niet goed wat we ermee aan moeten. Zullen we hem om raad vragen, Leonora? Een heel nieuw gezichtspunt? Wat vind je?'
Weer gunde Leonora hem die verrukkelijke glimlach. 'Laten we maar zien wat hij ervan zegt.'
'Zie je, die arme moeder van mij heeft geen aanwijzingen achtergelaten over... Ik moet het niet zo erg vinden het kind bij de naam te noemen... Over de vraag of ze begraven wilde worden of gecremeerd. De meeste mensen laten zich tegenwoordig natuurlijk cremeren, maar dat vind ik zo... Ik had bijna gezegd zo onherroepelijk, alsof de dood zelf al niet onherroepelijk is, maar misschien begrijp je wat ik bedoel.'
'O ja, ik begrijp wat je bedoelt,' zei Guy, met uitgestrekte hals.
'En dan de vraag waar? Alle goede crematoria in Londen zijn bezet en dat betekent dat we ergens buiten terechtkomen. Mijn moeder woonde in Earlsfield, maar op het kerkhof daar is natuurlijk geen plaats meer, de laatste honderd jaar al niet meer, zou ik denken.'
Janice kwam met het theeblad binnen en de manier waarop en de plaats waar ze het neerzette, dwong Guy zijn stoel bij te draaien zodat hij met zijn rug naar de haard kwam te zitten. Voor hem was het borreluur zo nabij dat hij eigenlijk geen thee meer wilde, maar hij dronk het toch en sloeg het stuk perziktaart af waar dikke kleine Janice zich tegen beter weten in aan te goed deed. Er rijpte in zijn geest een plan om Leonora naar huis te kunnen rijden – nou ja, haar in zijn auto te krijgen, op weg naar haar huis te gaan en haar dan over te halen met hem uit eten te gaan.
Janice vertelde een ingewikkeld verhaal – schandelijk smakeloos vond Guy – over de avonturen van een van haar kennissen die de as van een geliefde dode vanaf de Cobb in Lyme Regis aan de wind toevertrouwde. Ook toevallig, vond Susanna, want zij en Anthony gingen over een paar weken een dag of wat naar Lyme. De voordeurbel ging, en Janice kwam aan verdere anekdotes niet toe. Hoewel de anderen haar herhaaldelijk zeiden te blijven zitten en niets te doen, leek ze zichzelf aangesteld te hebben als

tijdelijke hulp. Tot Guys blijdschap waren hij en Leonora even alleen in de kamer. De begrafenisondernemer was gekomen en Susanna moest naar beneden.
'Ik hoop dat ze een besluit heeft genomen,' zei Leonora. 'Ze zal hem toch uitsluitsel moeten geven.'
'Ga met me eten, Leo.'
'O Guy, ik kan niet. Het spijt me ontzettend maar ik kan niet.'
Niet weer dat 'dat doe ik toch nooit', of dat 'ik lunch zaterdags met je', niets van dat alles. 'Ik blijf hier en William komt zo meteen ook. We gaan met ons allen ergens wat eten zodat die arme Susanna niet hoeft te koken.'
Daar viel zijn plan in duigen haar naar huis te rijden... Maar: 'Ik vind het echt heel jammer,' zei ze. 'Dat had zo gezellig kunnen zijn. Maeve zei dat je vanochtend had gebeld om te vragen hoe het met Robin was. Lief van je, dat stel ik op prijs.'
Hij waagde het voorover te leunen en haar hand te grijpen. Hij wíst dat ze haar hand zou losrukken, maar dat deed ze niet. Ze liet haar vingers zelfs zachtjes in de zijne rusten en gunde hem een blik zo vol tederheid en deernis dat hij zijn zelfbeheersing verloren en haar in zijn armen genomen zou hebben als Janice niet net was binnengekomen. Hij sprong wel op, maar om te vertrekken. Het was maar een matig genoegen hier te zitten met de prikoogjes van die dikkerd voortdurend afkeurend op je gericht.
'Zaterdag lunchen?' zei hij.
'Ja, lieve Guy, natuurlijk. Waar?'
'In de Savoy,' zei hij. 'De River Room van de Savoy.'
Ze sputterde niet tegen. Haar houding tegenover hem veranderde, veranderde naar wat ze geweest was. Hij kuste haar bij het afscheid, en staande draaide hij zijn gezicht naar de schoorsteenmantel en zag dat de huwelijksaankondiging verdwenen was. Toen hij een halfuur geleden binnenkwam, stond deze er nog en nu was ze weg.
Iemand had de kaart stilletjes weggehaald, omdat hij die niet mocht zien.

14

Hij kende Leonora al een hele tijd toen hij met haar broer kennismaakte. Op een dag in de winter, vlak voor of vlak na Kerstmis, kwamen hij en Leonora de zitkamer van haar ouders binnen en troffen er een jongen bij het raam met een papier in de hand dat hij aan het lezen was. Hij had hen zeker horen binnenkomen, maar keek niet onmiddellijk op en las eerst het papier uit. Hij had in zijn houding iets van een schoolmeester of zelfs iets van een politieagent, iets bestudeerds en smalends hoewel de jongen een babygezicht had. Hij was wel lang, een stuk groter dan zijn zusje, maar toen hij eindelijk opkeek, bleek zijn gezicht dat van een vijfjarige: rond, onschuldig, met het velletje van een dreumes en een mond als een rozenknop. Vandaar dat de stem die uit dat rozenknopje kwam je met stomheid sloeg. In plaats van de hoge lispelstem die je verwachtte, bleek die diep en vol. Het was een bariton met een accent dat je (naar hij later van Leonora vernam) alleen krijgt door een van de scholen te bezoeken waarvan het hoofd is aangesloten bij De Kring.

'Is dit jouw galant, Nora?'

Guy had dat woord wel eens gehoord, maar alleen op de buis. Hij zou er – en nog steeds – heel wat voor geven zo'n stem te bezitten. Leonora stelde hen aan elkaar voor.

'Robin, dit is Guy. Guy, dit is mijn broer.'

Op zijn vijftiende had Robin Chisholm zich al dat plagerige smalende toontje aangemeten dat een uiting was van zijn onaangename natuur. Hij was niet ad rem of geestig; hij was gewoon onbeschoft.

'Guy,' zei hij. Hij zei het langzaam en met een vraagteken. Hij sprak de naam nogmaals uit, nadenkend alsof het de naam was van iemand die hij langgeleden had gekend maar niet kon thuisbrengen. 'Guy. Ja... Vind je het niet vervelend zo te heten? Als

Nora niets gezegd had, zou ik je voor een Kevin of zo hebben versleten, of een Barry. Ja, Barry past bij jou.'
Hij zag eruit als een onschuldig kind, met zijn glimlachje, zijn wijdopen ogen, zijn ronde blozende wangen die het slachtoffer van zijn grofheden tartten zich beledigd te voelen. Want het waren grofheden, daar twijfelde Guy geen ogenblik aan. Leonora's broer liet doorschemeren dat hij die naam veel te bekakt vond voor de drager.
Ze nam hem in bescherming. 'Och, hou je mond toch. Jij moet nodig anderen om hun naam belachelijk maken. Robin past nu misschien wel bij je, nu je er nog uitziet als een baby, maar als je oud bent, zal het niet zo lollig zijn.'
Zelfs toen al was Robin Chisholm een buitenbeentje dat er trots op was dat hij er jonger uitzag dan hij was. Bij de meeste mensen begint dat pas als ze dertig zijn en niet op hun vijftiende, goddomme. Guy, die hem maar zelden ontmoette, niet vaak genoeg om er last van te hebben, dacht dat hij dat babyachtige koesterde. Het zou hem niets verbaasd hebben Robin met de duim in z'n mond aan te treffen. Ja toch, hij zou verbaasd en gillend de kamer uit gerend zijn.
De Chisholms hadden hun dochter naar een scholengemeenschap gestuurd en daarna naar een goed aangeschreven pedagogische academie. Hun zoon was op een dure kostschool geweest en was in de hogere beroepsopleiding waar hij met moeite toegang had gekregen gestrand en had toen zijn heil in de effectenhandel in de City gezocht. Op zijn drieëntwintigste waren de flauwtes begonnen die eerst aan een hersentumor werden geweten en later aan epilepsie. Toen puntje bij paaltje kwam, bleek hem niets te mankeren. Guy dacht bij zichzelf dat Robin het allemaal zorgvuldig had geënsceneerd om zich met goed fatsoen los te kunnen maken van de firma waar hij voor werkte, een beleggingsmaatschappij die een week of twee nadat hij in het ziekenhuis was opgenomen in een financieel schandaal van gigantische omvang verwikkeld was geraakt.
De wereld was beter af zonder mensen van zijn slag. Maar iemand anders moest dat onkruid maar uitroeien, vond Guy. Hij

was niet degene die Leonora had ingelicht over Con Mulvanney. Bovendien was Guy, die er niet in geslaagd was Danilo te pakken te krijgen en er de halve nacht over had liggen piekeren, tot de slotsom gekomen dat haar broer, van alle mensen om haar heen, waarschijnlijk de minste invloed op haar had. Natuurlijk, ze hield van hem, dat sprak vanzelf – en Leonora zei het ten overvloede ook om de haverklap, zei het naar Guys smaak van veel te veel mensen – maar Robin irriteerde haar. Hij kon niet haar volledige goedkeuring wegdragen.

Door dat alles had hij een droom over Robin. Robin was dood, was van die hoge trap in Portland Road geduwd, en zijn bloedende lijk was gevonden door Maeve. Het was helemaal niet zo'n fantastische of onlogische droom en daardoor was Guy er des te meer door geschokt. Hij kon St. Leonard's Terrace niet voor halfnegen bellen, en Danilo pas om negen uur op zijn vroegst. Onder het koffiezetten in de keuken kon hij niet nalaten de narigheden af te kloppen, een oud bijgeloof dat hij meende allang afgeschaft te hebben.

Door af te kloppen kon je een ramp afweren. Afkloppen hield – ja wat, kwade geesten? op een afstand. Zijn grootmoeder, van wie hij dat afkloppen had geleerd, evenals het strooien van zout over je linkerschouder, en een stuiver terugvragen als je een vriend een mes of schaar gaf, en niet op de naden van de trottoirstenen stappen, had van geen van die bijgeloven aangegeven wat de uitwerking precies was. Ze zorgden gewoon voor je veiligheid. Gek dat hij nu opeens aan haar moest denken. Dat had hij in geen jaren gedaan. Gelukkig was de keuken net opnieuw ingericht met een overvloed aan ongeverfd hout, een paradijs voor afkloppers.

Een slaperige Danilo beantwoordde om tien over negen de telefoon in Weybridge. Guy was bijna ten einde raad, want op St. Leonard's Terrace werd niet opgenomen, hoewel hij het tussen halfnegen en negen uur zeker tien keer had geprobeerd. Het stond voor hem vast dat Robin dood was, en met diens dood was hij Leonora voorgoed kwijt, maar toch wilde hij Danilo's huurmoordenaar terugroepen. Danilo beantwoordde de verandering van zijn plannen met tekenen van ergernis maar was toch

bereid hem om zes uur voor een borrel in de Black Spot te treffen. Er bestond nu geen twijfel meer voor hem, of Robin was dood en zijn lijk werd op dit ogenblik door Maeve geïdentificeerd in een of ander knekelhuis. Niettemin probeerde Guy zijn nummer voor de zekerheid nog één keer.
Er volgde iets eigenaardigs. Iemand nam op, maar voor die iemand iets kon zeggen hoorde Guy Robins bulderstem in de verte: 'Kan je verdomme niet opnemen?'
En toen zei een stem met het accent van zijn grootmoeder: 'Hallo, met wie spreek ik, meneer Chisholm is bezig,' en hij wist dat het de Ierse werkster was.
Guy slaakte een zucht van verlichting. Hij had een aanvechting te zeggen: 'Laat hij weer naar bed gaan en daar blijven,' maar hij bedacht zich.

De Black Spot was een en al vloer en bar. Er stonden geen tafeltjes; je kon nergens zitten behalve op een kruk aan de zwarte, met zilver beslagen bar. Het was er erg donker, op z'n Amerikaans. De eerste die Guy gewaarwerd, was Carlo op een kruk naast zijn vader en bezig iets donkers en schuimigs uit een cognacglas te drinken. Het was hoogstwaarschijnlijk cola maar door dat glas had het iets wereldwijs, om niet te zeggen onheilspellends. Guy stond er wel van te kijken, maar bedacht toen dat hij het op zijn tiende ook prachtig gevonden zou hebben aan zo'n bar te zitten, maar hij had de kans nooit gehad.
Carlo droeg een modieuze spijkerbroek en een zwarte trui, met in lichtgevende letters BREADHEAD'S KID erop gedrukt. Hij zei hoi tegen Guy en bleef chips uit een asbak eten. Danilo had een pak aan van caramelkleurige zijden visgraattweed met een enorm breedgeschouderd jasje; daaronder droeg hij een vuurrood shirt.
'Jij ziet er ook niet al te best uit,' zei Danilo.
Guy haalde wrevelig zijn schouders op. Dat zei Danilo iedere keer als ze elkaar ontmoetten. 'Dat zit hem in het licht hier, als je het licht kunt noemen.' Hij vroeg de man achter de bar om een dubbele wodka-martini. 'Zo kunnen we niet praten,' zei hij tegen Danilo met zijn duim op Carlo wijzend.

'Niks aan te doen, broer. Wat moest ik? Een van de kinderjuffen heeft de griep en de andere is ervandoor. Tanya's zus wil de andere kinderen wel nemen, maar deze niet. De vorige keer dat hij daar was, stopte hij haar video van *Apocalypse Now* in de magnetron. Hij zei dat hij wilde zien wat er gebeurde.'
Tegen de man achter de bar zei hij: 'Mervyn, neem hem mee naar achteren en laat hem kijken naar *Mork and Mindy*. Vijf minuutjes maar, meer niet.'
'Dat is vandaag niet, pap. Alleen maar *Buck Rogers in de vijfentwintigste eeuw*.'
'Vooruit, naar achteren jij, dan kijk je daar maar naar.' Danilo moest nog een glas van zijn lievelingswijn. 'Als je me dat nog één keer lapt!' zei hij op dramatische toon tegen Guy. 'Waag het niet nog een keer!'
'Wat niet?'
'Me op te zadelen met die "ik heb me bedacht"-flauwekul.' Hij dempte zijn stem. 'Je had van die arme ouwe Chuck een moordenaar kunnen maken, besef je dat wel?'
Die arme ouwe Chuck, wie dat ook wezen mocht, was ongetwijfeld al een driedubbelovergehaalde moordenaar. Trouwens, wat maakte het uit wie eraan ging? Guy wist dat bekvechten met Danilo volstrekt geen zin had. Hij zei dat het hem speet. Hij besefte dat hij een beetje onnadenkend was geweest.
'Onvolwassen,' zei Danilo. 'Onvolwassen gedoe. Je moet het kind bij de naam noemen. Nou moet je eens goed naar me luisteren, Guy. Er was in die contreien bijna een lelijk ongeluk gebeurd. Ik wil dat je goed nadenkt. Wil je dat ik op de ingeslagen weg verderga? Ik weet dat het oorspronkelijke artikel dat opgeruimd moest worden nu buiten schot is en daar ben ik om persoonlijke redenen niet rouwig om. Maar mag ik uit ons telefoongesprek van vanochtend opmaken dat je iemand anders op het oog hebt? Nee, geef me nog geen antwoord. Noem geen namen. Ik wil dat je goed nadenkt, zoals ik al zei.'
'Ik heb erover nagedacht.' Ze waren nu de enigen in de bar op een man en een meisje na die elkaar aan het andere eind van de tap zaten af te zoenen. Dat zou echt iets voor de politie zijn, een

ouwe truc, een vrouwelijke en een mannelijke smeris hand in hand maar intussen een en al oor. Toch zei hij zachtjes: 'Rachel Lingard,' en hij gaf het adres in Portland Road. Omdat Chuck misschien alleen haar signalement nodig had en niet haar naam, schreef hij op een van de visitekaartjes uit zijn portefeuille: *Klein van stuk, rond gezicht, dik, bril, donker achterovergekamd haar, om en bij de 27 jaar*, een gemene maar kloppende beschrijving van Rachel zodat ze niet verward kon worden met Maeve of, in godsnaam, Leonora.

In dat licht kwam het hem vreemd voor dat hij geen gehoor kreeg toen hij hun flat belde om negen uur, om twaalf uur, om vier uur en om tien uur. Intussen had hij Georgiana Street ook gebeld. Daar kreeg hij evenmin gehoor, tot om halfelf eindelijk werd opgenomen door Newton en toen pas bij de vierde bel.
'Leonora ligt in bed. Ze was moe en is vroeg naar bed gegaan.'
'Mij wil ze wel te woord staan.'
'Nee, dat zal ze niet. Ik zeg toch dat ze naar bed is?'
'Maar je hebt toch wel een toestel bij het bed?'
Newton zei cryptisch: 'Ik ben maar een arme man, majesteit,' en legde neer.
De volgende dag ongeveer van hetzelfde laken een pak. Guy had een afspraak met zijn accountant en dus belde hij de flat in Portland Road vanuit het restaurant waar hij met hem zou lunchen. Hij probeerde Georgiana Street, daarna St. Leonard's Terrace. Daar kreeg hij Maeve.
'Ik ben hier ingetrokken. Dat was toch al het plan na Leonora's trouwen, dus toen dachten we: waarom niet nu alvast?'
'Weet jij toevallig ook waar Leonora uithangt?'
'Volgens mij zeg je dat ook in je slaap, of niet soms? Het komt vast op je grafsteen te staan: Guy Curran, 1960 tot stippeltje stippeltje RIP, "Waar is Leonora?" Nee, ik weet niet waar ze is. Jij bent wel een nagel aan mijn doodkist, wist je dat?'
Hij moest terug naar zijn accountant. Intussen was de koffie gebracht. Guy dronk er een dubbele cognac bij. Hij ging per taxi terug naar Scarsdale Mews en zijn eigen telefoon. De kamer en

de groene tuin aan de andere kant van de openslaande deuren leken rood aangelopen door zijn razernij. Om zijn woede te temmen moest hij haar stem horen, die werkte als een kalmerend middel. Hij had een dosis van haar stem nodig. Ze was niet in Portland Road, ze was niet in Georgiana Street. Waar gaat ze naartoe, waar verstopt ze zich? dacht hij. Waarschijnlijk verbergt Rachel haar, neemt haar mee naar haar werk, je kunt het zo gek niet bedenken, zolang ze haar maar bij mij weghoudt. Later op de dag belde hij Lamb's Conduit Street. Janice antwoordde.
Ze had nog maar een jaar of vier, vijf daarginds gewoond, maar ze had nu al een Australisch accent. Om de een of andere reden ginnegapte ze bij het horen van zijn stem, net of zij en Susanna net over hem hadden zitten praten, of nee, meer of ze zich herinnerde wat een leuke loer ze hem hadden gedraaid.
'Sorry hoor,' zei ze, 'maar ik moest ergens om lachen toen de telefoon ging en toen kon ik niet ophouden. Ik haal Susanna.'
Een aardige vrouw, die Susanna. Vaak was het je een raadsel waarom de een met de ander trouwde, in de meeste gevallen zelfs, maar in dit geval begreep hij best wat Anthony Chisholm in Susanna had gezien.
'Ha die Guy,' zei ze oprecht hartelijk en met een strelende nadruk op zijn naam, alsof ze echt blij was van hem te horen, alsof hij haar heel na stond en ze hem in geen maanden had gesproken. 'Ik vond het laatst zo fijn je weer eens te zien. Dat was een hele tijd geleden.'
Hij had zich voorgenomen afstandelijk en aan de oppervlakte te blijven, gewoon een praatje te maken. Maar haar woorden roerden hem. Hij wankelde vandaag toch al op het randje van zijn zelfbeheersing. 'Te lang,' zei hij. 'Jij bent altijd aardig voor me geweest, Susanna. Jij was de enige van het hele stel. Zelfs Leonora's vader moet me niet meer.'
'Ho ho Guy, geloof me, dat is niet waar. Anthony en ik hebben jou altijd gemogen. Maar weet je... Eén moment.' Hij hoorde haar de hoorn neerleggen en de deur sluiten. Die giebel van een Janice mocht het niet horen. 'Guy, Leonora is een volwassen vrouw. Ze leeft haar eigen leven. Ik begrijp hoe rot het voor jou is

te zien dat ze meer om William geeft. Maar als dat zo is, wat kun je er dan nog aan veranderen? Als je het weten wilt, ik vind jouw... nou ja, die trouw van jou aan Leonora iets heel moois. Je bent net zo'n ridder van vroeger. Die bleven ook jarenlang hun jonkvrouw toegewijd. Nee, ik meen het. Maar Guy, lieve jongen, daar moet nu een eind aan komen... Dat zie je zelf toch ook wel?'
'Er zal nooit een eind aan komen,' zei hij met lage stem.
'Wat zeg je?'
'Er komt nooit een eind aan, Susanna. Want zie je, ik geloof, ik wéét dat ze bij me terugkomt. Ik weet dat we de rest van ons leven bij elkaar zullen zijn en hierop zullen terugzien als een vlaag van waanzin.'
'Als jij er zo over denkt, kan ik er verder ook niets meer aan doen. Ik zou jou alleen graag verdere narigheid besparen.'
Waarom er niet mee voor de dag te komen? 'Gisteren stond bij jou de huwelijksaankondiging op de schoorsteenmantel. Toen ik binnenkwam, stond die daar, maar iemand heeft haar weggehaald voor ik wegging.'
Ze antwoordde prompt, zonder enige aarzeling: 'Nee nee, Guy, je vergist je. Trouwens, wat moeten wij met een aankondiging? Wij hóúden de bruiloft immers.'
Daar viel niets tegen in te brengen. Was het mogelijk dat hij het zich had verbeeld? Susanna zou hem niet voorliegen, dacht hij, Susanna niet. Hij vroeg haar of ze wist waar Leonora was. Nee, maar ze zou haar morgen waarschijnlijk wel zien. Leonora kwam naar de begrafenis van haar moeder.
De hele meute kwam natuurlijk opdraven, dacht Guy nadat hij had opgehangen. Tessa en Magnus Mandeville, Robin en Maeve, William Newton en zelfs een paar van Newtons bloedverwanten. Allemaal binnengehaald in het grote spinneweb van de Chisholms. Een fantasiefilmpje toonde Guy een flits uit de toekomst waarin, nu hij en Leonora getrouwd waren, de Chisholms zíjn familie binnenhaalden, althans wat ervan over was, of wat ervan opgespoord kon worden. Ze waren in staat een speurtocht te ondernemen naar zijn moeder, zijn grootmoeder, als het ouwe mens nog leefde. Hij zag hen aan een meterslange

eettafel bezig iets te vieren. Wat? Robins huwelijk? Zijn eigen huwelijk met Leonora? Waarom niet?
Hij probeerde Georgiana Street en Portland Road nog een paar keer maar kreeg nergens gehoor. Newton belette haar naar de telefoon te gaan of anders Rachel Lingard. Waarschijnlijk de laatste, want Leonora moest natuurlijk naar huis om passende kleren voor de begrafenis te halen. Enfin, morgen bracht niet alleen het eind van Susanna's moeder, maar ook dat van Rachel.
Chuck of zijn trawant had tot dusver natuurlijk nog geen kans gehad de klus te klaren; Guy zou het weten als het zover was. Niet dat hij verwachtte dat Danilo hem zou bellen om hem te vertellen dat het varkentje gewassen was. Dat zou Leonora doen. Leonora zou zich in haar verdriet tot hem wenden. Even voelde hij zijn geweten knagen bij de gedachte dat zij verdriet zou hebben. Ze was waarachtig echt op die lelijke, dikke, egocentrische Rachel gesteld, ondanks dat heilige air en dat gewetenloze manipuleren van andermans leven. Bij het nieuws dat Rachel bij een auto-ongeluk om het leven was gekomen (of na een aanranding of de val van een brug) zou ze zo overstuur raken dat ze dat idiote huwelijk in geen geval zou laten doorgaan. Ze zou voor troost bij hem aankloppen.
De volgende ochtend belde hij zo vroeg als redelijkerwijs mogelijk was Portland Road, kort na achten. Hij was in zijn slaapkamer en deed een schietgebedje. Iemand nam de hoorn van de haak, maar zei niets. Hij wist wie het was.
'Ik weet dat jij het bent, Rachel,' zei hij. 'Het heeft geen zin een spelletje met me te spelen.' Hij had het liefst willen zeggen wat de kinderen uit de buurt waar hij geboren was, zeiden tegen een vrouw die niets gaf als ze om geld vroegen: 'Sterf, kreng, sterf.' Maar zij zou echt doodgaan en het kon zijn dat iemand meeluisterde. 'Kan ik alsjeblieft Leonora even krijgen?'
Ze hing op.
Hij draaide het nummer opnieuw en wachtte. Toen duidelijk werd dat ze niet van plan was op te nemen, legde hij om haar te pesten de hoorn naast het toestel zodat de bel bleef overgaan. Misschien was het 't beste naar de begrafenis van Susanna's moe-

der te gaan, maar hij wist niet waar die was. Hij had nu al in geen drie dagen met Leonora gesproken. Was dat ooit eerder gebeurd, afgezien van vakantieperioden en haar jaren aan de academie? Zelfs toen ze in dat zitslaapkamertje woonde met de telefoon beneden, waren er nooit drie dagen voorbijgegaan zonder dat hij haar te spreken kreeg. Hij raakte in paniek als hij in die trant doordacht en probeerde het uit zijn hoofd te zetten. Hij legde de hoorn weer op de haak en reed met de Jaguar naar Wallington in Surrey waar weer schilderijen werden geveild.
Op de terugweg reed hij langs de ingang van het crematorium van Croydon. Hier moest het zijn, dacht hij. Hij parkeerde de auto half op het trottoir en wachtte. Wat heerlijk zou het zijn, zo dacht hij, haar alleen maar te zien. Als hij haar zag, zou hij uitstappen en mee naar binnen gaan, achter de rouwstoet aan en dan zou hij kies achter in het auditorium plaatsnemen. Hij riep het beeld van haar op zoals hij haar gekleed wilde zien op de begrafenis van haar eigen moeder bijvoorbeeld, een gebeurtenis die binnen de vier of vijf jaar zou plaatsvinden, als hij zijn zin kreeg, in elk geval nadat zij beiden met elkaar getrouwd waren. Een eenvoudig zwart jurkje van Jean Muir met een enkele strook van een centimeter of twintig boven de zoom; een zwarte hoed met brede rand, zwarte suède pumps en glimmende zwarte kousen met naden. Hij zag wel wat in een sluier die haar gezicht geheimzinnig verhulde, alleen toegankelijk voor hem.
Ze zouden zij aan zij naar binnen gaan, zij leunend op zijn steunende arm. Hij zag haar geknield in de voorste rij, voor een kort gebed alvorens de plechtigheid begon. De lange smalle kist werd binnengedragen door zes slippendragers: Magnus, Anthony, Michael Chisholm, Robin – maar hij hoorde daar toch zeker ook bij? Nog geheel verdiept in het dilemma hoe zowel aan de zijde van Leonora als onbetwistbaar lid van de intieme familie te zijn, keek hij op en zag een trage trieste stoet auto's het hek uitrijden. De voorste auto zat vol stokoude mensen, met witte pluizenbollen als van paardebloemen. Hij tuurde, zocht de gezichten af. De tweede auto zat vol stokoude mensen.

Twee iets minder oude, iets minder witte mensen zaten in de derde auto.
Een stem achter hem zei: 'Neemt u me niet kwalijk maar hier mag u niet parkeren.'
Het was een parkeerwachter. Hij reed naar huis. Fatima was nog aan het poetsen. Guy ging naar boven en trachtte Leonora vanuit zijn slaapkamer te bellen. Dat deed hem weer denken aan Newton, die hem, om hem te plagen, met majesteit had aangesproken. Hij kreeg nergens gehoor, in Portland Road noch in Georgiana Street.
Ze zou toch zeker haar lunchafspraak met hem niet vergeten? Ze hadden geen tijd afgesproken, maar dat was misschien ook niet nodig. Ze troffen elkaar altijd om één uur. De Savoy, dacht hij, om één uur. De buitendeur viel achter Fatima dicht. Hij ging naar beneden en schonk zich een flinke borrel in: wodka, ijs en een paar druppels angostura.
Die huwelijksaankondiging bleef hem dwarszitten. Hij bedacht voor het eerst dat het, als ze aankondigingen van dat belachelijke huwelijk rondzonden, wel vreemd was dat ze hem er geen gestuurd hadden. Althans vreemd naar hun maatstaven. Niet naar de zijne. Als je het hem vroeg, zou het absurd zijn hem uit te nodigen voor het huwelijk van Leonora met iemand anders. Maar zo zouden zij dat niet zien. Zij zouden hem zien als een oude vriend met evenveel recht op een aankondiging als die teef van een Rachel – meer recht, want hij had Leonora langer gekend. Dus waarom had hij niet zo'n kaart gekregen?
Omdat ze helemaal geen kaarten verzonden? Omdat die kaart met dat zilveren randje helemaal niet bestond? Omdat hij alleen in zijn verbeelding bestond? Hij was zo over zijn toeren dat hij zich dingen ging verbeelden. De tuin was weer groen, het water in de vijver glad als een spiegel, waarop de waterlelies dreven met hun groene blad dat van onderen rood was, en hun roze of ivoorkleurig geaderde bloemen. Hij zag dat de rozen voorbij waren en maakte een rondje om de uitgebloeide bloemen te verwijderen. Wat een rust hier in dit weggestopte hoekje van de Mews, waar het verkeer een ver verwijderd gegons was. Er ging

genezing uit van de vrede hier. Als je hier rustig bleef zitten, zou je nooit uit je bol gaan, zouden er nooit vreemde dingen in je hoofd en je verbeelding gebeuren.
Na een uur ging de telefoon. Zijn intuïtie zei hem dat het Leonora was. Hij wist dat het Leonora was. Ze had hem in geen jaren opgebeld, maar hij wist dat zij het was. Hij rende zo snel naar binnen dat hij het gelakte tafeltje bij de deur waar de Chinese vaas op had gestaan, omverstootte. Met bonzend hart nam hij de hoorn van de haak. Het was Celeste. Was hij vergeten dat hij haar zou afhalen voor dat feestje bij haar vriendin? Ze zouden dansen op het terras boven de rivier in Richmond. Hij had gezegd dat hij haar nog zou bellen, maar dat had hij niet gedaan. Guy was het inderdaad vergeten. Hij wist dat hij eigenlijk moest gaan. Het was het soort uitje waar hij plezier in had. Hij had de uitnodiging aangenomen, Celeste rekende op hem, en toch zei hij dat hij niet in de stemming was. Hij had een of ander virus, dacht hij, of het begin van migraine. Ze reageerde berustend; ze probeerde niet hem over te halen. Nadat ze had opgehangen stond hij met de hoorn nog in de hand, misselijk van teleurstelling, en hij bedacht dat hij, nu hij hier toch stond, Georgiana Street wel even kon bellen.
Geen gehoor. Hij schonk zich nog een borrel in en draaide Portland Road. Hij deed een schietgebedje. Geen gehoor. Misschien was Rachel al wel dood. Waarschijnlijk zou Chuck in Brixton toeslaan: daar werkte ze. Veel mensen zeiden dat het voor vrouwen, vooral voor blanke vrouwen, niet veilig was in hun eentje door de achterbuurten van Brixton te lopen. Guy had dat nooit helemaal willen geloven, maar misschien zou hij zich nu gaan bedenken.
Er vormde zich een draaiboek in zijn hoofd. De politie zou iemand zoeken die het lijk van Rachel kon identificeren. Ze zouden Leonora of Maeve erbij halen – waarschijnlijk Leonora want die woonde nog met Rachel onder één dak, en Maeve niet meer. Ze zou William Newton natuurlijk vragen met haar mee te gaan, ze zou radeloos van verdriet en afgrijzen zijn, maar Newton zou het af laten weten omdat hij geen bloed kon zien.

Hij was van het slag dat afhaakte bij het vooruitzicht een dode te zien, vooral van een lijk dat zo toegetakeld zou zijn als dat van Rachel. Dus dan zou Leonora in haar wanhoop haar toevlucht zoeken bij degene op wie ze zich kon verlaten, bij haar ware, haar enige liefde, en dan gingen ze samen naar Brixton. Dan reed hij haar met de Jaguar. Daar eenmaal aangeland zou hij de touwtjes in handen nemen. 'Ik ken de overledene even goed als mijn verloofde, brigadier. Laat die identificatie maar aan mij over.' Naderhand in de auto klemde zij zich aan hem vast en dan zei ze: 'Eigenlijk was jij altijd de ware, Guy. Ik moet gek geweest zijn...'

Na twee straffe wodka's was hij volmaakt nuchter. Alleen zijn tong sloeg een beetje dubbel. Hij oefende voor de spiegel en was zo eerlijk toe te geven dat hij eigenlijk niet wilde dat Leonora hem zo hoorde. Eerst maar wat gaan eten en dan nog een laatste poging.

Hij ging te voet; hij had behoefte aan frisse lucht. Het was heel ongewoon voor hem om alleen uit eten te gaan of ergens te eten waar hij geen tafeltje had gereserveerd. Een eindje verderop aan Old Brompton Road was een Italiaan waar hij eens heel goed gegeten had met Celestes voorgangster, een half Chinees meisje, een stewardess op een Boeing-747. Hij had Leonora in geen vier dagen gesproken... Het was beter, veiliger zich tot Rachel te bepalen die best eens ergens dood kon liggen, hoogstwaarschijnlijk zelfs. Het was bijna acht uur, meer dan achtenveertig uur sedert hij Danilo het groene licht had gegeven. Het restaurant stond ergens tussen deze winkels. Een man, een zwerver, een berooide sloeber, hoe je hem ook noemen wilde, lag languit in een van de portieken, bij de ingang van een reformwinkel die allang dicht was. Het was een zwarte man, vrij jong, lang van stuk zo te zien, en mager op het uitgemergelde af en gekleed in zwarte vodden. Naast hem op het trottoir lag zijn pet en het eenzame muntje in die pet was de enige aanduiding dat dit niet gewoon een hoofdbedekking was die even op de grond was gegooid.

Hij lag op zijn rug met zijn handen achter zijn hoofd en staarde naar boven. Tussen zijn wijkende lippen zag je zijn spierwitte tanden met daartussen een flits van goud. Hij keek niet naar Guy en Guy gunde hem niet meer dan een vluchtige blik, maar hij wist zeker dat het Linus was. Een gruwelijk veranderde Linus, aan lager wal geraakt, met een stoppelbaard op zijn eens zo glanzende wangen en een lelijk rafelig litteken over zijn eens zo fraaie jukbeen, maar hij was het wel. Guy liep door, geheel ontnuchterd, maar trillend op zijn benen. Zijn handen beefden en hij had het gevoel of zijn benen hem amper konden dragen, maar desondanks liep hij door. Hij vergat de Italiaan en sloeg onvast lopend de Boltons in, richting Fulham Road. Het enige dat erop aankwam, was de afstand tussen hem en die stakker daar in het portiek zoveel mogelijk te vergroten, dat wrak dat misschien, dat zéker Linus was.

Maar eenmaal in het restaurant dat hij in Cale Street vond, waar hij aan de bar om een dubbele wodka vroeg nog voor hij een tafeltje besprak, vroeg hij zich met een bijna hoorbare kreun af waarom hij gevlucht was. Waarom was hij niet blijven staan? Waarom had hij zijn vriend niet gevraagd of hij hem kon helpen?

Dat was natuurlijk een te simpele voorstelling van zaken. Maar hij had de man althans bij wijze van aanloop kunnen vragen of hij inderdaad Linus was. Een zwarte man is voor een blanke even moeilijk onmiddellijk thuis te brengen als een blanke man voor een zwarte. Er is geen sprake van die onmiddellijke onomstotelijke herkenning. Een lichte twijfel bleef bij Guy hangen. De laatste keer dat hij Linus had gezien was hij een slanke, gezonde, knappe, welvarende jonge gangster. En Guy herinnerde zich die gouden tand die bij zo'n jongeman ongebruikelijk was, maar niet bij een jongeman uit Jamaica.

Guy ging aan zijn tafeltje zitten, bestelde een of ander kipgerecht en nog een wodka-martini om het wachten te bekorten. Die bedelaar in het portiek had een gouden tand. Een halfuur terugdenkend zag hij weer die wijkende lippen, de volle glanzende lippen met de blauwige tint, en tussen de snijtanden die gouden flits. Het was Linus. Wat was er met hem gebeurd dat hij zo terecht was gekomen?

Vijftien jaar geleden... De straatbenden van tieners wisten van geen discriminatie. Dat was iets om je nu op te beroemen, maar in die dagen stond niemand stil bij het rassenaspect. Ze verbaasden zich alleen als de politie en de maatschappelijk werkers het over rassenrellen onder de jeugd van Notting Hill hadden. Guy had bijna kunnen zeggen – bijna, maar niet helemaal van harte als hij eerlijk was – dat hij de huidkleur van een ander niet zag. Hij was zich ervan bewust dat zijn Ierse afkomst in sommige ogen een nadeel was. Linus was de schrik van de buurt. Hij had eens in de ondergrondse tussen het station Notting Hill en dat van Queensway drie Amerikanen vijfhonderd pond lichter gemaakt, zonder dat ze er iets van merkten.
Zijn eten kwam, maar hij at er met lange tanden van. Hij dronk een karaf van de huiswijn. Waarom had hij op dat eten gewacht? Hij had rechtsomkeert moeten maken naar die plek van Old Brompton Road waar hij Linus had zien liggen. Hij was op de loop gegaan. Hij stond op en onder het afrekenen sprak hij met zichzelf af dat hij terug zou gaan. Hij moest teruggaan naar die jonge zwarte in het portiek en vaststellen of het Linus was.
Hij liep de straat uit, op zoek naar een taxi, uitkijkend naar de nadering van een lichtgevende gouden kubus, het meest welkome van alle lichten op straat. Arm in arm, als een bezadigd echtpaar, kwamen Robin Chisholm en Maeve Kirkland hem tegemoet.
Hun aanwezigheid daar was natuurlijk minder verrassend dan de zijne. Zij woonden maar één straat verder. De King's Road was hun dorpsstraat. Guy verwachtte dat ze zouden doen of ze hem niet zagen, zoals toen in het park, of dat ze midden op straat ruzie zouden zoeken. Hij zette zich al schrap en zag hen met starre ogen naderbijkomen. Ze hadden zich voor de gelegenheid weer eens in tweelingpakjes gestoken. Misschien was dat een kenmerk van hun betrekkingen. Deze keer identieke roze shirts, alleen de spijkerbroeken waren verschillend. Die van haar van geruwde zwart-bruine denim, die van hem stonewashed blauw. Het was Robin niet aan te zien dat hij op het nippertje aan een ernstig ongeluk was ontsnapt en zijn oog was niet

meer verkleurd. Guy moest zich weerhouden zijn hand naar zijn wang te brengen, waar het vage spoor van een nagel nog zichtbaar was.
Beiden grijnsden van oor tot oor. 'Vergeven en vergeten, ouwe jongen?' zei Robin.
Guy had nooit iemand onder de zestig een ander ouwe jongen horen noemen. 'Hoe gaat het,' zei hij en ter wille van de beleefdheid: 'Fijn je weer op de been te zien.'
'O, ik kan iedereen weer aan.' Niet de meest gelukkige woordkeus, en Robin kennende was Guy er zeker van dat het een opzettelijke keus was geweest. 'En wat brengt jou naar deze afgelegen contreien?' zei Robin met zijn baritonstem. Zonder zijn antwoord af te wachten vroeg Robin hem bij hem thuis een borrel te komen drinken, in St. Leonard's Terrace.
Al die hartelijkheid verbijsterde Guy. Wat voerde Robin in zijn schild? 'Sorry, een andere keer graag, maar ik heb nogal haast.'
'Je hebt helemaal niet gevraagd waar Leonora is,' zei Maeve nogal hatelijk.
Dat was waar ook. Hij besefte dat hij het afgelopen uur niet één keer aan Leonora had gedacht. Dat moest een record zijn. 'Nee,' zei hij. 'Die zal wel in Portland Road zijn. Ik ga morgen met haar uit lunchen.'
'Nu Rachel er niet is, zit ze permanent bij William. Het had geen zin in haar eentje in de flat te blijven.'
Hij voelde een vlaag van opwinding. 'Hoezo, is Rachel dan weg?'
'Met vakantie, wist je dat niet?'
'Met vakantie?'
'Ja, vanochtend vertrokken. Met Dominique naar Spanje. Waarom kijk je zo gek, Guy? Ik heb het over Rachel, niet over Leonora.'
Er kwam een taxi langs. Guy riep hem aan, zei tegen de chauffeur hem in Bolton Gardens af te zetten, zei tot ziens en stapte in. Onder het wegrijden zag hij Maeves gezicht door de achterruit, haar mond een eindje open, hoofdschuddend. Dus Rachel was hem ontsnapt. Of liever: was Chuck ontsnapt. Rachel was

met vakantie met een van die intellectuele vriendjes van haar. Waar het op aankwam, was natuurlijk niet dat ze dood was, maar dat ze van het toneel was verdwenen. Nu dan, ze was van het toneel verdwenen.

De wind was opgestoken en het was niet warm meer. De herfst was in aantocht. Het beton van een portiek was koud en hard en drong genadeloos door dunne roetkleurige kleren heen. In Bolton Gardens stapte hij uit en liep de paar meter naar Old Brompton Road.

Er was niemand in het portiek. Linus – als het Linus was geweest – was vertrokken. Het enige bewijs van zijn vroegere aanwezigheid was een sigarettenpeukje, een heel kort stompje, veel korter dan de peuken die gewone sigarettenrokers overlaten. Guy raapte hem op en rook de zoetige ietwat bedwelmende lucht van marihuana.

15

Ze was laat. Hij zat aan hun grote ronde tafel in de hoek van de elegante zaal, vastbesloten niet weer op zijn horloge te kijken. Hij had zijn aperitief besteld en hij nam zich voor niet op zijn horloge te kijken tot zijn drankje gebracht werd. Hij had zich niet kunnen weerhouden een sigaret op te steken en dat haalde hem de afkeurende blik van een vrouw met een roze hoed op de hals. Guy dwong zich uit het raam te kijken.
De bestelde cognac kwam. Het was de sterkste drank die hij had kunnen bedenken, tenzij hij iets volledig buitenissigs bestelde zoals absint of Zubrovka. Die zou zelfs de Savoy niet in huis hebben. Hij keek op zijn horloge. Het was twaalf minuten over één. Hij had haar in geen dagen aan de telefoon gehad. Hun afspraak in de Savoy was nooit bevestigd. Hij dacht: ze komt niet. Ze zijn me te slim af geweest, ze hebben haar naar Newtons huis gebracht, ze zullen haar nooit meer met me laten praten. Ik wacht tot twintig over één. Als ze er om twintig over één nog niet is... ja wat dan? Wat moet ik dan?
Naar Georgiana Street gaan, dacht hij. Haar zoeken. Hij had haar sedert hun treffen in Lamb's Conduit Street, afgelopen dinsdag, niet meer gesproken. Dat was vier dagen. Hij had door moeten zetten, hij had haar al eerder te pakken moeten krijgen. Ze kon overal zijn, ze kon met Rachel naar Spanje zijn. Hij ving de blik van de kelner en bestelde nog een glas cognac. Ze kwam natuurlijk niet meer. Hij wist dat ze niet meer zou komen. Hij keek op zijn horloge. Het was tweeëntwintig minuten over één.
Het tweede glas cognac was bijna op toen de kelner haar naar zijn tafel kwam brengen. Guy sprong op. Vergeten was de ellende van het lange wachten. Ze zag er prachtig uit. Bij wijze van uitzondering had ze zich opgedoft, voor zijn plezier en voor deze bijzondere gelegenheid.
Misschien wel niet bij wijze van uitzondering. Misschien wel

voor altijd. Het maakte deel uit van de ommekeer, van haar terugkeer naar hem. Vergeten waren de onbeantwoorde telefoontjes, vergeten de dagen van stilzwijgen. Ze droeg een linnen pakje. De korte rok was warm donkerblauw, maar geen marineblauw. Het lange aangesloten hoog dichtgeknoopte jasje had een soort schootje en donkerblauw met donkerroze brede verticale strepen. Ze had de mouwen omgeslagen om de roze-en-blauw gestippelde voering te tonen. Ze droeg een lila panty en blauwe suède schoenen, en haar oorbellen waren donkerrode glazen roosjes.

Haar haar glansde en was zo te zien net geknipt, en voor de verandering door een vakman. Haar gezicht glansde, zodat hij heel even dacht dat ze zich had opgemaakt. Ze kuste hem, eerst op de ene en toen op de andere wang. Niets bijzonders dus.

'Sorry dat ik laat ben. Er was iets met de ondergrondse.'

Wat kon hem de ondergrondse schelen! Haar idiote manier van reizen ook. 'Schat van een Leonora,' zei hij. 'Wat ben je mooi! Ik wil dat je er altijd zo uitziet.'

'Dat heb je aan mijn moeder te danken. Die zei dat je niet in spijkerbroek naar de Savoy kunt. En ik had dit pakje net gekocht en dacht: waarom ook niet?'

'Jouw moeder wilde dat jij je mooi maakte voor je lunch met mij?'

Ze glimlachte haar ingetoomde lachje met de afgeremde mondhoeken. 'Als mijn moeder haar zin kreeg, dofte ik me op voor een lunch met wie dan ook.'

Dat kon hij maar beter door de vingers zien. 'Toe, drink vandaag eens iets lekkers,' zei hij. 'Bederf het nu niet met sinaasappelsap.'

'Oké. Sherry dan maar. Nee, geen droge, zo'n heerlijke donkerbruine stroperige Bristol Cream.'

'Dus jij bent verhuisd naar Georgiana Street,' zei hij.

Ze begon uit te leggen waarom. Hij vertelde haar over zijn ontmoeting met Maeve en Robin. De ogenschijnlijke wapenstilstand, de detente, tussen hem en haar broer deed haar kennelijk veel deugd. Ze stak haar hand naar de zijne uit en drukte die.

Nee, vlees at ze niet, zelfs niet voor zijn plezier. Ze nam vis. Kreeft? opperde Guy. Daar rilde ze van, maar ze had wel oren naar tong. Eerst creoolse garnalen, dan tong met gebakken aardappels – waarom niet? – en groente in plaats van een 'salade'. Een behoorlijke maaltijd, zei Guy. Hij was verrukt. Hoewel het nooit bij hem was opgekomen haar over Linus te vertellen, deed hij dat nu toch. Herinnerde ze zich Linus nog?
'Natuurlijk. Die mocht mij niet. Dat zal ik nooit vergeten, die eerste ontmoeting ergens op straat, Talbot Road of zo, toen jij zo aardig tegen me deed en ik een trekje van jouw stickie mocht... Hoewel, God weet dat je dat nooit had moeten doen, Guy... En toen spoog Linus in de goot.'
Ze wist het allemaal nog. Ze herinnerde zich hoe hij die eerste keer was geweest. Zijn hart liep vol. 'Er lag nog een peuk van een stickie in dat portiek,' zei hij.
'Hij heeft me nooit gemogen,' zei ze weer. 'Zonder reden. Hij was gewoon een van die homo's die niets in vrouwen zien.'
'Linus was geen homo.' Hij stond verstomd over de dingen die zo nu en dan bij haar opkwamen, over de gelaagdheid van haar gedachtenwereld, over de dingen die in haar omgingen. 'Hoe kom je daar nu bij? Hij had immers een vriendin, die Sophette? Die was oud genoeg om zijn moeder te zijn, maar het was zijn vriendin.'
'Zie je wel,' zei Leonora met een lachje. 'Weet je zeker dat die man in het portiek Linus was?'
'Bijna.'
'Beter maar helemaal zeker weten, voordat je iets onderneemt.'
Ze at haar garnalen met smaak. Ze liet niets over van de tong en maar weinig van de aardappels. Ze bedankte voor een tweede glas sherry maar deed mee met een fles Frascati. Hij moest een tweede bestellen.
'Guy,' zei ze op ernstige toon, 'het is erg aardig van je, ontzettend aardig dat je Linus wilt helpen, als hij het echt geweest is en aan lagerwal is geraakt. Maar ik vind dat je niet mag vergeten dat Linus een pusher was. Hij handelde in gevaarlijke verdovende middelen. Zo kwam hij aan de kost. Waarschijnlijk heeft hij

zijn misère te danken aan zijn eigen verslaving. Heb je daar wel eens bij stilgestaan?'
Hij moest zich beheersen om haar niet aan te gapen. Wist zij dan van niks? Wist ze dan niet dat wat voor Linus opging ook voor hem gold?
'Het zou een beetje hard zijn te zeggen dat het zijn verdiende loon is, maar je kunt wel zeggen dat het zijn eigen schuld is.'
'Dus dan laten we hem maar in de goot liggen? Van wie heb je dat soort ideetjes? Van Newton?'
'Jij projecteert jezelf op Linus. Daarom komt het zo hard aan. Je ziet jezelf in hem, de jongen die om de een of andere reden ontspoord is. Niet door armoede of misdaad, dat bedoel ik niet, maar door iets anders. Jullie zaten op één golflengte, zie je, dezelfde leeftijd, min of meer dezelfde achtergrond, en eens dezelfde manier om aan de kost te komen.'
'Het is of ik Rachel hoor praten.'
Ze gaf hem geen antwoord.
'Wat weet je van de manier waarop ik de kost verdien, Leonora?' vroeg hij nadrukkelijk.
Ze zei onschuldig: 'Dat je marihuana verkocht hebt, of niet soms? Dat heb ik altijd geweten.'
Het moment ging voorbij, de paniek. Ze dronk nog een glas wijn, wilde niet meer, maar was in haar opwinding wel te vinden voor een dessert, een soort beeldhouwwerk bestaande uit vliesdunne spiralen en bloemblaadjes in witte, melk- en pure chocola. Het kiezen en de komst van het dessert zorgden ervoor dat ze van onderwerp veranderden. Hij begon te denken aan de twee weken die haar nog van het huwelijk scheidden, dat huwelijk waarvan men zei dat het zou plaatsvinden op zestien september, op de kop af over twee weken. Daar zou natuurlijk niets van in komen, maar...
'Ik heb je de hele week niet aan de telefoon kunnen krijgen,' zei hij.
'Nee, ik weet 't. Ik vind 't écht heel vervelend. Maar van nu af aan ben ik permanent in Georgiana Street.' Ze glimlachte naar hem, het hoofd een tikkeltje scheef. 'Ik moet echt zo nu en dan de deur uit, weet je.'

'Ben je nu definitief weg uit de flat in Portland Road?'
'Het ziet er wel naar uit. Maeve is vertrokken, Rachel met vakantie, dus wat zou ik daar nog naar teruggaan? We lenen hem trouwens aan Janice en Gerry voor de duur van hun verblijf hier. Het is prettiger een eigen onderdak te hebben dan bij pap en Susanna te logeren. Als Rachel terug is, gaan we samen naar de notaris en wordt het helemaal van haar.'
Toen ze klaar waren met eten wandelden ze samen naar de Embankment. Hij pakte haar hand en ze liet hem begaan. Hij had de woorden in zijn hoofd en wilde ze zo graag tot uitdrukking brengen, maar hij durfde niet. Ze waren al in zijn mond en wachtten op zijn stem. Ze praatte over de Theems en de bootjes. De week tevoren was er een ongeluk gebeurd met een rondvaartboot, de ergste ramp op de rivier in meer dan honderd jaar. Vijftig mensen verdronken. Met een huivering vroeg ze zich af hoe je je zou voelen als je onder het dek opgesloten zat.
En toen zei hij, omdat hij tot stikkens toe vol woorden zat, zodat ze uit zijn mond barstten: 'Con Mulvanney... die naam... zegt die jou iets?'
Onschuldige ogen, een niet-begrijpende milde blik. 'Nee, niets. Nooit van gehoord. Hoezo, Guy?'
'Dat was een man die LSD nam en doodgestoken werd door bijen.'
'O ja.' Hij zag dat er iets bij haar daagde, en zijn hart tuimelde. 'Ja, daar heb ik wel van gehoord. Een hele tijd geleden. Ik heb nooit geweten of het waar was.'
'Het wás waar.'
'Tja, wat moet ik nu zeggen? Wilde je daar met mij over praten?'
'Hij heeft me om dat spul gesmeekt. Ik wilde het hem helemaal niet geven. Maar naderhand was ik nergens meer. Leo, lieve schat, ik schaamde me zo. En jij mocht het nooit te weten komen, want ik wist hoe het ons tweeën dan zou vergaan. Wat jij van mij zou denken.'
'Ik wist dat er een reden moest zijn voor jouw handelwijze,' zei ze. 'Het maakte geen verschil.'

'Maakte het geen verschil?'
'Wat mijn gevoelens voor jou betreft.'
Hij nam haar in zijn armen. Ze stond tegen een ronde gladde stenen zuil en hij sloeg zijn armen om haar heen en zoende haar. Dat soort zoenen was er in geen jaren tussen hen gewisseld, in geen vijf, zes jaar. Het was een lange, zalige zoen met geopende lippen waarbij de tongen elkaar vonden, van het slag dat aan het echte vrijen voorafgaat, niet een zoen voor een tochtige hoek bij de rivier waar mensen voorbijkomen en een boot op het water lang en uitdrukkelijk zijn sirene laat loeien.
'Ik hou van je, Leonora,' zei hij. 'Ik heb altijd van je gehouden. Ik zal tot mijn dood van je houden. Kom bij me terug. Ik weet dat je eens bij me terug zal komen. Kom nu.'
Eindeloos triest zei ze: 'Het is te laat, Guy.'
'Waarom te laat? Het is nooit te laat. Ik hou van jou en jij houdt van mij en je weet dat je dat krankzinnige huwelijk, dat belachelijke huwelijk, niet zult doorzetten. Zie je dan niet dat je jou en mij op misdadige manier te kort zou doen als je met die man trouwt? Maar ik weet dat je het niet zo ver laat komen. Ik weet dat je van me houdt. Je hebt het bewezen. Ik weet dat je nog steeds van me houdt.'
'Laten we doorlopen, Guy.'
Ze wandelden over een pad van het Victoria Embankment-plantsoen. Het was koel en winderig en het water van de rivier vertoonde grijze golfjes.
'Beloof me dat je me op dit punt niet onder druk zult zetten,' zei ze. 'Het is al moeilijk genoeg voor me. Het is toch al moeilijk genoeg.'
'Lieve schat, ik zal niets tegen jouw zin doen. Ik zal alles doen wat je vraagt. Je maakt me zo gelukkig!'
'Je hebt er wel een handje van nogal door te drammen, Guy. Je weet van geen ophouden. Maar dat is nu afgelopen. Je zult het niet op de spits drijven, afgesproken?'
'Nu ik weet dat je van me houdt, ben ik zo gelukkig dat ik er geen woord meer over zal zeggen.'
'Kom woensdag bij ons eten,' zei ze. 'Doe je dat? Bel me morgen

en maandag en dinsdag en kom dan woensdag bij ons eten om een uur of halfacht.'
'Eten om halfacht?' zou hij tegen ieder ander hebben gezegd. Gewone mensen eten thuis om zes uur warm, en vroeger bij zijn moeder thuis mocht hij blij zijn als hij een avondbóterham kreeg. 'Wie zijn ons?' vroeg hij.
'William en ik natuurlijk. Guy, het is Williams flat. Dat is toch redelijk? Wees áárdig.'
'Ik zal aardig zijn. Ik zal er zijn. Dan zie ik je twee keer in één week. Waar gaan we volgende zaterdag lunchen?'
Ze lachte. 'Daar hebben we het woensdag wel over.'
Na het afscheid nam hij geen taxi. Hij liep. Ze had hem bij het afscheid opnieuw gezoend, een warme tedere liefhebbende zoen. En nu was hij weer alleen. Ze had tegen hem gezegd dat ze van hem hield, dat niets daaraan kon afdoen, ze was weer van hem gaan houden. Ja, ze had ook wel gezegd dat het te laat was om naar hem terug te gaan, maar daar meende ze niks van. Ze dacht waarschijnlijk dat hij haar eigenlijk niet meer moest, na haar ontrouw, maar dan had ze het mis, faliekant mis.
Onder het wandelen langs de Embankment bedacht hij dat mensen in hun omstandigheden, die na een scheiding weer bij elkaar waren gekomen, na zo'n nieuw begin vermoedelijk samen naar huis zouden gaan. Het had voor de hand gelegen dat Leonora nu met hem naar huis gegaan zou zijn. Maar hij begreep waarom dat in haar geval niet ging. Had ze niet gezegd dat het al moeilijk genoeg voor haar was? 'Het is toch al moeilijk genoeg,' had ze gezegd. Niets had duidelijker kunnen bewijzen hoe haar familie haar onder druk zette om bij William Newton te blijven. Ze hadden hem voor haar gevonden, hen bij elkaar gebracht en nu heulden ze samen om haar aan die man te binden.
Het was zo klaar als een klontje dat die mensen pas tevreden zouden zijn als dat huwelijk op de zestiende veilig en wel achter de rug was. Net zo'n koninklijke familie uit de geschiedenis of uit een sprookje: de prinses werd opgesloten in de toren tot ze zei dat ze met... de rooie kobold zou trouwen. Hij moest innerlijk lachen bij die voorstelling van zaken. Maar even later werd

hij toch weer boos, boos om háár, omdat ze haar zo ongelukkig hadden gemaakt, zijn mooie lief die 'het al moeilijk genoeg vond', omdat ze gedwongen werd te trouwen met een man van wie ze niet hield.
Het begon te regenen en hij riep een taxi aan. Thuis in Scarsdale Mews zou hij onmiddellijk zijn agenda raadplegen om te zien of hij woensdag iets om handen had wat hij zou moeten uitstellen. Niets – op woensdag. Even kon hij zijn ogen niet geloven, en toen moest hij wel of hij wilde of niet. Hij wist het weer.
Het plan was dat hij die maandag met Celeste naar Stratford-on-Avon zou rijden, voor haar verjaardag, en naar het Shakespeare Memorial Theatre gaan, om die nacht over te blijven in de Lygon Arms in Broadway. Het plan? Hij had al kaartjes, had het hotel al besproken. Ze had zich heel goed gehouden vorige vrijdag, toen hij haar in de kou had laten staan. Hij kon haar zoiets niet nog eens aandoen. Bij de herindeling van de komende dagen begon hij met het telefoonschema voor Leonora. Maandag zou hij haar voor hij wegging waarschijnlijk wel kunnen bereiken, en dinsdag kon hij haar vanuit het hotel bellen.

Zondagnacht bleef Celeste bij hem slapen. Ze kwam in de late namiddag net toen hij klaar was met zijn telefoongesprek met Leonora.
Het moest een kleurloos en nogal onbetekenend gesprek blijven vanwege de aanwezigheid van Magnus en Tessa. Leonora was die dag in Portland Road om haar persoonlijke spullen in te pakken, zei ze, dan konden haar moeder en stiefvader die meenemen in de auto en in hun garage opslaan. Dat gaf Guy de bevredigende gedachte dat ze, als ze inderdaad van plan was met Newton te trouwen, die spullen naar zijn flat zou laten brengen.
'Lieve schat,' zei hij, 'ik had de hele zwik met alle plezier hiernaartoe gereden. Waarom heb je niks gevraagd?'
Hij begreep wel dat ze zich, zolang Tessa in de buurt was, op de vlakte moest houden, en zich beperken tot een gezellig praatje. Tessa die natuurlijk in haar nek brieste en ieder woord registreerde om ze haar naderhand onder de neus te wrijven. Hij zag

haar voor zich, dat mens dat als een wandelende tak door het huis schoot, uitgerekend nu weer dit van de plank achter Leonora pakkend, dan weer dat, terwijl die stond te telefoneren. Hij zág de pezige bruine handen, de bottige handen van een geraamte met hun droge leren huid en de nagels gelakt tot zilveren dolken, en het kleine hoofd met het opgekamde donkere haar op die nek als van een ondernemende schildpad die zijn kop uitsteekt.
'Ik moet voor zaken de stad uit, Leo,' zei hij. 'Even maar, morgen en dinsdag.' Dat was niet waar, maar dit was niet het moment om haar te bekennen dat hij met een andere vrouw naar een hotel ging. Daarover te liegen, dacht Guy cryptisch, was alleen verkeerd als hij het fijn had gevonden er met Celeste tussenuit te knijpen. 'Maar ik bel je wél. Ik zorg wel in de buurt van een telefoon te zijn.'
Pas de volgende ochtend in alle vroegte, toen hij met Celeste naast zich wakker werd, begon hij zich te herinneren wat Leonora tegen hem had gezegd over Con Mulvanney. Haar zoen, haar verzekering dat ze al die tijd van hem had gehouden, haar veelzeggende onthullingen van hoe ze onder druk stond – dat alles had haar eenvoudige uitlatingen uit zijn hoofd gebannen. Hij had er zelfs niet aan gedacht toen hij haar gistermiddag door de telefoon had gesproken. Maar nu kwamen ze weer bij hem boven, in de donkere kleine uren als de paniek toeslaat. Hij zag op de lichtgevende wekker dat het halfvijf was.
'Daar heb ik van gehoord,' had ze gezegd, 'een hele tijd geleden. Ik heb nooit geweten of het waar was.'
Ze had ervan gehoord. Hij had er nooit echt aan getwijfeld, hij had nooit bewijs nodig gehad, maar nu was zijn overtuiging bekrachtigd. Waarom had hij haar niet gevraagd van wie ze het had? Omdat hij zo in de zevende hemel was door wat ze daarop gezegd had dat het allemaal niks uitmaakte. Trouwens, hij wist het toch? Ze had het van Rachel. Rachel die met vakantie in Spanje zat met een gozer die Dominique heette. En dat had wél uitgemaakt! Rachel was nog maar nauwelijks uit de invloedssfeer rond Leonora verdwenen, of Leonora was terug in zijn armen.

Maar tot zijn verdriet moest hij wel vaststellen dat ze op dat ogenblik niet in zijn armen lag. Alleen een stomme oen zou haar niet gevraagd hebben waarom ze Newton niet eenvoudigweg liet stikken, in een taxi stapte en naar hem toe kwam. Maar hij wist waarom ze dat niet zou willen. De druk en de dreigementen van haar familieleden waren nog te groot voor haar. Ze moest daarvan bevrijd worden, bevrijd door hem. Als er ook maar de kleinste kans op haar komst bestond, zou Celeste nu niet naast hem liggen, met het sabelzwarte haar over het kussen gewaaierd, de bruine schouders ontsnapt aan de witte geplooide tule van haar nachthemd. De vorige avond had hij geen aanvechting gehad haar dat fraaie kledingstuk uit te trekken, en zo was het al een tijdje. Wel een merkwaardig idee, vond hij, dat ze het nu nooit meer voor hem zou uittrekken.
Toen hij meende dat er van slapen niet veel meer zou komen tot de volgende nacht in een bed ergens in de Cotswold, zakte hij weg en sliep tot over achten. Celeste was al op zodat het bellen naar Leonora in theorie al moeilijk en in de praktijk helemaal onuitvoerbaar was. Voor tienen waren ze al op weg. In het restaurant waar ze lunchten, kon hij bij Celeste niet aankomen met het verhaal dat hij voor zaken naar Londen moest bellen. Die wist te veel en zou hem niet geloven. Ze was jarig en had het naar haar zin. Hij had haar zojuist een superlunch laten voorschotelen en haar een cadeautje beloofd: wat ze maar hebben wilde uit de duurste kledingzaak in Stratford. Ze zag eruit als een plaatje met dat mooie haar in een vlecht als een slakkenhuis boven op haar hoofd, en gestoken in een roomkleurig zijden broekpak en caramelkleurige blouse. Mannen draaiden hun hoofd, keken naar haar en vervolgens naar hem. Hij kon het niet maken nu naar Leonora te bellen en Celeste een leugen te vertellen, laat staan de waarheid.
Het was een opvoering van *Romeo en Julia.* Guy had zelden of nooit een stuk van Shakespeare op de planken gezien. Misschien wel eens op tv maar dan per ongeluk, nooit als echt toneelstuk.
'Jij dacht dat het saai zou zijn, of niet soms?' zei Celeste toen ze in de Jaguar stapten. 'Maar ik zag aan je dat je genoot. Je bent

zo'n jongen die alleen Shakespeare op school heeft gelezen, maar het nooit in het echt heeft gezien.'
'Ik herinner me niets van Shakespeare op school,' zei Guy.
'Liefje, dan werd het behandeld op de dagen dat jij de straten van Notting Dale onveilig maakte.'
'Kan wel wezen,' zei hij. 'Weet je waar dat stuk me aan deed denken?'
Ze gaf geen antwoord. Hij voelde haar zwijgen, warm in haar teleurstelling. Daarna leek ze een knoop door te hakken en zei: 'Nou?'
Het was hun verhaal, dat van hem en Leonora, de gelieven onder de druk van een ongunstig gesternte en van hun tirannieke familieleden. Hij had natuurlijk nooit iemand vermoord, maar in hun ogen wel: Con Mulvanney. Con Mulvanney was zijn – hoe heette hij ook weer? – zijn Tybalt. Op weg naar het zuiden bleef het verhaal hem bij, als een kleurenfilm. Dat tafereel in de boomgaard, en op het balkon waar hij zomaar de plaats van Romeo kon innemen en Leonora die van Julia. Hij wilde dat hij zich nog een beetje van de tekst herinnerde, hij wilde dat hij er met Celeste over kon praten. Iets in haar houding, de starre schouders, het bronzen profiel dat recht voor zich uit de duisternis in staarde, zei hem dat dat niet kon.
Het was middernacht toen ze de slaapkamer van hun hotel binnenstapten. De dag was voorbij en hij had Leonora niet gebeld. Hij had voortdurend verlangend uitgekeken naar een telefoon, zelfs in de pauze in de schouwburg had hij overwogen haar te bellen, Celeste even alleen te laten en een telefoon te zoeken, maar het was onmogelijk geweest. Het was niet de eerste dag die verstreken was zonder dat ze elkaar door de telefoon hadden gesproken. Allesbehalve. De vorige week had hij haar weliswaar bij Susanna thuis ontmoet, maar slechts één keer met haar gebeld. Maar dit was de eerste keer dat ze elkaar niet hadden gesproken, doordat híj verzuimd had te bellen.
Celeste verbrak haar zwijgzaamheid. Ze praatte over hun kamer, over het uitzicht dat ze de volgende ochtend zouden hebben. Maar de oude vertrouwelijkheid, de heerlijke wetenschap dat

hij, ook al hield hij niet van haar, toch alles tegen haar kon zeggen en dat ze elkaars gedachten deelden, was verdwenen.
Dat was verloren gegaan, dat had hij tenietgedaan, en het zou nooit meer terugkomen.
Wat maakte het uit? Liggend in zijn helft van de lits-jumeaux op een meter afstand van Celeste, bedacht hij dat hij haar in elk geval toch zou verliezen als hij en Leonora herenigd waren.

16

'Je hebt me gisteren niet gebeld.'
'Lieve schat, het spijt me. Maakte je je zorgen? Ik heb je toch niet ongerust gemaakt?' Guy was zo blij dat ze zich het uitblijven van zijn telefoontje had aangetrokken, dat hij niet in staat was de klank van opgewonden vreugde uit zijn stem te weren. 'Ik kon niet bij een telefoon komen. Het was gewoon onmogelijk. Ben je niet meer boos op me?'
'O, het híndert niet. Daar gaat het niet om. Ik bedoelde alleen maar dat het vreemd was, zo helemaal niets voor jou.'
Ze had natuurlijk thuis zitten wachten op zijn telefoontje. Zijn hart zong. Hij was volledig hoteldebotel alsof iemand in zijn hoofd een wilde dans uitvoerde. 'Jij hebt thuis zitten wachten op het rinkelen van de telefoon? Och, Leo.'
'Het was gewoon toeval dat ik thuis ben gebleven. Ik had geen reden om uit te gaan.'
Ach ja, maak dat je grootje wijs. Hij lachte bijna hardop. 'Leo, je moet me nog iets vertellen. Je weet wel waar we het zaterdag over hadden. Ik snap nog niet waarom ik het je toen niet heb gevraagd. Jij zei dat je alles wist van... nou ja, Con Mulvanney. Weet je nog?'
'Over wie?'
'Die man die doodging aan de bijensteken. Jij zei dat je daar alles van wist, dat je erover had gehoord en dat het een hele tijd geleden was. Het is inderdaad precies vier jaar geleden.'
'Ja,' zei ze, 'dat zal niet zoveel schelen. Ik woonde nog bij pap en Susanna. Dat was nog voor ik met Rachel in die kamer in Fulham Road trok.'
'Leo, van wie heb jij dat verhaal? Rachel heeft het jou verteld, waar of niet?'
'Rachel?'
Hij had er zo'n helder beeld van in zijn geest dat hij haar zijn

versie van de toedracht vertelde. 'Con Mulvanney woonde in Zuid-Londen, in Balham, net als de vrouw die bij hem was toen hij doodging. Ze was een soort maatschappelijk werkster en Rachel is ook maatschappelijk werkster in Zuid-Londen, en dus is het duidelijk hoe ze het haar heeft kunnen vertellen. Ze zei dat ze het aan iedereen zou vertellen...'
'Guy,' onderbrak ze, 'waar heb je het over? Weet je zelf wel waar je het over hebt? Want ik heb geen notie. Ik heb het van Susanna, die heeft het me verteld.'
De naam ontplofte in zijn oren. Susanna die hij als bondgenoot had beschouwd, de vrouw die van al Leonora's familieleden en vrienden het aardigst tegen hem was geweest – en zij was het die hem had verraden en die gezorgd had voor de verwijdering tussen hem en zijn lief. Dat had hij eerder moeten bedenken. Wat was hij toch een rund geweest!
'Ja, natuurlijk,' hoorde hij zichzelf stamelen. 'De moeder van Susanna woonde destijds in Earlsfield, en dat ligt oostelijk van Wandsworth, en dat grenst aan Balham, en daar heeft ze in het ziekenhuis gelegen.'
'Guy, ik snap echt niet wat je bedoelt. Je hebt het helemaal mis. Susanna's moeder heeft er niets mee te maken. Ik zal het je dan maar vertellen, hoewel ik mezelf beloofd had dat nooit te zullen doen.'
'Mij wát vertellen?' Hij deed een schietgebedje.
'Er was een vrouw en die schreef Susanna een brief... Nou ja, ze schreef aan Susanna en mijn vader, ik bedoel de heer en mevrouw Chisholm, je weet wel. Ik was thuis toen die brief kwam. Ze zal wel gedacht hebben dat zij mijn ouders waren, nou ja, dat Susanna mijn moeder was. Ze schreef hun om hen voor jou te waarschuwen, voor mijn bestwil, bedoel ik. Guy, wat moet dit allemaal? Wat kan het schelen? Ik heb je toch gezegd dat het geen verschil maakte? Ik moet weg, we praten al een halfuur.'
'Toe, nog niet ophangen, Leo, alsjeblieft. Voor mij is het heel erg belangrijk. Ik móét het weten. Wie heeft jouw ouders geschreven?'
'Pap en Susanna bedoel je.' Hij hoorde een groeiend ongeduld in

haar stem. 'Goed dan, ik zal het je in een paar woorden vertellen en dan moet ik weg. Ik heb je toch gezegd dat het wat mijn gevoelens voor jou betreft niets uitmaakte, en dat moet je van me aannemen. Die vrouw heette Vasari. Dat weet ik nog omdat ze net zo heette als de man die over kunstenaarslevens heeft geschreven.' Daar had hij nog nooit van gehoord. Hij kon er geen touw aan vastknopen. 'Vasari,' zei ze, 'Polly of zoiets. Ze schreef om hun te vertellen dat ze mij niet met jou mochten laten trouwen. En ik was nota bene tweeëntwintig! Ze moesten een stokje voor ons huwelijk steken want jij was staatsvijand nummer één en jij had haar vriend van verdovende middelen voorzien. Iets in die trant. Susanna had de brief opengemaakt omdat hij aan beiden was geadresseerd, en pap naar zijn werk was.'
'En zij heeft het jou zomaar allemaal verteld?'
'Ik was erbij toen ze die brief openmaakte. Allicht dat ze hem mij liet zien. Hoor eens, bel me later nog een keer als je daar behoefte aan hebt. Ik moet nu echt weg.'
Hij zei dat hij haar om zeven uur zou bellen. Tot dan, zei ze snel en ze hing op. Hij zuchtte. Het ophelderen van de geheimen van het verleden en het heden voerde alleen maar tot nieuwe verwarring. Het was natuurlijk geen kunst na te gaan hoe Poppy Vasari zijn omgang met Leonora te weten was gekomen, en wie Leonora was. In die dagen brachten ze veel tijd samen door en kwam hij om de haverklap in Lamb's Conduit Street. Ze had hem natuurlijk gevolgd, had de naam op de deur gezien. Wat moest dat haatdragende mens genoten hebben toen ze de brief schreef die zijn leven zou bederven!
En Susanna, die verraadster, die adder onder het gras... Ieder behoorlijk mens met enig benul van trouw zou zo'n brief na het lezen van de eerste regel toch zeker vol walging weggegooid hebben? Het soort vrouw waar hij Susanna voor gehouden had, zou er geen woord van geloofd hebben, laat staan het – op staande voet nog wel – aan het meisje hebben laten lezen die in die brief voor hem werd gewaarschuwd. Vooral dat schijnheilige maakte hem zo boos! Als het Tessa was geweest, was het niet zo erg geweest. Die had nooit gedaan of ze hem mocht; die had haar af-

keer voor hem nooit onder stoelen of banken gestoken. Hij dacht aan Susanna's vriendschappelijke raadgevingen, haar judaskussen.
Om zeven uur belde hij Leonora weer. Hij verwachtte Newton aan het toestel te krijgen en zette zich al schrap voor de getergde, hooghartige stem van de man – hij moest per slot van rekening morgen de avond bij hem doorbrengen – maar Leonora beantwoordde de telefoon.
'Kan hij horen wat je zegt?' vroeg hij.
'Als je het over William hebt, die is niet thuis. Die is de hele dag naar Manchester en nog niet terug.'
'Is hij morgenavond terug?'
'Ja, allicht. Hij komt vanavond thuis. Hij kan elk ogenblik binnenkomen.'
'Leonora, vertel me eens wat meer over de brief die Poppy Vasari aan Susanna schreef.'
'Och verdorie, ik wilde dat je dat nou maar vergat. Had ik je er maar nooit over verteld. Je zoekt er veel te veel achter. Die Poppy... heet ze zo?... Vasari schreef pap en Susanna een brief waarin ze zei dat jij de kost verdiende met het verhandelen van verdovende middelen. Ik geloof dat ze ze aanduidde met klasse A-middelen. Ze zei dat jij een hallucinogene pil, zo noemde ze het, had gegeven aan die Mulvanney en dat die de kluts was kwijtgeraakt en zijn hoofd in een bijenkorf had gestoken. Nou ja, dat had allemaal ook al in de kranten gestaan. Verder was er een fotokopie bijgesloten van het krantenverslag van de lijkschouwing. Susanna liet het me lezen, of liever, ik las over haar schouder met haar mee. Ze zei dat ze pap er waarschijnlijk buiten zou houden. Ze was erg overstuur.'
'Wat heb jij tegen haar gezegd?'
'Ik zei dat het waarschijnlijk laster was, als je het weten wilt, dat soort dingen in een brief te zetten.'
'Heeft ze het je vader nog verteld?'
'Ik weet het niet. Ik heb het niet gevraagd en hij is er nooit over begonnen. Maar ze heeft het wel aan Magnus verteld.'
'Wát?'

'Toe, Guy, wind je niet zo op. Ze heeft het Magnus verteld omdat hij jurist is. Ze belde hem op zijn kantoor en vroeg hem wat je met een dergelijke brief moest doen. Ik denk dat ze bedoelde of ze de politie moest waarschuwen.'
'O jezus, jezus,' zei Guy.
'Maak je nou maar niet dik. Magnus zei dat ze hem het beste kon verbranden. Hij zal wel gedacht hebben dat het een anonieme brief was, hoewel hij wel getekend was.'
'En toen heeft die ouwe doodskop jouw moeder natuurlijk ingelicht.'
'Misschien. Ja, ik denk het wel. Mijn moeder en ik hebben het er nooit over gehad. Ik wou dat je Magnus niet zo noemde. Met Susanna heb ik er geregeld over gepraat. Die heeft behoorlijk veel begrip, zie je. Ik heb haar verteld dat wij vroeger allemaal wel eens een stickie rookten en ze zei dat zij dat ook wel gedaan had, en ik zei dat ik dacht dat jij in je jonge jaren wel gedeald had. Dat kwam door het milieu waar je vandaan kwam en door de mensen met wie je omging. Je vindt het toch niet erg dat ik dat zei, Guy?'
'Ik vind niks erg wat jij zegt.'
'Het enige wat Susanna zei, was dat het misschien erg geweest zou zijn als ik serieus overwoog met jou te trouwen, maar dat deed ik niet.'
'Zei ze dat?'
'Het had geen zin ons er verder in te verdiepen. Het maakte geen verschil wat mijn gevoelens voor jou betrof. Guy, je wéét hoe ik tegenover jou sta. Dat heb ik je vaak genoeg gezegd. Wacht, ik hoor William thuiskomen. We zien elkaar morgenavond, oké?'
'Ik bel je morgenochtend vroeg.'
'Nee, doe dat maar niet. Dan ben ik niet thuis. Tot morgenavond, halfacht.'
Hij ging met Bob Joseph eten en de man die aan het hoofd stond van een Spaanse hotelketen. Ze hadden afgesproken in een restaurant in Chelsea, niet ver van het eethuisje waar hij gegeten had op de dag dat hij die zwerver had gezien, de man die al dan niet Linus was. Guy liep richting Old Brompton Road.

Wat had Leonora bedoeld met dat 'dan ben ik niet thuis'? Ze was nu immers thuis? Waar kon ze in 's hemelsnaam naartoe? Toen ging hem een licht op. Morgen was het zes september en waarschijnlijk de eerste schooldag. De kinderen moesten morgen weer naar school. Ze ging naar haar werk.
Maar ho eens even! 't Was toch wel een beetje eigenaardig weer voor de klas te gaan staan als je van plan was binnen veertien dagen te trouwen en veertien dagen vakantie op te nemen. Dat deden onderwijzers niet. Van onderwijzers werd verwacht dat je in de grote vakantie trouwde en op huwelijksreis ging. Ach natuurlijk, daar kon je maar één ding uit opmaken: dat ze helemaal niet ging trouwen. Ze was nooit echt van plan geweest te trouwen. Het was pure fantasie. Was het misschien geënsceneerd om hem jaloers te maken? Dan waren ze daar goed in geslaagd! Hij lachte in zichzelf. Echt weer iets voor een vrouw.
Hij sloeg de hoek van Earl's Court Road om en begon naar Linus uit te kijken. In een portiek, maar niet het portiek van de reformwinkel, lag een man te slapen, als een embryo ineengedoken, zijn hoofd en gezicht onder een krant. Guy dacht dat het dezelfde man was, maar wist het niet zeker. Hij kon het niet over zijn hart verkrijgen de man wakker te maken. Het nieuw gerezen inzicht in Leonora en haar namaak- of droomhuwelijk had hem zo gelukkig gemaakt, zoveel nieuwe moed gegeven, dat zijn belangstelling voor Linus even op de achtergrond raakte. Hij kon trouwens toch niets uitrichten. De krant oplichten en het gezicht van de slaper bekijken vond hij een schandalige inbreuk, een staaltje van ongevoelige brutaliteit. Dit was kennelijk Linus' stek. Hij zou hem wel terug weten te vinden.
Hij nam de langsrijdende taxi. Hij dacht met walging aan Susanna, in die flat van hen, met haar bekakte zwarte broek en hesje aan. Hij zag haar glimlachend over de balustrade gebogen en liep achter de uitnodigende verschijning aan de zitkamer in. De kaart met het zilveren randje stond op de schoorsteenmantel. Het was waarschijnlijk de aankondiging van het huwelijk van iemand anders. Ja, zo zat het natuurlijk. Het was al achter de rug en de kaart was achterhaald, en dus had Janice hem weggehaald

en bij het oude papier gegooid toen ze thee ging zetten. Die verklaring bevredigde hem volledig.

Bloemen, bonbons, wijn, of een echt cadeautje? Hij had haar nooit zien snoepen: ze was een echte gezondheidsrakker. Bloemen moesten in het water gezet worden en dat betekende dat ze hem alleen zou laten met Newton. Een echt cadeautje kwam voor haar neer op een sieraad, oorbellen bijvoorbeeld, en hij besefte dat dat misplaatst zou zijn, overdreven, protserig. Want, hoe onbelangrijk William Newton ook was, niet meer dan een ledenpop of een marionet waarvan Anthony en Susanna de touwtjes bedienden, het was zíjn huis. Hij leefde ongetwijfeld nog steeds in de waan dat Leonora met hem verloofd was, ja dat ze zaterdag over een week met hem zou trouwen. Guy dacht niet dat hij Leonora in het bijzijn van Newton een stel oorbellen van zeg driehonderd pond kon geven.
Hij stelde zich tevreden met een fles champagne. Eén fles Piper Heidsieck. Moest hij een pak aan? Hij kon zich niet voorstellen dat Newton ook maar een pak bezát. Misschien was een modieuze spijkerbroek met trui beter. Het zag er niet naar uit dat het warm werd. Guy besefte dat hij tegen die avond opzag alsof hij nooit eerder uit eten was gevraagd. Zouden er nog anderen komen? Kon hij haar maar bellen. De gedachte speelde hem door het hoofd dat hij haar die avond voorgoed aan Newton zou ontfutselen, dat hij haar onder zijn neus zou wegkapen, het meewerkend voorwerp van de rover die haar voor altijd mee naar zijn huis nam.
De slaap van die nacht had zijn woede gekoeld. Hij had niet meer het gevoel dat hij van Susanna walgde. Hij gaf haar de schuld van alles; hij wilde haar nooit meer zien. Als hij haar op straat was tegengekomen, dan had hij het hoofd afgewend, maar zijn haat was verdwenen. Ze had tenslotte in haar opzet gefaald. Ondanks haar wraakzucht was het haar niet gelukt Leonora tegen hem op te zetten. Leonora had zelf gezegd dat het geen verschil had gemaakt. Susanna had op onvergeeflijke manier in zijn leven geroerd, maar haar bemoeizucht hinderde niet meer, had

nooit gehinderd, was gewoon van geen enkel belang.
Ja, zijn ontdekking bracht wel verandering in de toestand. Rachel, die was aangewezen als Chucks slachtoffer, ging kennelijk vrijuit. Rachel had nooit een woord gewisseld met Poppy Vasari, had zelfs nooit van haar gehoord, Rachel was nooit iets ter ore gekomen over zijn activiteiten als dealer, dus verdiende Rachel het niet te sterven. Maar Guy, die anders geen lafaard was, zag ertegenop Danilo daarvan op de hoogte te brengen. Danilo had hem immers de wind van voren gegeven toen hij zich wat Robin Chisholm betrof bedacht had, en hij aarzelde hem te bellen om hem te zeggen dat hij zich wat Rachel betreft ook had vergist.
Hij kon niet eens zeggen: vergeet Rachel Lingard... Susanna Chisholm moet ik hebben. Hij moest Susanna helemaal niet hebben, hij wilde Susanna niet dood, hij wilde gewoon nooit meer een woord met haar wisselen. Terwijl hij zich verkleedde voor het etentje die avond en ten slotte tot een witlinnen broek besloot – de zon was doorgekomen – met een zwartzijden overhemd en een crème-met-zwartzijden pullover met V-hals, kwam Guy tot de slotsom dat het althans voorlopig niet nodig was iets tegen Danilo te zeggen. Rachel zat tenslotte in het buitenland veilig in een of andere Spaanse badplaats. Dat wist Chuck waarschijnlijk ook. Die wist althans dat ze er niet was en die zou niets ondernemen vóór vijftien september, de dag van haar thuiskomst.
Voordat hij wegging, nam hij een straffe borrel en daarna nog één. Die had hij nodig, want in Georgiana Street zou het misschien maar een schrale boel zijn. De taxi wachtte terwijl hij een drankwinkel binnenging om de champagne te kopen. Hij was aan de vroege kant. Hij liet zich afzetten bij Mornington Crescent om de rest van de weg te lopen, met de zware fles in lila vloeipapier onder zijn arm. En toch was het pas twintig over zeven toen hij arriveerde. De huizen daar hadden armzalige tuintjes, lapjes bruinig gras en stoffige struiken. Je moest een stoep op om bij de voordeur te komen want het huis had een souterrain. In het voortuintje van het huis waarin Newton woonde, stond een paal met een bordje van een makelaar waarop stond:

LUXEFLAT MET ÉÉN SLAAPKAMER en VERKOCHT OP VOORLOPIG KOOPCONTRACT.
Er waren vijf flats, op iedere verdieping één. Voordat Guy op de bel had gedrukt, had hij allang in de gaten wat dat 'luxe' van die makelaar voorstelde. Een badkamer met heuse tegels tegen de wanden, en een of andere vorm van centrale verwarming. Het stond hem maar matig aan dat Leonora hier woonde, in dit grauwe bakstenen huis waarvan het houtwerk hard aan een schilderbeurt toe was en in een achterafstraatje waar het zo te zien 's avonds best eens onveilig kon wezen.
Newtons stem vanuit het roostertje vroeg hem niet wie of hij was maar zei: 'Kom maar boven', en de buitendeur werd opengezoemd.
Hij moest twee steile trappen op. Alweer zo'n sjofel trappenhuis. Newton stond hem in het portaal voor zijn huisdeur op te wachten. Hij zei hoi en stak zijn hand uit. Na een korte aarzeling drukte Guy hem de hand. Hij was blij dat hij geen pak aan had. Newton droeg een spijkerbroek en een grijze trui met een gat in een van de ellebogen. Zijn vrij lange rode haar stond recht overeind als bij een punk, maar bij hem groeide het zo; er was geen haargel aan te pas gekomen.
Leonora was in de zitkamer en wist zich met haar figuur niet goed raad, dacht Guy. Misschien was het verlegenheid. En geen wonder in deze belachelijk grote kale kamer met zijn verrassend lage zoldering en zijn twee kleine schuiframen die op de grijze gevel aan de overkant uitkeken. Op weg naar boven had zijn hart zijn salto al gemaakt en hij liep zonder enige schroom naar haar toe alsof ze Celeste was. Ze gaf hem een kus, een vogelkusje. Maar dat lag voor de hand, want Newton stond erbij te kijken. Hij gaf hem de champagne.
'Nee maar, dát is feestelijk. Wat vieren we?' zei Newton.
Dat maakte Guy aan het glimlachen. Dat rooie mannetje was toch wel een echte hark! Guy voelde zich een autoriteit, meester van de situatie. Hij zei minzaam: 'Er zijn zoveel mensen die champagne als aperitief drinken, wist je dat niet? Er hoeft niks te vieren te zijn.'

'Wat je zegt. Dus dan kunnen we het met goed fatsoen nu meteen wel drinken?'
'Doe niet zo idioot, William,' zei Leonora ietwat gegeneerd, ofschoon Guy niet begreep wat er voor idioots aan die woorden was.
Hij gaf zijn ogen goed de kost. De meubels waren van het soort dat gegoede geslaagde burgers van middelbare leeftijd overdoen aan berooide jonge bloedverwanten. Hij verdacht het kleed ervan afkomstig te zijn uit een verkoping na een brand in een magazijn. Je zag zelfs een brandplek aan een van de hoeken. Aan de muur boven de Victoriaanse schoorsteenmantel van gietijzer en tegels met bloemmotieven – geen schoorsteenmantel die Newton bij een antiquair had opgediept, maar die tegelijk met de andere gammele voorzieningen moest zijn aangebracht rond 1895 – hingen de sabels.
Ze hingen gekruist op het punt dat Guy zich herinnerde als de 'bovenkling'. De ene was naakt, de andere stak in een versleten en nogal sjofele geborduurde schede. Ze deden Guy denken aan de droom over zijn duel met Con Mulvanney in Kensington Gardens waarbij hij hem door het hart had gestoken. Hij herinnerde zich dat Newton gezegd had dat hij van plan was ze te verkopen. Bij diezelfde gelegenheid, na de film, had hij iets gezegd over het verkopen van zijn flat.
'Is het deze flat die verkocht is?' zei hij net toen Leonora binnenkwam met drie glazen (een champagnefluit, een rijnwijnglas en een geval dat bedoeld leek om een halve grapefruit in op te dienen) op een blaadje. Guy had bijna aangeboden de fles champagne te openen, maar weerhield zich, omdat hij wilde zien hoe Newton er in het bijzijn van Leonora een puinhoop van zou maken.
Ze keek bezorgd en zag er niet op haar best uit. Geen spoor was er over van de elegante, modieuze jonge vrouw in het donkerblauw-en-roze pak, met die leuke kousen en schoenen aan. Het leven met Newton deed haar gewoon geen goed. Dat was een onontkoombare gevolgtrekking die iedereen zou maken. Die witte broek was alleen presentabel als hij pas gewassen was, en

dan die verschoten sweater... Haar haar werd achter op het hoofd bijeengehouden in zo'n walgelijke klip. De rode glazen roosjes vloekten belachelijk met de rest van haar plunje.
Newton opende de fles zonder er een puinhoop van te maken. Zeker zo'n probleemloze fles, dacht Guy. Die zaten er soms tussen.
Ze begonnen te praten over de verkoop van Newtons flat en Guy vroeg hem waar hij van plan was te gaan wonen. Hij vroeg waar *hij* ging wonen, maar Newton antwoordde: 'Ik denk dat we een huis zullen kopen.'
Guy negeerde dat 'we'. 'Je moet er niet te lang mee wachten. Vergeet niet dat je het best kunt investeren in onroerend goed. Zelfs als de huizenprijzen kelderen is het heel onverstandig je huis te verkopen en de opbrengst in iets anders te beleggen.'
'Ik zal het onthouden, Guy,' zei Newton.
Guy was goed op de hoogte van de huizenmarkt en hij praatte er nog een tijdje over door. Hij liet doorschemeren dat hijzelf verhuisplannen had, misschien wel een huis zou kopen aan de 'goeie' kant van Ladbroke Grove. Wat vond Leonora van Stanley Crescent? Naar hij gehoord had het buurtje waar tv-mensen woonden plus een wereldberoemde operazanger. Wat dacht ze van zo'n Italiaans aandoende villa van een miljoen in die toonaangevende straat?
William zei dat Leonora's oordeel waarschijnlijk niet van invloed zou zijn op de vraag of Guy al of niet kocht. Hij zei het op kille toon en Guy vroeg zich af of het tweetal voor zijn komst woorden had gehad. Leonora ging de laatste puntjes op de i van de maaltijd zetten en Guy veranderde van onderwerp. Hij had zich voorgenomen tactvol te zijn en zich netjes te gedragen zolang het kon.
'Het wordt al echt herfstachtig,' zei hij door het raam kijkend.
'Ja, de nachten worden al langer,' zei Newton.
Guy keek hem onderzoekend aan om te zien of hij hem zat te besodemieteren, maar niets daarvan. Newtons gezichtsuitdrukking was tegelijk ernstig en vriendelijk. Hij begon over de afgelopen zomer, de zonnigste van de eeuw.

Het eten stelde niet veel voor. Als je niet kunt koken, vond Guy, kun je beter gerookte zalm en een gebraden haantje kopen voor je gasten dan je aan zo'n wonderlijk vleesbrood te wagen. Hij vond het nog kwalijker toen Leonora hem vertelde dat er geen vlees in dat brood zat, maar dat het puur sojabonen met kruiden was. Het enig genietbare was de wijn, een verrassend goede bordeaux waarvan Newton warempel twee flessen had aangeschaft. Guy maakte hem zijn complimenten. Dankzij de alcohol voelde hij zich, als altijd, stukken beter. Toch wist hij dat hij hier onmogelijk een hele avond zoet kon blijven zitten en dan alleen naar huis gaan. Door de cognac en de wijn was zijn brein glashelder. Hij zag dat het beslissende moment was aangebroken. De tijd was rijp. Maar het vaststellen van die omstandigheid was niet verantwoordelijk voor de verandering van de sfeer noch voor de daaruit voortvloeiende ruzie. Die was te wijten aan de vraag die hij Leonora in alle onschuld stelde, namelijk over haar eerste schooldag.

'Wel erg dat je nou ook nog moest koken. We hadden toch uit eten kunnen gaan?'
De aanleiding tot die opmerking werd gedeeltelijk gevormd door het opdienen van het toetje, een eigengemaakte sorbet van een kleur en een samenstelling als betrof het drie dagen oude sneeuw, maar dan met ijskristallen zo groot als glassplinters. En smakeloos als sneeuw bovendien, hoewel Guy dacht dat het citroen moest voorstellen.
'Waarom erg, Guy? Omdat het eten niet te vreten is? Ja, sorry hoor, ik weet dat ik niet goed kook. Maar William maakt er nog minder van, behalve rijst met kerrie. Zijn rijst met kerrie is zalig, maar we wisten niet of jij dat lekker vond.'
Het denkbeeld dat dat bestond, een man van wie verwacht werd dat hij voor zijn gasten zou kunnen koken, schokte hem nogal. Maar hij hield zijn mond. Hij haastte zich Leonora te verzekeren – dat zij zich tegenover hem verontschuldigde, dat ontbrak er nog maar aan – dat hij alleen bedoeld had dat ze een drukke dag op school gehad moest hebben, vooral zo'n eerste schooldag.

Ze kreeg een kleur. Hij had haar in geen jaren zo zien blozen. Newton leek het niet op te merken. Hij was bezig met de slecht ogende kaas, de enige soort die hem werd aangeboden.
Maar hij keek op en zei met volle mond: 'Ze is niet naar school geweest. Ze is ermee opgehouden, weet je nog wel?'
Weet je nog wel? Wat bedoelde die gozer! 'Leo, heb je je baan eraan gegeven? Dat heb je me nooit verteld.'
'Ik heb mijn ontslag ingediend zodra ik wist... Ik heb in juni mijn ontslag ingediend.'
'Wat wilde je gaan zeggen?' zei hij. 'Zodra je wát wist?'
Newton pakte de wijnfles. Hij keek Leonora aan, die haar hoofd schudde, vulde Guys en daarna zijn eigen glas. Hij nam een lange langzame teug, en zei: 'Zodra ze wist dat ik voor BBC Noord-West ga werken.'
Guy keek haar aan. 'Ik begrijp er niks van.'
'Ik zie geen speciale reden waarom je dat zou moeten begrijpen.' Newton kon heel simpel en onschuldig klinken en dan ineens kortaf. Dat korte begon over te gaan in een ijzige toon. 'Ik heb een nieuwe baan. In Manchester. De studio van Noord-West is in Manchester. Ik zal derhalve en uit de aard der zaak aldaar gaan wonen, aangezien ik geen enthousiaste forens ben. Begrijp je het nu?'
'Jíj ja,' zei Guy. 'Ik zie niet in waarom Leonora haar baan zou moeten opgeven omdat jij naar Manchester gaat verhuizen.'
'Zie je dat niet in? Ja, zo nu en dan ben je een beetje traag. Dat is me al eerder opgevallen. Laat ik het je in simpele taal uitleggen. Leonora heeft haar baan in West-Londen opgezegd omdat ze van plan is werk in Manchester te gaan zoeken. Ze zal in Manchester met mij samenwonen. Vanaf het eind van deze maand. Leonora en ik zullen samenwonen, omdat ze dan met mij getrouwd is.'
'Waarom heb je me daar niks van gezegd, Leonora?'
'Omdat ze bang is voor je reactie. Ze is bang voor de gevolgen. En wie zal haar dat kwalijk nemen? Zo, laten we nu over iets anders praten. Over het kopen van huizen, over het herfstweer, over elk ander kloteonderwerp dat jou boeit, maar laten we ons in godsnaam niet nog meer opwinden.'

Dat was bepaald niet de manier om Guy te kalmeren. Hij sprong op.
Eer hij iets kon zeggen, zei Leonora: 'Alsjeblieft, is het nou uit met dat geruzie? Hou er mee op, allebei. Ik had het je moeten vertellen, Guy, maar William heeft gelijk, je bent zo héftig!'
'Had je dan gedacht dat ik dit zomaar zou pikken? Dat hij van plan is je hier weg te halen? Je mee te nemen naar Manchester?'
'Waarom niet? Zij wordt mijn vrouw, ik word haar man. Als zij een baan in Manchester had gekregen, zou ik meegegaan zijn. Getrouwd zijn betekent elkaars leven delen, wat anders?'
'Ik wil weten wat Leonora te zeggen heeft, niet jij. Laat haarzelf een mond opendoen, dat is haar wel toevertrouwd, dat kan ik je wel vertellen. Nou zeg op, Leonora, was je van plan mij in de steek te laten of niet? Je hebt het je toch niet serieus in je hoofd gehaald naar Manchester te gaan?'
'Wat bedoel je met "mij in de steek laten"?' zei Newton nu op uiterst kille toon. 'Je kunt iemand met wie je niets hebt niet in de steek laten. Leonora heeft jou zeven jaar geleden al laten schieten.'
'Dat is gelogen,' schreeuwde Guy. 'Ze houdt van mij. Dat heeft ze me honderden keren verteld. Ze gaat niet met jou trouwen. Hoe kom je erbij dat ze dat doet? Haar ouders hebben jou voor haar uitgezocht en aan haar opgedrongen, maar ze kunnen niet de baas spelen over haar ziel en over haar hart. Ze is van mij en zal altijd van mij blijven.'
'Guy...' Leonora liep om de tafel heen naar hem toe. Newton zat hem nog steeds rustig en ijskoud aan te staren. 'Guy,' zei Leonora, 'je moet hiermee ophouden, hoor je. Schei ermee uit.'
'Zeg hem dan dat hij ophoudt met zijn leugens, dan zal ik heus wel uitscheiden.'
'Het zijn geen leugens. Ik ga met hem trouwen en met hem naar Manchester.'
'Ik geloof je niet. Ik wéiger je te geloven. Ik laat je niet gaan, nog niet over mijn lijk!'
'Vind je het gek dat ik het je niet verteld heb, als je je zo opwindt? Ik heb het verzwegen, juist om een dergelijke uitbarsting te vermijden.'

Guy keek haar aan en voelde een vloedgolf van ellende in zijn binnenste opwellen. Nog nooit had hij zo'n aanvechting gehad in haar armen uit te huilen. Hij wilde haar in zijn armen nemen en haar smeken niet weg te gaan. 'Je gaat toch niet, Leo, je gaat toch niet?'
Ze gaf geen antwoord maar haar gezicht vertrok als van pijn.
'Dus daarom verkoop je je flat,' zei hij. 'Daarom verkoopt hij de zijne.'
'Toe nou, Guy, laat nou maar. Schreeuw niet zo.'
Langzaam begon het bij hem te dagen. 'Dus daarom doet hij al die' – met een zwaai van zijn arm – 'troep van de hand. Al dat vullis,' zei hij, 'die sabels. Hij zei dat hij die sabels wilde verkopen.'
Guy trilde. Hij deed twee passen naar de schoorsteenmantel en trok de sabels van de muur. Newton zag het ongelovig aan. Guy smeet de naakte sabel op de tafel en rukte de andere uit de schede. Leonora greep hem bij de arm. Hij sloeg haar hand weg en sprong achteruit, zwaaiend met de glanzende sabel.
'Ik wil met jou om haar vechten, om haar duelleren.' Hij trilde niet meer. De adrenaline stroomde door hem heen en overspoelde zijn ellende. 'Ik vecht met je tot een van ons er dood bij neervalt.'

17

William Newton pakte de sabel van tafel en stond ernaar te kijken alsof het een vreemd instrument was waar hij weleens van gehoord maar dat hij nog nooit gezien had.
Hij legde hem weer neer en zei: 'Waarom leg je dat ding niet neer en ga je naar huis?'
'Hij durft niet met me te vechten, Leonora,' zei Guy.
'Het zou wel eens onverstandig kunnen zijn.' Een lachje, van de zenuwen waarschijnlijk, trok over Newtons paardentronie. 'Het zijn oude gevechtssabels, geen sleepsabels.'
'Lafbek,' zei Guy. 'Waar blijf je nou met je eer? Geef nou maar toe dat je een lafaard bent! En dat is de man die je ouders voor jou hebben uitgekozen, Leonora. Is het niet zielig?' Hij hief de sabel. Het was jaren geleden dat Guy schermles had gehad, maar hij was sterk en fit. Hij bracht de sabel omhoog, met de punt op Newtons ogen gericht.
Leonora zei met verstikte stem: 'Ik ga de politie bellen.'
'Waarom?' zei Guy. 'Mij zal niks overkomen.'
'Ik bel hen als jij niet nú die sabel neerlegt.'
'O nee, lieve schat, dat had je gedacht.'
De telefoon stond op een tafeltje aan een lang snoer. Het was niet zo'n telefoon die je in een stopcontact steekt. Guy bracht de sabel met een lange schuinse klap neer op het snoer op twintig centimeter van de plek waar het uit de muur kwam. De telefoon tuimelde van het tafeltje maar het snoer bleef heel. Guy graaide het toestel van de grond, trok aan het snoer en rukte het uit de doos.
'Zeg, ben jij nu helemaal gek geworden?'
'Dat had je niet mogen zeggen, Leo. Je had niet over de politie moeten beginnen. Achteruit alsjeblieft, naar de andere kamer, als je dat liever doet.' Hij keerde zich weer tot Newton, die niets gezegd had en op geen van Guys beledigingen was ingegaan. Hij

stond daar maar met dat lachje dat op zijn lippen trilde. 'Rooie kobold, misbaksel, kloterige schoolmeester!'
Als terloops pakte Newton de sabel. De kling zag dof, maar was zo te zien vlijmscherp. Hoewel ze er een beetje armoedig bij hadden gehangen, daar aan de muur, waren ze toch in prima staat. De mannen stonden tegenover elkaar, elk met een wapen in de hand, maar zonder ze te kruisen, zonder enig voorbereidend ritueel. Ze keken elkaar aan en Leonora stond met een hand voor haar open mond naar hen te kijken.
Guy was de eerste die in beweging kwam. Hij maakte twee uithalen met de sabel, zwaaide hem eerst naar links en daarna naar rechts en deed toen een felle uitval naar Newton, maar die sprong naar de andere kant van de tafel om hem te ontwijken. Guy deed een nieuwe uitval, over de tafel heen, en gooide de fles wijn omver. Newton dook, en aan de korte kant van de tafel waar hij gezeten had, sprong hij op. Zijn sabel trof die van Guy met een hoog galmend geluid. Weer stootte Guy toe, de sabels kruisten en kruisten opnieuw. Het spel een paar tellen rekkend, als een tennisser die voor de wedstrijd nog even een balletje slaat, maakte Newton plotseling een reuzenzwaai met zijn sabel waarmee hij Guys wapen opzij sloeg.
'Pooier,' riep Guy, 'rooie kobold, jabroer, slappeling, bedelstudent.'
Newton begon te lachen. 'Ik moet je wel waarschuwen dat ik nogal wat aan schermen heb gedaan, dus als je liever stopt dan is het mij best.'
'Hij probeert je duidelijk te maken dat hij goed is,' riep Leonora. 'Hij heeft als student in het schermteam gezeten.'
'Nou, ik ook, als student van het leven. Haal die grijns van je smoel af,' schreeuwde hij naar Newton en hij haalde uit.
Leonora verborg haar gezicht in haar handen. De sabels botsten nu gewoon op elkaar, want Guy sloeg er in het wilde weg op los met woeste uithalen, zonder enig systeem of beheersing. Hij sprong achteruit en stootte zijn wapen met een scheppende beweging, als bij een onderhandse tennisopslag, in de richting van Newton. Deze keer maakte Newton geen sprongetje opzij maar

veranderde de richting van het sabelblad met een enkele haal. Guy voelde Leonora achter zich. Ze klemde een hand om zijn schouder. Hij rukte zich los. Hij deinsde terug in de verdediging.
Ze gilde: 'Guy, alsjeblieft, toe, stop. Ik haal de buren, ik zweer het je. Ik ga de straat op om de politie te roepen.'
'Godverdomme, bemoei je er niet mee.' Hij was nog nooit zo tegen haar uitgevaren. Ze gaf een snik. 'Ik hou van je,' schreeuwde hij. 'Ik zal altijd van je houden. Ik zál winnen.'
Newton stond erbij, de benen uit elkaar. Hij glimlachte niet meer. Hij gooide zijn rode haar achterover. Eén tel stonden ze tegenover elkaar, volstrekt roerloos. Guy had het gevoel dat Newton het voor gezien hield en blij zou zijn met een bestand. Dat deed hem naar voren springen en zijn sabel zwaaien in een beweging die, als deze geslaagd en het blad maar scherp genoeg was geweest, Newton het hoofd van zijn lijf zou hebben gescheiden. Leonora slaakte een gil. Maar de uitval mislukte. Newton ontweek de aanval. Hij deed dat als terloops en dat maakte Guy nog eens zo boos. Het ging zo soepel en met zoveel gratie dat het gekletter van de bladen des te schokkender was.
Newton voerde een snelle riposte uit, eigenlijk meer een schijnbeweging. Hij plaagde Guy. Hij danste met zijn sabel en voerde rappe dekkingsacties uit, terwijl Guys sabel woest uithaalde. Leonora worstelde met een van de schuiframen. Guy vergat alles wat ze hem bij de schermlessen hadden bijgebracht. Hij was niet meer dan een man met een stoot- en hakwapen. Hij deed wat een onervaren man met een sabel doet: stoten naar links en naar rechts en bij iedere stoot een verwensing uitbrakend. Hij hoorde zijn eigen gebrul.
Ze kon het raam niet omhoog krijgen en leunde er even verslagen tegenaan, het hoofd in haar handen. Guy sloeg in de lucht, naar Newtons blad, en één keer raakte hij de lampenkap boven de tafel zodat die wild heen en weer zwaaide. Leonora liet het raam voor wat het was en stond als gehypnotiseerd toe te kijken, en dat gaf Guy nieuw vuur. Maar wat Guy ook deed, hij vormde niet langer een bedreiging voor de zwijgende Newton. Die had

de partij volledig in zijn zak. Af en toe schampte zijn wapen tegen dat van Guy, zo nu en dan kwam het tot een tikje. Guys razernij bereikte het kookpunt en raakte oververhit. Met een sprong was hij buiten het bereik van Newtons sabel en deed toen een vertwijfelde poging hem in de flank aan zijn wapen te rijgen. Het blad miste Newton, niet doordat hij het ontweek, maar doordat hij op het laatste nippertje zijn buik inhield. De sabelpunt ging door de tailleboord van zijn trui en reet het breisel van onder tot aan de halsboord uiteen.
Newton gromde als een beer. De trui wapperde open als een losgeraakt dwangbuis. Hij trok zijn armen eruit en stond daar in zijn smoezelig witte T-shirt boos rasperig te hijgen. Guy lachte zegevierend. Hij trok eveneens zijn trui uit en smeet hem de kamer door. Uit zijn succesje putte hij handigheid, of althans nieuwe energie. Hij zwiepte, hij stootte, hij kraaide als een haan, hij jodelde wildwestkreten. Leonora stond met uitpuilende ogen toe te kijken, als iemand die voor het eerst een stierengevecht ziet, vol afschuw, maar gedwongen om te kijken.
Guy zocht het nu in lagere uitvallen, gemunt op Newtons genitaliën. Hij liet de punt wervelen. Hij lachte; hij schreeuwde spotternijen uit; hij danste op en neer zodat de sabel meedanste en in een halve cirkel op dijhoogte leek te dobberen. Daarmee beoogde hij de waakzaamheid van Leonora's vrijertje te verschalken, en als de verrassende stoot die hij nu uitvoerde zijn doelwit getroffen had, zou Newton als eunuch zijn opgestaan. Maar het was Guys laatste stoot. Het was met beangstigende snelheid ineens afgelopen. Newton pareerde de aanval met een behendige draai van zijn pols in een zijdelingse verdedigingsbeweging, riposteerde ogenblikkelijk en kreeg zo Guys linkerarm te pakken. De sabelpunt maakte een kaarsrechte jaap van pols tot elleboog. De sabel viel Guy uit de hand. Het bloed gutste uit de snee, hij wankelde en greep zich vast aan het eerste het beste steunpunt om zijn val te breken. Het bleek de rand van het tafellaken te zijn, en daar gingen de borden, de glazen, de wijnfles, de messen en de vorken. Hij zeeg op de grond neer onder een regen van kleverig porselein en glas. Hij hoorde Leonora gillen, het geluid

van een uitzinnig dier. Ze liet het ophaalkoord van het raam los en rende naar hem toe. Guy sloot zijn ogen, opende ze weer en ging zitten. Uit zijn arm stroomde het bloed.
'O god,' snikte Leonora, 'O god, o god.'
'Het is niks,' fluisterde hij. 'Ik ben zo wel weer oké.'
Hij legde de hand op de wond, maar zijn hand was niet groot genoeg. Leonora begon het tafellaken aan repen te scheuren. Het eerste verband was onmiddellijk doorweekt met bloed. Ze snikte hikkend.
'Rustig nou maar, lieve schat,' zei Guy. 'Het is maar een vleeswond.'
Om de een of andere reden ontlokte dat een kraaiende lach aan Newton die, met belachelijke koelbloedigheid, de sabel afveegde en vuil en wel in de schede stak. Hij hing de beide sabels weer aan de muur.
'Had je ze nog willen kopen?' zei hij.
'William, stil toch, heb je niet al genoeg aangericht?'
'Sorry,' zei William. 'Ik had niet met hem moeten duelleren.'
'Nee, wat je zegt. Het was afschuwelijk. Kijk nou toch eens. Ga meteen een ambulance bellen, alsjeblieft.'
'Er valt niets te bellen. Hij heeft de telefoon gemold.'
Leonora haalde het verband van tafellakenrepen eraf en legde een nieuw aan. Guy zat nog altijd op de grond. Hij ging staan. Zijn linkerarm was min of meer gevoelloos, en deed geen pijn. Het had helemaal eigenlijk geen pijn gedaan, behalve de eerste prik, als van de angel van een insekt, toen Newtons sabelpunt de huid openreet. Newton zuchtte en zei: 'Ik rij je wel naar het ziekenhuis, Guy. Dit alles zit me wel dwars. Wat een puinhoop! Het enige wat we nog kunnen doen is jou naar de eerste hulp van een of ander ziekenhuis te brengen.'
'Je wordt bedankt, maar ik ga nog liever dood dan me door jou waar dan ook naartoe te laten rijden.'
'Oké, zoals je wilt, maar je moet wel wat aan die arm laten doen.'
'Ik zal hem wel rijden,' zei Leonora. 'Laat mij je maar rijden, Guy.'

Al het gebeurde was het waard haar dat te horen zeggen. Ze deed nog een derde poging met een reep van het tafellaken, en haalde het verband deze keer iets strakker aan. Van een van haar sjaaltjes vouwde ze een mitella. 'Sla je trui om je heen.' Ze raapte hem op. 'Wil je een jas? Ik denk dat ik wel ergens een jack kan vinden.'
'Niet een jack van hem,' zei Guy.
Newton grijnsde. 'Hij gaat liever dood van de kou.'
Dat wekte opnieuw Guys vechtlust en hij deed met opgeheven vuisten, ondanks al het bloed, een uitval naar hem. Leonora greep hem vast en draaide hem een halve slag om en toen begon de wond pijn te doen, begon het diep in de wond te kloppen. Guy kreunde. Leonora's gezicht baadde in tranen, en ze droogde het aan een stuk tafellaken. Newton beroerde haar arm en ze keek hem aan, maar Guy kon die blik niet duiden. Hij had zich op de trap graag aan haar vastgeklemd, maar dat gedoogde zijn trots niet.
Onder aan de trap ging een huisdeur open en een man, een gladde yup met een snorretje, keek om de hoek.
'Brokken gemaakt?'
'Nee hoor, gewoon een duelletje,' zei Leonora, haar stem aan de rand van hysterie.
Dat leek niet tot de man door te dringen. 'Ik dacht dat ik iets hoorde. Mijn vrouw zei "ze zijn aan het verbouwen".'
In een groot ziekenhuis halverwege een helling vonden ze een eerstehulpafdeling die open was. Guy wist niet welk ziekenhuis het was. Hij kende noordelijk Londen eigenlijk slecht. Zo te zien had hij liters bloed verloren, dacht hij. Zijn overhemd was doorweekt van het bloed. Daar had hij bijna tweehonderd pond voor neergeteld, een bedrieglijk simpele vrijetijdsblouse. Dat bloed kreeg je er nooit meer uit. Er zat ook bloed op Leonora's trainingsjack, en vegen bloed op haar witte broek. Hij en zij zagen eruit of ze van een slagveld kwamen.
Hij was gelukkig. Hij besefte natuurlijk wel dat hij iets schandaligs had gedaan. Hij zou zijn hele leven dat litteken houden. Maar ze hield van hem. Hij had tóch gewonnen. Ze had die rotzak van een Newton immers op zijn nummer gezet. Ze was

hem, Guy, immers te hulp gesneld en had een prima tafellaken opgeofferd om zijn wond te verbinden.
'Ik betaal voor de reparatie van je telefoon,' fluisterde hij.
Ze begon te lachen, een hysterisch snikkend lachje waar geen vermaak in doorklonk.
'Toe nou,' zei hij, 'alles komt wel weer goed, dat zul je zien. Ik zal een nieuwe trui voor hem kopen.'
Toen werd zijn naam afgeroepen. Een overwerkte arts-assistent reinigde de wond en moest natuurlijk weten hoe hij eraan kwam. 'Een ongeluk met een voorsnijmes,' zei Guy, een uitleg die niet geloofd werd, maar de dokter deed er voorlopig het zwijgen toe. Hij gaf Guy een anti-tetanusprik, waarna hij de wond met een stuk of zes steken dichtnaaide. Eigenlijk was het niet meer dan een diepe kras.
'Zal ik u zeggen waar het mij aan doet denken? Zomaar voor de gein? Het lijkt of iemand die goed overweg kan met een sabel, indruk heeft willen maken... Sorry voor de woordspeling. Hij wou even laten zien dat het hem ernst was maar dat het hem vooralsnog genoeg was.'
'Waar heeft u het over?'
'Ik doe zelf ook aan schermen. Dat deed ik althans in de dagen toen het leven nog normaal was en ik nog, hoe heet dat ook weer, vrije tijd had. Vooruit met de geit. Woensdag terugkomen om de hechting eruit te laten halen.'
In de auto zei Guy: 'Ben je boos op me?'
'Ik weet het niet. Ik geloof dat ik gewoon moe ben. Ik baal ervan. Het hele gedoe maakt me misselijk.'
'Lieve schat, dat is nogal wiedes. Ik weet wat er in je omgaat.'
'Nee, Guy, dat weet je niet. Dat is de narigheid. Jij weet niet wat er in me omgaat en zal dat nooit weten ook. Zo, nou rij ik je naar huis. Red je het daar in je eentje?'
'Ik had gehoopt dat je zou blijven.'
'Nee, dat gaat niet. Wat zou je daaraan hebben? Zal ik Celeste bellen?'
Hij schudde zijn hoofd. Ze stonden voor verkeerslichten en hij pakte haar hand. 'Blijf bij me.'

'Guy, ik ga met je mee naar binnen om te zien of je oké bent en om een kop koffie of thee voor je te maken. Morgenochtend bel ik je.'
Hij begreep wel dat ze Newton niet zomaar in de kou kon laten staan. Want Newton was geschift, een psychopaat en in staat haar bij hem thuis te komen zoeken, waarschijnlijk gewapend. Trouwens, ze wilde Newton natuurlijk onder vier ogen spreken om hem op niet mis te verstane manier te vertellen wat ze van zijn barbaarse optreden vond.
Opnieuw zei hij – en deze keer sprak ze niet tegen: 'Ga zaterdag met me uit lunchen.'
'Ik lunch zaterdags altijd met je.'
Toch verraste ze hem door mee naar binnen te gaan, zoals ze beloofd had. 'Wat een heerlijk huis toch,' zei ze. 'Het is het leukste huis dat ik ken.'
'Heus? Op een goeie dag is het van jou.'
Hij verwachtte een ontkenning, maar die kwam niet. 'Ik weet niet meer waar de keuken is.'
'Hoeft ook niet. Ik wil geen kop van dit of dat. Ga jij nou maar eens zitten, lieve schat, dan zal ik jou wat inschenken. Een straffe borrel, dat kan je na al dat kabaal best gebruiken.'
'Ik moet nog rijden,' zei ze. 'Denk erom.'
'Ach kom nou! Niemand laat jou in dat zakje blazen.'
Ze nam het glas van hem aan en vulde het aan met sodawater. Hij had hinder van zijn onbruikbare linkerarm. Iets van de afgelopen avond kwam weer bij hem boven. Misschien wel door het zien van de tv in de hoek, die hij vrijwel nooit aan had. Hij schonk zich een royaal glas cognac in.
'Heb jij niet een oom die bij de televisie werkt? Bij de BBC? Heb ik die niet eens ontmoet?'
Ze knikte. 'De broer van mijn vader, mijn oom Michael. Die is voorzitter van East Anglia TV. Hoezo?'
'Newton heeft die baan zeker via hem gekregen.'
'Welnee, Guy. Dat heeft er niets mee te maken. William gaat werken voor BBC Noord-West. Dat zei hij toch?'
'Nou ja, allemaal één pot nat, of niet soms? Vriendjespolitiek.

Hoe noem je dat ook weer, het begint met een n.'
'Nepotisme. Maar dat gaat in dit geval niet op. Guy, kun je het in je eentje wel aan? Ik moet echt weg.'
'Waar lunchen we zaterdag?'
'Waar je maar wilt.'
'Weet je, daarstraks in de auto dacht ik een poosje dat je zou zeggen dat je niet mee uit lunchen wou, dat je te boos was.'
Met een glimlach stond ze op. 'Nou, dan weet je nu beter. Dat ben ik niet. Te boos bedoel ik.'
'Clarke's maar weer?' zei hij.
'Liever een beetje in het centrum als het kan. We zijn eens naar zo'n leuk visrestaurant geweest. Was dat niet in Haymarket?'
'Café Fish in Panton Street.'
'Dat is waar ook. Eén uur, Guy...?' Ze pakte zijn hand. Samen liepen ze de hal in. Hij stond in de voordeur en keek haar aan, zijn linkerarm nog steeds gesteund door haar rood-met-zwarte zijden sjaaltje. 'Guy, ik weet niet goed hoe ik het zeggen moet.' Ze beefde. Het licht in de hal was gedempt, maar hij zag toch dat ze bleek was geworden. Haar ogen schitterden. 'Ik wil... Zouden we de hele zaterdag niet bij elkaar kunnen zijn? Ik bedoel, samen uit lunchen gaan en dan de rest van de dag bij elkaar blijven? Misschien naar een film of een toneelstuk gaan, samen eten... Nou ja, ik noem maar wat. Ik zou zo graag... Och, maar die arme arm van jou. Misschien voel je er niet zoveel...'
'O, lieve schat van me!' Hij sloeg zijn goede arm om haar heen. Ze nestelde zich tegen hem aan. 'Hij had voor mijn part mijn hele arm mogen afhakken, als dit het resultaat is. Weet je nou nog niet dat je niet hoeft te vragen of je de hele dag bij me mag blijven? Weet je nou nog niet dat dat mijn liefste wens is?'
'Mooi zo, dat is dan geregeld.' Ze hief haar gezicht.
Hij zoende haar, zoals hij haar in geen jaren had gezoend, ook niet toen in het Embankment-plantsoen. Haar warme gretige lippen openden zich onder de zijne. Hij voelde hoe haar borsten zich tegen hem aandrukten. Zijn hart bonsde en daardoor ging de zere arm weer kloppen. Het wonderlijkste van alles was dat hij de eerste was die zich terugtrok. Hij moest wel, wegens de

pijn in zijn arm onder de druk van haar lichaam. Ze glimlachte niet maar staarde hem aan met een merkwaardige, half gehypnotiseerde aandacht.

'Ik moet gaan,' zei ze ten slotte.

'Je hebt gezegd dat je me morgenochtend zou bellen.'

'Natuurlijk doe ik dat.'

Hij keek toe hoe de auto op de kinderhoofdjes draaide. Het was een kille avond en erg helder. En wat maar heel zelden voorkwam: er waren sterren te zien daar boven in de purperen afstraling, als zwervende lichtpuntjes. Ze wuifde naar hem uit het open autoraampje, draaide het naar boven en trok toen nogal snel op. Het was bijna middernacht. Hij ging naar binnen, dronk nog wat cognac totdat hij licht in zijn hoofd werd en zijn arm geen pijn meer deed.

18

Hij versliep zich. Hij had gedroomd dat hij zou gaan trouwen. Hij zou trouwen met Leonora, en in de kerk. Dat dacht hij althans, maar helemaal zeker was hij niet. Hij arriveerde bij de St. Mary Abbots in een taxi en haastte zich in zijn eentje de kerk in. Hij was laat en de gasten, honderden genodigden, waren al binnen. Buiten adem liep hij naar de trappen van het koor en ontdekte daar dat hij de ring vergeten had. Hij stond zich af te vragen wat hij doen moest, terwijl achter hem het gegiechel onder de gemeenteleden aanzwol. Het bleef maar aanzwellen tot het een lang aangehouden schaterlach werd. Guy keek naar zijn benen en zag dat hij zijn schermkleren aanhad, het nauwsluitende buis, de handschoenen, de kniebroek en de witte kousen. En nu ontdekte hij ook dat hij zijn schermmasker ophad.

De bel van de telefoon bewaarde hem voor grotere vernedering. Hij stak zijn arm uit en bij het omdraaien voelde hij de pijn in zijn gewonde arm. Terwijl hij de hoorn van de haak lichtte, kwam de herinnering aan de vorige avond bij hem boven, met een groeiende paniek in haar kielzog. Wat had hij gedaan? Behoedzaam zei hij: 'Hallo?'

'Hoe gaat het nu, Guy?'

Hij kon haast niet geloven dat hij de stem van Leonora hoorde. Hoelang was het wel niet geleden dat zij hem gebeld had? Jaren! Maar ja, alles was nu anders geworden. Meer herinneringen aan de vorige avond dienden zich aan. Ongelovig begon hij zich te herinneren wat ze gezegd had.

'Guy, gaat het goed?'

'Prima, lieve schat. Het gaat mij prima.'

'Heb je wat kunnen slapen?'

'Als een os. Volledig bewusteloos. Ik ben eerlijk gezegd wakker geworden van de telefoon.'

'Och, sorry hoor. Ik heb tot negen uur gewacht. Ik maakte me zorgen om jou.'
Hij sloot de ogen van pure zaligheid. Toen zei hij zachtjes: 'Het is heerlijk je stem te horen.'
'Vind je niet dat je vandaag nog even naar je eigen dokter moet?'
'Waarom zou ik? Ze hebben er alles aan gedaan wat maar mogelijk was. Het is alleen nog een tikje pijnlijk.' Beneden hoorde hij Fatima de voordeur binnenkomen en dichtduwen. 'Dus het is echt negen uur. Leo, moet je luisteren, heb ik het gedroomd of heb je inderdaad gezegd dat je zaterdag bij me blijft?'
'Je hebt het niet gedroomd.'
'God zij geprezen. Ik heb zo raar gedroomd dat ik niet meer weet wat echt is en wat niet. Als ik kaartjes voor een show haal, wat zou je dan het liefste zien?' Te laat bedacht hij dat ze bezwaar had tegen het woord 'show' en de voorkeur gaf aan 'toneelstuk', en hij verwachtte dat ze hem zou verbeteren.
Maar al wat ze zei was: 'Kies jij maar.'
'Ik weet dat je niet van musicals houdt, dus dan wordt het geen musical. Leo?'
'Ja, Guy?'
'Naderhand hè, kom je dan met mij mee naar huis?'
Hij wist dat ze nee zou zeggen. Dat deed ze altijd. Haar aarzeling betekende niets, hoogstens dat ze zocht naar de liefste manier om nee te zeggen. Eens zou ze ja zeggen, maar hij maakte het met zijn optimisme niet te dol. Hij wist dat het voorlopig nog niet zover was. Hij wachtte onbewogen. De stilte duurde lang. Hij hoorde haar zuchten.
'Ja, dat doe ik,' zei ze. 'Natuurlijk doe ik dat. Je hebt het maar voor het zeggen.'
'Leo, zei je heus ja? Zei je heus dat je met me mee naar huis komt? Dat je bij me blijft?'
'Ja, dat heb ik gezegd.'
'Leo, ik ben zo gelukkig, zo gelukkig, lieve schat van me. Ik weet dat ik dat meer gezegd heb, maar ik kan er niks aan doen. Ik ben zo gelukkig! Leo, je huilt toch niet?'
'Guy,' zei ze, 'vergeef me.'

Daar moest hij om lachen. 'Wat valt er te vergeven? Zeg dat je van me houdt, zeg dat ik de enige ben voor jou.'
'Jij bent de enige voor mij. Ik hou van je. Dus zaterdag één uur?'
'Zaterdag één uur, lieve schat. Tot dan. Voorzichtig, wees zuinig op jezelf, voor mij.'
Het was zover. Ze was bij hem terug. Geen belofte van: volgend jaar, over een paar jaar, maar nu, overmorgen. Nu kon hij zichzelf bekennen dat hij had getwijfeld, dat hij nu en dan de hoop had opgegeven, maar zijn trouw, zijn vechten was niet voor niets geweest. Hij had haar terug. Met trots keek hij naar het bewijs van zijn strijd, de wond in zijn arm. Als zijn arm erbij in was geschoten, dan was het dat waard geweest.

Nadat hij in bad was geweest – want douchen mocht voorlopig niet met het oog op zijn arm – vroeg hij zich af of het verstandig zou zijn de mitella te blijven dragen. Er was geen bloed door het verband heen gekomen. Zijn arm deed pijn, maar meer ook niet. Hij was slim genoeg om zijn twijfel omtrent de mitella te doorzien. Waar het eigenlijk om ging, was dat hij dat sjaaltje van Leonora nog zo graag een tijdje bleef dragen. Dat deden ridders vroeger toch ook? – althans volgens de films. Voerden die ook niet een strik of rozet van hun jonkvrouwe? Susanna had hem Leonora's ridder genoemd, en gezegd dat zijn standvastigheid zo mooi was.
De sjaal die Leonora hem had gegeven was een rood-met-zwart geval van geweven zijde. Hij kleedde zich met zorg in blauwe spijkerbroek, roze shirt en een trui die hij zelden droeg, maar die met zijn geribbelde patroon van donkergrijze en Venetiaans-rode strepen toevallig erg goed bij de sjaal paste. Guy stond langer voor de spiegel dan gewoonlijk. Hij was zoveel knapper om te zien dan William Newton, was wat lichaamsbouw betreft een exemplaar van zoveel betere kwaliteit dat het gewoon lachwekkend was.
Het liefst was hij de hele ochtend naar de schietvereniging gegaan, maar daar zou zijn arm alleen maar erger van worden. Hij belde het bespreekbureau voor kaartjes voor een of ander stuk. *Aspects of*

Love van Andrew Lloyd Webber zou zijn keus geweest zijn. De kaartjes daarvoor zouden op de zwarte markt onbetaalbaar zijn, maar daar zat hij nooit mee. Leonora hield niet van musicals, dus dat viel af. Celeste had hem verteld waar *M. Butterfly* over ging en hij dacht dat dat met Celeste wel te pruimen zou zijn. Maar het was niet het soort stuk waar je de vrouw met wie je gaat trouwen mee naartoe nam. Ten slotte viel zijn keus op *Henceforward* van Ayckbourn en met behulp van zijn American Express Gold Card reserveerde hij twee plaatsen op de derde rij stalles.
De volgende dag belde Celeste om hem eraan te herinneren dat ze uit eten moesten met Danilo en Tanya, en een stel Amerikaanse vrienden van hen die in Londen waren. Guy overwoog het af te zeggen op grond van de wond aan zijn arm, maar hij bedacht zich. Het zou des te eerder morgen zijn. Ze aten in de Connaught. Het had voor de hand gelegen Celeste met een taxi af te halen, maar hij besloot de Jaguar te nemen. Het idee met één arm te moeten rijden sprak hem wel aan. Hij zou het hele gezelschap de waarheid vertellen, namelijk dat hij die wond in een duel had opgelopen.
'Je maakt een geintje,' zei Danilo.
Die Amerikanen waren net een stelletje gangsters, vond Guy. Beiden waren van het Italiaanse type, kort van stuk, donker, en opvallend gekleed. De ene had een litteken op zijn wang in de vorm van de afgebroken onderkant van een wijnfles. Tanya had voor de zoveelste keer vergeten van schoenen te wisselen en droeg witte sandalen en een zwarte panty bij haar modieuze minijurk. Ze knipoogde tegen een van de Amerikanen.
'Heeft iemand zich vrijpostigheden met Celeste veroorloofd?'
'Celeste heeft er niks mee te maken.' Guy zag haar gezicht betrekken, hoewel hij op weg in de Jaguar alles al had opgebiecht. 'Een privé-klusje.'
'Geef het nou maar toe,' zei Danilo, de matige drinker. 'Je hebt het zelf gedaan toen je zat was.'
Het uitje was niet erg geslaagd. Tanya praatte over haar kinderen, waar de Amerikanen op reageerden alsof een kind een zeldzaam zoogdier was dat hun belangstelling niet waard was.

Dat weerhield Tanya er niet van anekdotes over Carlo te vertellen; die had het water van het zwembad aangelengd met rode verf en was haar komen vertellen dat de tuinman zich de keel had afgesneden en daarna in het zwembad was gevallen.

Guy dronk veel. Hij ging over op cognac. Hij had Celeste beloofd dat ze op zijn laatst om halfelf naar huis zouden gaan. Ze moest de volgende ochtend om halfnegen in Kensington Gardens poseren voor een fotograaf. Om kwart voor elf zei ze dat ze naar huis moest.

'Nog een halfuurtje en ik ga met je mee.'

'Nee Guy. Laat maar. Ik neem wel een taxi.'

'Dat doe je me niet aan!' Hij kwam in de benen en onderdrukte een kreet van pijn in zijn arm. 'Ik rij je naar huis, zoals afgesproken.'

'Je kunt zo niet achter het stuur en ik moet echt weg. Ik heb hun al gevraagd een taxi te bellen.'

Hij was zich maar van één ding bewust: op die manier zou ze de nacht niet bij hem hoeven door te brengen. Haar hand rustte licht op zijn schouder. 'Ik zie je morgenavond.'

Ze hadden zeker iets afgesproken. Morgenochtend zou hij haar bellen en het afzeggen. Met iedereen erbij ging dat niet. Hij voelde zich schuldig en om de een of andere reden beschaamd, en daarom beroerde hij de hand op zijn schouder. Ze nam afscheid en vertrok.

'Lekker hoertje,' zei een van de Amerikanen, ongelooflijk maar waar.

Guy bedacht hoe afschuwelijk pijnlijk het zou zijn als hij met Leonora thuiskwam en Celeste daar aantrof. Of als die arme Celeste binnenliep als hij en Leonora het zich samen gezellig hadden gemaakt. Hij moest er eens ernstig over nadenken hoe hij Celeste de verandering in de gang van zaken duidelijk moest maken.

'Wij rijden je naar huis,' zei Tanya. 'Ik bedoel in jouw auto. Wij zijn met een taxi gekomen, dus dan brengen wij je thuis en gaan met een taxi verder.'

Danilo zei niets. Zijn kikkergezicht stond grimmig. Guy wist

niet meer waar hij zijn auto had geparkeerd en ze sjokten door de donkere verlaten straten van Mayfair om hem te zoeken.
'Wat zál ik van je houden, als hij in de klemmen staat,' zei Tanya.
Dat stond hij niet. Guy kroop achterin. Door de koele herfstlucht was hij aardig bijgekomen. Het was bij twaalven. Het was bijna de dag waarop zijn leven met Leonora zou beginnen. Wat zouden Danilo en Tanya daarvan zeggen?
Hij had best zelf kunnen rijden. Afgezien van de pijn in zijn arm voelde hij zich kiplekker. Ze reden langs Knightsbridge toen Rachel Lingard hem te binnen schoot. Tanya was volledig op de hoogte van Danilo's praktijken, althans voorzover Guy wist.
'Kun je Chuck terugroepen, Dan?'
'Kan ik wát?'
'Zeg maar dat het niet meer hoeft.'
Danilo zweeg. Guy merkte wel dat hij de pest in had. Hij reed verkeerd en zo belandden ze in Fulham Road. Met een licht schouderophalen zei Tanya: 'Let maar niet op mij. Ik heb geleerd wanneer ik mijn oren dicht moet stoppen.'
'Sla rechts af zodra je kunt,' zei Guy. 'Sorry hoor. Ik hoef die drieduizend niet terug.'
'Nee, dat moest er goddomme nog bijkomen,' zei Danilo.
'Maar kun je hem terugroepen?'
'Shit, Guy, alsof het leven al niet ingewikkeld genoeg is.'
'Maar krijg je het voor elkaar?'
'Nou, eerlijk gezegd, ik weet het niet. Ik weet niet wie Chuck aan die klus heeft gezet, en Chuck zelf is naar Ierland gegaan. Zit daar misschien nog wel. Ik weet niet eens of Chucks maat het doet of de maat van zijn maat.'
Danilo sloeg Old Brompton Road in. Guy zei: 'Je hebt een hele week de tijd. Vanaf morgen nog een hele week. Ze blijft nog een week weg.' Opeens besefte hij waar ze waren en wat ze misschien te zien zouden krijgen.
Danilo zei nors: 'Ja ja, oké. Er gaat tijd in zitten maar misschien geen week. Maar één ding, Guy, denk niet dat ik ooit nog door jou te porren zal zijn voor dat soort klussen. Jezus, wat nou weer?'

Guy tikte hem op de schouder. 'Alsjeblieft, stop even, wil je? Heel even maar. Zet de auto hier maar neer. Ik heb niet lang nodig, echt niet.'
'Wat wil je nou, Guy?' Tanya verloor haar geduld. 'Ik moet morgenvroeg weer werken.'
'Toe Danilo, stop hier even.'
Ze moesten een eindje teruglopen. Een lange magere man lag in het portiek van de reformwinkel. Hij was weer gekleed in roetkleurige lompen, hij lag wederom op zijn rug maar ditmaal met zijn pet die toen bedoeld was voor aalmoezen, over zijn gezicht. Guy zei: 'Het is Linus.'
'Maak het nou een beetje.'
'Nee heus, ik weet het zeker. Ik heb hem al twee keer eerder gezien. Ik weet zeker dat het Linus is. Ik zit er al een tijdje mee, mijn geweten, weet je wel? Dan, we kunnen hem hier niet zomaar laten liggen. We zullen iets voor hem moeten doen.'
Danilo liep het trottoir over, pakte de pet en lichtte hem van het gezicht. De man werd er wakker van. Hij ging zitten en begon hen met een verwrongen gezicht de huid vol te schelden, zodat zijn blinkend witte en volmaakt gave tanden te zien kwamen. Hij braakte een stroom zinloze smeerlapperij uit.
'O christus te paard,' zei Danilo. Hij hield de tierende man twee opgestoken vingers voor.
Nu zag Guy dat het Linus niet was. Hij leek even weinig op Linus als op Danilo. 'Geef hem tenminste wat.'
'Doe het zelf,' zei Danilo en hij liep terug naar de auto met Tanya achter zich aan.
Guy was diep ontzet. Wat gebeurde er in zijn hoofd dat hij dit wrak had aangezien voor zijn jeugdvriend? Hij gaf de man een briefje van tien, met het gevolg dat die zijn mond hield, maar een dankjewel kon er niet af. Hij nam het biljet aan en stopte het in zijn broekzak, en liet zich weer achterover zakken in het portiek, de pet over zijn gezicht.
'Linus is dood,' zei Danilo terwijl hij de Jaguar in Guys garage zette. 'Die hebben ze in Kuala Lumpur opgehangen. Heb je er wel eens aan gedacht lid te worden van de AA?'

'Daar ben ik al jaren lid van.'
'Danny had het niet over de Automobile Association,' zei Tanya, slap van de lach. En samen gingen ze een taxi zoeken.

Als Leonora eenmaal voorgoed bij hem was, zou hij het drinken gaan minderen. Als ze wilde dat hij met roken stopte, zou hij ook dat proberen. Over een maand werd hij dertig en over niet al te lange tijd zou hij niet meer zo goed tegen alcohol kunnen als nu. Als hij aldoor gelukkig was en tevreden met zijn bestaan, dan had hij de drank niet meer nodig om de klappen op te vangen, dan had zijn bewustzijn geen behoefte meer aan vergetelheid om uit de narigheid te raken.
Ondanks de uitspattingen van de vorige avond voelde hij zich best en zijn arm was veel beter. De mitella was niet meer nodig, maar hij wilde hem blijven dragen omdat hij van haar was. In een sentimentele bui besloot hij de mitella die dag nog te dragen en het sjaaltje, als ze voorgoed bij hem terug was, plechtig aan haar terug te geven. Dan zou ze haar Vivien Leigh-glimlach ten beste geven, die dan eindelijk gul en ongeremd zou zijn.
Het was een beetje een probleem wat hij die ochtend aan moest. Hoewel hij wist dat ze nooit zo bar op Newton gesteld was geweest – iemand had hem voor haar opgediept en die iemand had haar overgehaald met hem te trouwen – toch had die gozer iets dat haar aansprak, afgezien van zijn conversatie. En Newton liep altijd in plunje die een samenraapsel leek van produkten van het Leger des Heils en van een dumpzaak. Hij moest zich er nu maar bij neerleggen dat zij geen belangstelling had voor mooie kleren, niet voor zichzelf, en niet voor haar partner. Misschien moest hij leren minder om zijn uiterlijk te geven. Uit die overweging besloot hij tot de spijkerbroek die hij de vorige dag aan had gehad, een effen blauw katoenen shirt en een blauwgrijsgestreept cloqué jasje. En toch leek het te gekleed; het zou althans in haar ogen te gekleed zijn. Het jasje vervangen door de trui van gisteren was een waar offer, maar hij had het ervoor over. Met zorg maakte hij een nieuwe knoop in de punten van het sjaaltje en legde het om zijn hals als steun voor zijn arm.

Hij stond op het punt het huis uit te gaan toen hij aan de ring dacht. Hij had de verlovingsring die hij al die jaren geleden voor Leonora had gekocht, nog altijd. Hij lag in zijn safe. Hij had de safe in geen vier jaar geopend. Daar was geen reden voor geweest. De laatste keer was na het bezoek van Con Mulvanney. Hij ging terug naar boven, opende de safe en haalde de ring eruit. Hij zat in een blauw leren doosje en de ring zelf, met zijn grote vierkante saffier gezet in een kransje van diamanten, lag in een nestje van nachtblauw fluweel. Guy stopte het doosje met de ring in zijn zak.

Het was twaalf uur toen hij het huis uit stapte, veel te vroeg voor een afspraak om één uur in het West End. Maar hij had niets te doen. Hij had al een zorgvuldige ronde door zijn huis gemaakt om na te gaan of alles klaar was om haar te ontvangen. Hij had de ijsbakjes van de koelkasten in de keuken en de zitkamerbar bijgevuld, de *Guardian*, de *London Review of Books* en de *Cosmopolitan*, die wonder boven wonder deze keer wel bezorgd was, op het tafeltje gerangschikt, en in de badkamer die voortaan háár badkamer zou zijn, het assortiment Paloma Picasso-toiletartikelen uitgestald waar hij Fatima gisteren op uit had gestuurd. Er was niets meer te doen en het idee de krant te gaan zitten lezen was ondraaglijk. Hij had enige keren geprobeerd Celeste te bellen om haar te zeggen niet te komen, tot hij zich herinnerde dat ze ergens een fotosessie had. Hij ging om twaalf uur op weg, het eerste stuk te voet, en langs de vitrine van een makelaar komend ging hij in een opwelling naar binnen.

Ze hadden er een prachtig huis in hun boeken, in Lansdowne Crescent. De prijs was een getal van zeven cijfers zeiden ze. Toen ze zagen dat hij daar niet van verbleekte, noemden ze het exacte bedrag. Foto's van het interieur werden tevoorschijn gehaald: van de statige trap in de vorm van een zwanenhals, van de schitterende twaalf meter lange zitkamer, van de achthoekige badkamers, in elk torentje één. Guy maakte een afspraak voor een bezichtiging voor de komende maandag. Het was intussen twintig voor één geworden, precies het aantal minuten dat een taxi nodig had om hem keurig op tijd af te leveren.

Het was minder druk dan anders en de taxi kon hem voor café Fish afzetten. Het was twee minuten voor één. Misschien was ze er al. Dat was al eens eerder gebeurd, en de vertrouwde reacties deden zich voor de zoveelste keer voelen: het sprongetje van zijn hart, het spannen van zijn darmen, de druk in zijn hoofd. Hij bleef even op het trottoir staan, vermande zich en ging het restaurant binnen.

Het was er druk maar zij was er nog niet. Dat hoorde hij van het meisje dat hem naar zijn tafeltje bracht. Roken of niet-roken? Eens zou hij niet-roken kiezen om Leonora een plezier te doen, maar zover was het nog niet. Hij stak op zodra hij zat.

Het was kennelijk een foute beslissing geweest om hierheen te gaan. Het eten was goed en er was een ruime keus, maar helaas was dat bij honderd anderen ook bekend. Daardoor moesten de tafeltjes dicht bij elkaar staan en konden ze niet vertrouwelijk met elkaar praten. Guy knipte met zijn vingers naar een kelner en bestelde een grote gin-tonic. Hij was meer toe aan een cognacje maar hij besefte dat cognac in dit stadium niet verstandig was.

Weloverwogen had hij kaartjes voor de middagvoorstelling besteld. Die begon om halfzes en dat betekende dat ze om even over achten konden gaan eten. Er was ruim tijd voor alles – het zou allemaal ontspannen en heerlijk in zijn werk gaan. Als er tussen de lunch en de schouwburg nog tijd over was, zou hij haar vast wel mee uit winkelen krijgen. De verlovingsring had hij al, maar misschien een armband? Bij Cartier? Of Asprey? Of oorbellen misschien? Hij zag het al, diamanten oorknopjes dicht tegen haar glanzende gezicht. Toen ze nog kinderen waren en ze gaatjes in haar oren liet maken, toen droomde hij al van de dag dat hij haar diamanten oorknopjes kon kopen.

De gin werd gebracht en was erg welkom, want hij snakte ernaar. De eerste slok van de dag was altijd heerlijk. Langs uitwaaierende tentakeltjes verspreidde die vrede door zijn lichaam. Hij leunde achterover en bekeek het patroon in het weefsel van haar sjaal, daarna het menu, dat ook met krijt op schoolborden werd vermeld. Wat zou zij kiezen? Hij was blij gezien te hebben

dat ze de laatste tijd meer vis at. Ze kreeg niet genoeg eiwitten. Hij verschikte iets aan de mitella en zodoende werd zijn horloge zichtbaar. Het was bijna kwart over één.
Dat kwam ervan als je op de ondergrondse vertrouwt in plaats van een taxi te nemen. Het werd een reprise van de Savoy-voorstelling, maar dan in een minder overdadige omgeving. Hij dronk zijn glas leeg en bestelde een tweede borrel. Voor hun lunch in de Savoy was ze twintig minuten te laat geweest, herinnerde hij zich. Echt iets voor haar om helemaal van het dichtstbijzijnde station van de ondergrondse te komen lopen en dat was waarschijnlijk Leicester Square.
De mensen aan het tafeltje naast hem zaten met hun vieren onbedaarlijk te lachen. Niet dat ze zo grof of uit hun keel lachten, maar het hinderde Guy. Hij had zijn tweede glas in een mum van tijd leeggedronken. Kon je in een restaurant maar om de fles vragen en jezelf inschenken zoals thuis. Hij voelde er niet zoveel voor om de fles te vragen. De opmerkingen over Alcoholics Anonymous die Danilo en Tanya de vorige avond gemaakt hadden, bleven hem dwarszitten. Het was vijfentwintig minuten over één. Een kelner kwam vragen of hij wilde bestellen. Guy zei nogal kortaf: 'Nee.' Een nieuwe lachbui deed het tafeltje naast hem schudden. Zij dronken champagne, kennelijk ter ere van een of andere verjaardag. In de taxi bij Hyde Park Corner had hij trek gehad, maar die was nu over. Ondanks de gin was zijn mond droog. Hij bestelde een groot glas witte wijn.
Om twintig voor twee begon hij zich misselijk te voelen. Voorzover hij zich herinnerde, was ze nooit meer dan tweeëntwintig minuten te laat geweest. Ze kwam niet. Hij kon zichzelf niet langer wijsmaken dat ze kwam. Er was óf iets verschrikkelijks gebeurd en ze had een ongeluk gehad, óf ze was verhinderd te komen. Een of ander lid van die afschuwelijke familie was erachter gekomen dat ze van plan was de hele dag en de rest van haar leven bij hem te blijven, en die had er een stokje voor gestoken. Tien minuten bleef hij nog zitten staren naar de buitendeur. Toen stond hij op.
Hij zei tegen de onverstoorbare, gemelijke kelner dat hij bij na-

der inzien toch niet bleef eten, wat beantwoord werd met een Gallisch schouderophalen. Hij rekende zijn gin en wijn af. Gelukkig had hij voor de verandering deze keer wel een zak vol kleingeld. In de eerste lege telefooncel die hij tegenkwam, belde hij Georgiana Street. Guy had in geen jaren gebruik gemaakt van een telefooncel en ze waren in die tussentijd veranderd, zodat hij de gebruiksaanwijzing eerst zorgvuldig moest lezen voor hij het geval aan de praat kreeg. Hij hoorde de bel overgaan, maar er werd niet opgenomen. Voor de zekerheid belde hij nog een keer. Weer werd er niet opgenomen. Hij sloot de ogen en dacht zich in hoe het zou zijn als hij haar bij het openen van zijn ogen de straat af zag komen, of liever: rennen uit paniek omdat ze zo laat was.

Maar natuurlijk, geen Leonora. Hij schepte het kleingeld dat terug was gekomen uit het bakje en belde Lamb's Conduit Street. Al die nummers zaten in zijn geheugen gegrift. Hij kende ze beter dan zijn eigen telefoon- of banknummer. De bel ging enkele keren over, maar ook hier werd niet opgenomen. Hij kreeg geen gehoor nadat hij het nummer van St. Leonard's Terrace had gedraaid en evenmin in Portland Road, maar dat was een schot in het duister, tenzij iemand het voor elkaar had gekregen Leonora in haar eigen huis gevangen te zetten. Het laatste nummer dat hij probeerde was dat van de Mandevilles in Sanderstead Lane en ook daar tevergeefs.

Ze konden toch niet allemáál uit zijn? Het lag er duimendik bovenop wat er aan de hand was. Ze hadden samengespannen tegen hem. Allemaal weigerden ze de telefoon op te nemen. Ze had hun in alle onschuld verteld wat er donderdagavond was gebeurd, nog steeds in de waan dat ze zelf over de rest van haar leven kon beslissen. Ergens zat ze gevangen. Haar vader was natuurlijk de hoofdschuldige, de vader die, nadat zijn vrouw hem, Guy, had zwartgemaakt bij Leonora, een vrijertje voor haar had versierd, een echtgenoot, een slome slaaf, een intellectueel met een lelijk smoelwerk, om vervolgens, voor alle zekerheid, met behulp van zijn broer ergens in het noorden een baan voor hem te ritselen waarheen zijn vrouw hem zou moeten volgen.

Maar daar zou niks van in komen, dacht Guy. Waar zouden ze haar gevangen houden? In Portland Road of in Georgiana Street? Hij ging per taxi terug naar Scarsdale Mews. Ofschoon hij behoorlijk veel had gedronken en geen hap gegeten, was zijn hoofd helder en voelde hij zich kalm.
Thuisgekomen probeerde hij de telefoon nogmaals. Systematisch draaide hij elk nummer: Lamb's Conduit, Sanderstead Lane, St. Leonard's Terrace, Georgiana Street, Portland Road. En opnieuw ving hij overal bot. Hij zag ze voor zich, al die telefoons uit hun stopcontact, of al die mensen: Anthony en Susanna, Tessa en Magnus, Robin en Maeve, Newton zelf, onvermurwbaar luisterend naar het gestage gebel. Het was kwart voor drie.
Weer draaide hij een voor een alle nummers om hen zenuwachtig te maken, om hun de stuipen op het lijf te jagen. Daarna liep hij naar boven en nam zijn geweer uit zijn foedraal.

19

Op weg naar Portland Road probeerde hij een verklaring te vinden en ten slotte meende hij het te begrijpen. Het lag aan dat duel tussen hem en Newton. De druppel die de emmer had doen overlopen, zou de familie zeggen. Hij kon zich van Leonora niet voorstellen dat ze uit de school had geklapt, maar van Newton wel. Terwijl Leonora met hem naar het ziekenhuis was, had Newton meteen aan de telefoon gehangen om haar vader en daarna haar moeder verslag uit te brengen van het gebeurde.
Hij hóórde Tessa's stem: 'Hij is natuurlijk krankzinnig, het is een gevaarlijke krankzinnige. Hij is tot alles in staat om Leonora te krijgen. We hebben geen keus, we moeten hem bij haar uit de buurt houden tot de zestiende. Daarna neem jij haar mee naar Manchester en dan ziet hij haar nooit meer.'
En Anthony Chisholm: 'Is hij je met een sabel te lijf gegaan? Dat is toch een beetje al te dol, vind je niet? Nee, ik ben het roerend met je eens, het is beter dat Leonora hem niet meer ziet.'
En Magnus Mandeville: 'Leonora had de politie erbij moeten halen. Nee natuurlijk, je kon haar niet met hem alleen laten. Dat begrijp ik best. Maar je had háár moeten sturen. Dit is daadwerkelijke bedreiging, begrijp je. Je zou het zelfs poging tot moord kunnen noemen.'
En Susanna: 'Die arme Guy, hij is zo emotioneel, zo héftig. Maar hij heeft ook een hoop goeie dingen. Maar voor Leonora is hij totaal ongeschikt. Ieder ander is beter. Als het niet anders kan... Tja, het is erg jammer, maar dan zullen er maatregelen genomen moeten worden om haar bij hem vandaan te houden.'
Hij parkeerde de auto dubbel in de hoop dat dat, aangezien het zaterdagmiddag was, geen gevolgen zou hebben. Het geweer lag in de kofferruimte in een leren golftas. Het begon al tot hem door te dringen dat het voor een onderneming als deze eigenlijk een onhandig wapen was. Hij liet het in de auto, liep de stoep

op en drukte op de bel, waar de namen Lingard, Kirkland en Chisholm nog steeds prijkten. Er werd niet opengedaan. Dat verbaasde hem niets.
Zijn arm was best, mits hij hem niet te veel bewoog, en met de automatische schakeling in zijn wagen hoefde dat ook niet. Hij liet hem luchtig op het stuur rusten. Het was drukker geworden sedert die ochtend, en de weg naar Camden Town kostte hem nogal wat tijd. Deze keer nam hij de tas met het geweer wel mee. Terwijl hij stond te wachten nadat hij aangebeld had, kreeg hij het gevoel of er iemand van boven op hem neerkeek. Dat gevoel bespied te worden was erg sterk. Hij deed een stap achteruit, liep een of twee stoeptreden af en keek omhoog. Geen mens te zien. De ramen waren dicht, hoewel het zacht weer was.
Vervolgens naar Lamb's Conduit Street. Dat was niet zo ver. Vlak voor het huis was een plaats vrij voor de auto. Susanna's bloembakken waren net begoten. Er droop water vanaf op de tegels eronder. Daar maakte hij uit op dat er iemand thuis was, dat er iemand thuis móést zijn. Maar de deurzoemer bleef zwijgen. Hij belde opnieuw en hoorde voetstappen op de trap. Een vrouw die Guy nooit eerder had gezien opende de deur. Hij kende haar niet, maar eer ze een mond open had gedaan besefte hij dat ze hem verwacht had.
'Laura Stow,' zei ze. 'Ik ben een zuster van Susanna.'
Hij zag de gelijkenis. Ze was iets ouder, en gekleed in spijkerbroek en shirt, en had een handdoek als een tulband om haar hoofd gewikkeld. Ze was bezig haar haar te wassen. Hij wist niet dat Susanna een zuster had, maar ook dat verbaasde hem niet. Hadden deze mensen eigenlijk wel vríénden? Kenden ze eigenlijk wel mensen buiten de familiekring? Wie je bij hen thuis ook tegenkwam, aan wie je ook werd voorgesteld, het waren allemaal bloedverwanten.
Kortaf zei hij: 'Ik ben Guy Curran.'
Ze knikte, keek naar de golftas in zijn hand. Iedereen met een beetje benul kon zien dat daar een geweer of buks in zat.
'Ik ben op zoek naar Leonora,' zei hij. En meteen daarop: 'Weet u wie ik bedoel?'

'Ja natuurlijk. Ze is er niet. Er is niemand thuis behalve ik. Ik pas op het huis zolang ze weg zijn.'
'Weg?'
'Met vakantie. Ze zijn vandaag met vakantie gegaan.' Ze had geduld met hem, maar haar ogen gingen weer naar de golftas. 'Het spijt me maar ik kan u helaas niet helpen.'
Dat was ingestudeerd. Iemand had haar op zijn komst voorbereid, haar dit allemaal voorgezegd. 'Weet u zeker dat ze er niet is? Weet u heel zeker dat ze niet ergens boven is?'
Heel even dacht hij dat hij haar had bang gemaakt. Ze had een stapje terug gedaan. Hij sloeg een mildere toon aan, probeerde te glimlachen. 'Mag ik niet even binnenkomen en... nou ja, zelf even kijken? Ik ben een oude vriend van de familie.'
'Kijken? Of Leonora er is? Ik zeg toch dat ze er niet is? Ik kan u in geen geval binnenlaten.'
'Leonora en ik gaan trouwen,' zei hij geduldig.
Ze staarde hem aan met een zenuwachtig lachje op de lippen.
Onder aan de trap riep hij: 'Leonora! Leo! Ben je daar? Leonora!'
Ze maakte een onverstaanbaar geluid en sloeg de deur in zijn gezicht dicht. Zonder haar te kunnen zien, voelde hij dat ze met de rug tegen de deur naar adem stond te snakken.
Hij had niet echt gedacht dat Leonora daar was. Dan was ze al lang naar beneden gekomen. En dat ze gevangenzat, opgesloten en vastgebonden in een kamer, dat kon zelfs hij niet geloven. Dat zouden ze toch niet doen? – of wel? Hij zag die Laura Stow onmiddellijk Anthony en Susanna bellen in hun vakantieoord. Ze zou waarschijnlijk de hele meute bellen om hen van zijn komst op de hoogte te brengen. Misschien begon ze wel met Robin en Maeve, want tien tegen één zat Leonora in hun flat.
Hij reed naar huis, liet de auto buiten staan en ging naar boven om het geweer terug te leggen in zijn foedraal. Het was een verkeerde keus geweest, dat lastige wapen. Het was halfzes.
Zijn eetlust was teruggekomen. Hij had nooit veel eten in huis, meestal niet meer dan ingrediënten voor het ontbijt: brood, eieren, een keur aan graanprodukten, Goudse kaas, marmelade, si-

naasappelsap. Hij schonk zich wat wodka in en vulde het glas aan met sinaasappelsap. Daarna vroeg hij zich af of hij een ei zou kunnen koken, maar zag er toch maar van af. Hij at wat brood met kaas, dronk zijn glas leeg en draaide St. Leonard's Terrace. Nog steeds geen gehoor. Ze lieten de telefoon nog steeds rinkelen. Guy sneed zich nog een boterham af, schonk zich nog een wodka in. Zonder resultaat belde hij Sanderstead Lane, Georgiana Street en, op een duivelse ingeving, Lamb's Conduit Street. Laura Stow nam op. Ze klonk zenuwachtig. Hij lachte een sinister lachje en ze smeet de hoorn op de haak. Hij voelde zich zo langzamerhand fantastisch. Te zeggen dat hij de hele wereld aankon, ondanks zijn arm, zou geen overdrijving zijn. Hij was uitgedaagd. Het was of ze een handschoen voor zijn voeten hadden gegooid om hem te tarten het tegen de hele meute op te nemen.

Plotseling leefde hij midden in een sprookje of in een wereld van moord en doodslag. De mooie prinses was door haar wrede vader en stiefmoeder opgesloten in een toren. Trouw met de rooie kobold of blijf daar eeuwig kwijnen. Maar haar redder was in aantocht, in zijn wapenrusting en met zijn wapens, en hoewel niet op een wit paard dan in elk geval in een gouden auto.

Hij ging weer naar boven en haalde zijn nieuwe fraaie jasje uit de kast, het slagschipgrijze kalfsleren jasje dat hij vorig jaar in mei in Florence had gekocht. Hij verwisselde zijn schoenen voor de grijze leren kuitlaarzen. Met tegenzin deed hij de mitella af; die had hij eigenlijk niet meer nodig. Maar waarom zou hij dat sjaaltje niet om zijn hals dragen?

In de derde slaapkamer, een van de twee aan de achterkant die uitkeken op de achterkant van de huizen in Abingdon Villas, ging hij naar de ladenkast die tegen de binnenmuur stond. Uit de bovenste la haalde hij de zware Colt .45 die hij al sedert zijn zeventiende bezat maar nooit gebruikt had.

Danilo had voor dat pistool gezorgd. Dat was toen hij de winkeliers van Kensal afperste. Hij had tussen neus en lippen door laten blijken dat hij graag een echt vuurwapen zou hebben, in

plaats van het alarmpistool dat hij altijd bij zich droeg, hoe overtuigend dat er ook uitzag. Danilo had het bij zich op een avond toen ze elkaar troffen in een bar aan de Artesian Road. Hij liet het hem zien in de mannen-wc en tegen de tijd dat Danilo doortrok, had Guy het ding met munitie en al met klinkende munt betaald. Leonora had het gezien en het een gruwelijk wapen genoemd. Hij begreep wat ze bedoelde.
Hij had er geen foedraal voor. Dat leek toen overbodig. Hij legde het in de Jaguar op de stoel naast hem, onder zijn leren jasje. Het werd kouder. Het begon al te schemeren. Hij zette voor het eerst in maanden de verwarming aan. Hij stak een sigaret op. Hij had niet meer dan tien minuten nodig om St. Leonard's Terrace te bereiken. Guy was, voorzover hij wist, nooit eerder in die straat geweest, en hij was onder de indruk. Het ging Robin kennelijk meer voor de wind dan de rest van de familie met hun uitgewoonde duplexwoningen in Bloomsbury en villa's in de buitenwijken. Het appartement was onderdeel van een elegant statig huis in klassieke stijl met een voorname donkerblauwe voordeur onder een afdak waarvan het koepelvormige dak rustte op Corinthische zuilen. Guy had er best zelf willen wonen.
Op het ingelijste kaartje boven de bel was gedrukt: MW. M. KIRKLAND, R.H. CHISHOLM. Heel formeel. Het appartement dat volgens Guy het hunne moest zijn, had een enorme erker. Hij had zijn jasje aangetrokken en het pistool in de rechterzak gestopt, die gelukkig nogal ruim was. Hij kreeg geen gehoor toen hij aanbelde. Guy probeerde het nog een keer, en nog eens. Net toen hij de lage stoeptreden afliep, zag hij Robin en Maeve aan het eind van de straat aankomen.
Ze liepen arm in arm, of liever: knus gearmd, als het ware verstrengeld met haar hoofd tegen zijn schouder, en ze waren in een vrolijke stemming: ze kietelden elkaar en lachten. Maar wat Guy het sterkst opviel, was hun kleding. Geen sprake van spijkerbroeken en identieke shirts, geen sprake van geitenwollen sokken en gympen. Maeve was gekleed in een zachtroze zijden pak dat erg diep uitgesneden was met een halslijn die uitliep in

een diepe V, pofmouwen die als ballonnen uit de opgevulde schouders bolden, en een heel wijde, heel korte rok, zodat haar lange benen in hun witte kanten panty tot halverwege haar dijen te zien waren. Ze had roze hooggehakte schoenen aan en in haar linkerhand droeg ze een witte hoed met brede rand die schuilging onder roze rozen.
Robin was in het zachtbeige, waarschijnlijk van natuurlijke zijde. Hij had kennelijk net zijn das afgedaan. Een slip daarvan, in een patroon van brons en roomkleurig zij, hing uit de zak van zijn jasje. Toen ze Guy zagen bleven ze staan, keken elkaar aan en proestten het uit. Alweer ingestudeerd, dacht Guy. Met een brede grijns liepen ze hem tegemoet.
Guy zei: 'Waar is ze?'
Daarvan sloeg Maeve bijna dubbel, en snikkend van de lach klampte ze zich aan Robin vast. Ze hadden beiden veel te veel gedronken. Robin ginnegapte schaapachtig.
'Zeg me alsjeblieft waar ze is.'
Guy voelde het pistool in zijn zak, koud, en zo zwaar dat zijn jasje aan de rechterkant lager hing. Door het leer heen rustte zijn hand op het wapen.
'Ik weet dat jullie haar verstopt hebben. Dat is geen manier. We leven in een vrij land. Je kunt niet iemand tegen zijn zin gevangen houden.'
Ze strompelden de stoep op naar de voordeur. Robin had de sleutel al in de hand. Ze lachten nog steeds. Maeve liepen de tranen waarachtig langs de wangen. Guy zag hoe Robin goedmoedig naar haar glimlachte, onwillekeurig geamuseerd door haar gelach en tevergeefs proberend zijn gezicht in de plooi te houden.
Ten slotte barstte hij uit in schril gelach, als het gehinnik van een bronstig paard, stak de sleutel in het slot en zei tegen Maeve: 'Naar binnen, ga in godsnaam naar binnen. Je steekt me aan. Ik hoef maar naar je te kijken en ik begin weer.'
Guy had het erg koud. Het avonturenverhaal dat hij het laatste halfuur beleefd had, begon te smelten, op te lossen en weg te vloeien. Dit waren echte mensen in een echte straat en dit was

de werkelijkheid. Hij had graag zijn pistool tevoorschijn gehaald en het tweetal daar op de stoep neergeknald. Dat had hij dolgraag gedaan. Maar als hij dat deed, zou hij Leonora nooit meer terugzien. Dat weerhield hem.

'Waar is ze?'

Robin, die opgehouden was met lachen nu Maeve naar binnen was gegaan, zei als een klein jongetje: 'Dat zal je mammie moeten vragen.'

'Wie?'

Plotseling volwassen geworden kwijlde Robin: 'Dat is de afspraak. Als je kwam opdagen, bedoel ik. We waren het erover eens dat mijn moeder het je moest vertellen. Oké?'

Hij stapte naar binnen en sloot de deur.

Toen Guy de Theems overstak was het donker. Onder de rit rookte hij aan één stuk door. Hij was hard aan een borrel toe, maar dat moest wachten. Hij had zijn leren jasje aan met het pistool op zak en Leonora's sjaal om zijn hals. Deze rook heel vaag naar haar parfum.

Aan het noordelijke uiteinde van Sanderstead Lane stopte hij, parkeerde en laadde zijn pistool. De straatverlichting was aan, de rookgele bollen bleven gedeeltelijk verscholen in het dichte groen van de bomen langs de weg. Het wegdek glansde. Er stonden geen auto's geparkeerd. Ieder huis had een garage. Er liep niemand op straat, geen hondenuitlaters, geen snel en schichtig stappende meisjes op weg naar hun rendez-vous. Een auto passeerde, en nog één. Het was hier stil en roerloos, en kouder dan in het hart van de stad.

Hij reed tot voor het huis van de Mandevilles. Het stond achter in de diepe voortuin en baadde in het licht. Zowel boven als in de woonkamers brandden de lampen, maar Guy had niet de indruk dat het huis vol mensen was, dat er bijvoorbeeld een feestje gegeven werd. Het huis stond er helemaal zo verdwaasd bij omdat het buurhuis dat leeg stond in diepe duisternis was gehuld. Geen andere auto's te bekennen. Geen schimmen die zich achter de dichte maar doorschijnende gordijnen bewogen. Toch

had hij het gevoel dat hij verwacht werd, dat ze op hem zaten te wachten.
Robin had zijn moeder natuurlijk gebeld en dus was ze voorbereid. Zij en Magnus waren voorbereid. Misschien had ze wel een lijfwacht ingehuurd. Hij betastte het pistool in zijn zak, streelde het zoals een politieagent doet in een film. Het ijzeren hek viel dicht, galmend door de stilte. Hij liep het tuinpad op. Het was of het huis hem aankeek.
Hij kreeg de kans niet het hele pad af te lopen, aan te bellen of de klopper in de vorm van een leeuwenkop te gebruiken. Toen hij halverwege was en niet meer terug kon, opende Tessa Mandeville de voordeur. Ze stond naar hem te kijken, zwijgend, strak, ogenschijnlijk zonder angst.
'Waar is ze?'
Maeve had gezegd dat dat op zijn grafsteen zou staan. Wie weet. Misschien zouden het zijn laatste woorden zijn, uitgesproken met zijn laatste snik. Hem een zorg. Iets anders had hij niet te zeggen. Hij herhaalde het.
'Waar is ze?'
'Je kunt wel binnenkomen,' zei Tessa. Ze klonk afstandelijk. Ze noemde hem zelden bij zijn voornaam, nooit eigenlijk. 'Ik zou maar binnenkomen. Hoe eerder we dit afhandelen, hoe beter.'
Magnus stond achter haar. Tessa was al net zo fraai uitgedost als Maeve, in een koperkleurige nauwsluitende jurk met lage hals en een zoom met bronzen en gouden kralen. Haar rimpelige hals en uitstaande pezen gingen schuil onder een dubbel snoer van barnsteen. Maar Magnus was in een oude flanellen broek en grijze trui gestoken, alsof klaar-voor-actie. Ondanks dat had hij het broze en doorzichtige van een sprinkhaan.
Ze gingen de muffe volle zitkamer binnen. Het was er bloedheet. In twee reusachtige vazen stonden boeketten in de hitte te kwijnen.
'Ik zou maar gaan zitten als ik jou was.'
'Ik blijf liever staan,' zei Guy.
'Zoals je wilt. Je hebt me gevraagd waar Leonora is.' Tessa keek dramatisch en nadrukkelijk op haar horloge. Ze keek hem recht

in de ogen. 'Ik vermoed dat ze op dit ogenblik zo'n zevenduizend meter boven Noord-Frankrijk zitten. Leonora is vandaag om één uur getrouwd.'

20

Het was of hij de bloemen in de vazen zag verwelken. Het waren van die fletse, exotische, gevulde kelken. Guy zag wel dat het trouwbloemen waren die dienst hadden gedaan als boeket of tafelversiering. Zijn hoofd duizelde. Hoewel hij gezegd had dat hij niet wilde gaan zitten, deed hij dat nu toch. De bloemen gaven een zoetige verschaalde geur af die iets verwordens had. Het leek op de stank van een ongewassen lichaam.
Tessa zei: 'Die sjaal die je om hebt is van mijn dochter.'
'Die heeft ze zelf aan mij gegeven.'
Hij was zich bewust dat zijn stem zwak klonk, amper beheerst. Hij schraapte zijn keel en herhaalde: 'Die heeft ze me zelf gegeven.'
'Je komt zeker om uitleg.'
Tessa ging tegenover hem zitten op een sofa met een sitsen bekleding waarvan de fletse, wittige, bleeklila en perzikkleurige rozen merkwaardig veel leken op de bloemen in de vazen. Daar zat ze, een kleine scherp omlijnde gestalte, kaarsrecht, de handen om haar knieën geslagen. Door het felle bruin van haar jurk en de glimmende stof, door de glans van haar donkere haar en walnootbruine huid leek het of ze in brons gegoten was of uit hout gesneden. Haar ogen schitterden, fonkelden van voldoening, van triomf. Guy was te geslagen, te overweldigd van de schok om haar het hoofd te kunnen bieden. Zijn vechtlust was in rook opgegaan en hij voelde een druk in zijn hoofd. Ondanks de hitte in de kamer trok een kilte zijn huid tot kippevel.
Magnus, die als een soort zenuwachtige demon achter hem liep te dribbelen, moest dat gezien hebben, want hij vroeg haastig: 'Wil je een borrel?'
Guy schudde z'n hoofd. Naderhand vroeg hij zich af of dat de eerste borrel was die hij van zijn leven had afgeslagen. Ergens vandaan diepte hij een stem op die zijn gewone klank benader-

de. 'Dus daar waren jullie allemaal. Jullie waren bij haar trouwen.'
'Dat klopt,' zei Tessa. 'In één keer geraden. Om één uur is ze getrouwd, daarna hebben we met ons allen geluncht.' Ze was niet in staat een glimlach te onderdrukken, hoewel hij kon zien dat ze het wel probeerde. Haar lippen bewogen en ze zat nog steeds kaarsrecht. 'Sedertdien hebben we feestgevierd. Het was een prachtige bruiloft. Dat zei iedereen. We hebben hen nagewuifd toen ze naar Heathrow op weg gingen en Robin heeft nog een schoen aan de bumper van de taxi gebonden. Dat is een onverbeterlijke grappenmaker. Je zult wel nieuwsgierig zijn waar Leonora en William naartoe zijn. Ze gaan naar de Griekse eilanden, naar Samos, als je het weten wilt.'
Hij geloofde haar niet. Leonora en hij hadden naar Samos zullen gaan. Er flitste iets in Tessa's ogen toen ze de leugen uitsprak. Hij begreep wel dat ze hem niet durfde vertellen waar ze in werkelijkheid naartoe waren.
Hoewel hij zichzelf wel kon slaan omdat hij hun toonde hoe diep hij gegriefd was, dodelijk gekwetst haast, zei hij in zijn vertwijfeling: 'Ze zei dat ze op de zestiende trouwde. Ze heeft me wel honderd keer gezegd dat ze op de zestiende trouwde. Jij hebt het zélf gezegd.'
Nog voor ze was uitgepraat, begreep hij wat er aan de hand was geweest met die trouwkaart op de schoorsteenmantel in Lamb's Conduit Street. Het wás Leonora's trouwkaart geweest, natuurlijk gericht aan Janice en haar man. Daar was de echte trouwdatum op vermeld, op de negende, een week eerder dan ze hem hadden voorgespiegeld. Ze hadden hem in allerijl weggehaald. Als hij hem had kunnen bekijken, was hun hele plan in duigen gevallen.
'Waarom heeft ze tegen mij gezegd dat ze op de zestiende trouwde?'
Tessa zat nu breeduit te glimlachen, zo'n schalks lachje met opgetrokken wenkbrauwen. Hij had haar nog nooit zo zien kijken.
'Waarom heeft ze gezegd dat ze vandaag met me uit lunchen zou gaan, zoals altijd?'
Hij had het hart niet de rest van haar toezeggingen te noemen.

Tessa's gezicht had zich een beetje ontspannen. Met een zekere schaamte besefte hij dat zijn gesluierde stem haar had geroerd en dat ze, ondanks haar primitieve triomf, met hem te doen kreeg.
'Probeer je in onze plaats in te denken. Probeer voor de verandering eens aan anderen te denken. Mijn dochter maakte zich ernstige zorgen over de mogelijkheid dat jij, als je haar trouwdatum te weten kwam, heibel zou komen maken. Ik bedoel maar, ze wist wat voor vlees ze in de kuip had. Dat wisten we allemaal. We weten waar jij toe in staat bent. Denk alleen maar eens aan vorige week toen je in een dronken bui William te lijf bent gegaan. Met een sábel! Het is toch ongehoord vandaag de dag iemand met een sabel te lijf te gaan? Je bent in staat alles kort en klein te slaan op een trouwerij. Je had wel naar binnen kunnen dringen en tegen de ambtenaar kunnen schreeuwen ermee op te houden... wat niet al. Je had ik weet niet wat kunnen doen. Mijn dochter is letterlijk al jaren als de dood voor jou. Het was een voortdurende nachtmerrie omdat ze niet wist wat je nu weer zou uithalen.'
Door haar hoop en haar remmingen op subtiele manier te hergroeperen had Tessa van Leonora nu 'mijn dochter' gemaakt. Guy besefte dat Tessa haar tegenover hem nooit weer met haar voornaam zou aanduiden.
Magnus zei op zijn eigen zachtmoedige droge toon: 'Daarom zouden we, als men naar mijn advies had geluisterd, onze toevlucht tot de wet genomen hebben om te verhinderen dat je mijn stiefdochter nog langer lastig viel. Het zou ongetwijfeld een pijnlijke stap zijn geweest maar het zou ons op den duur veel narigheid en ellende bespaard hebben.'
Guy keek op met ogen die zwaar aanvoelden, alsof ze vol zaten met tranen die hij de vrijheid niet kon geven. Ze voelden gezwollen aan. Hij keek Magnus aan. Door het fijne zachte leer van zijn jasje voelde hij de onmiskenbare vorm van het pistool. Maar het zei hem niets. Het was of hij de kracht miste het uit zijn schuilplaats te halen, laat staan het af te vuren. De verdoving die met shock gepaard gaat, was hem niet onbekend, maar het was lang geleden dat hij die voor het laatst had gevoeld.

'Vergeef me', had ze gisterochtend door de telefoon gezegd. Nu begreep hij waarom ze dat gezegd had. 'Vergeef me.' Haar stem had gedempt en beverig geklonken, en vol tranen, net als zijn ogen nu. 'Vergeef me voor de leugens waar ze me toe gedwongen hebben, vergeef me dat ik je heb bedrogen, voor deze allerlaatste afschuwelijke leugen dat ik morgen met je uit lunchen ga en voorgoed bij je zal blijven.'

Tessa was weer aan het woord. Hele zinnen, hele alinea's vloeiden uit haar mond en hij hoorde er niets van. Hier en daar ving hij een woordje op: 'roomkleurige zij', 'gele rozen', 'wit goud'. Hij keek haar aan. Het gevoel dat hij kreeg, was hem deze keer niet vertrouwd, en hij ervoer het als een dodelijke schok dat er mensen zijn die in staat zijn tot een dergelijke verfijnde en uitgekiende wreedheid.

'Daar wil ik niets over horen,' zei hij en zijn stem klonk flinker. Merkwaardig genoeg was het een nieuwe stem, een harde afgemeten stem, star van minachting. Ik ben doodgegaan, dacht hij, en herboren met een nieuwe stem, een ander stel prioriteiten. 'Daar wil ik niets over horen.' De woede kwam terug en die was dezelfde gebleven, het was dezelfde oude woede van vroeger. 'Kom me niet aan met die flauwekul, van wat ze aanhad, van de klotebloemen, bespaar me die onzin.'

'En sla jij niet zo'n toon aan tegen mijn vrouw.'

'En ga jij me dat beletten?' Hij voelde het pistool weer. Magnus maakte een lullig geluidje, zoiets als 'psja', en Guy wist dat hij bang was. Hij had kunnen lachen als hij tot lachen in staat was geweest. Maar zijn hoofd voelde zwaar, zijn oogleden voelden zwaar. 'Uit wiens koker is dit allemaal?'

'Neem me niet kwalijk?' Tessa klonk erg sarcastisch, een en al zijn meerdere, barones Kak, en de even opgeleefde deernis was verdwenen.

'Ik vraag uit wiens koker dit komt. Wie heeft die truc bedacht om mij te belazeren en te laten denken dat Leonora een week later trouwde dan ze in werkelijkheid deed? Dat heeft zij niet zelf bedacht.'

'Wat doet het ertoe wie het bedacht heeft? Ik weet het niet meer.

Ik in elk geval niet. Was het maar waar! Ik wou dat ik op zoiets simpels was gekomen, zoiets doeltreffends. Maar één ding: mijn dochter heeft het misschien niet zelf bedacht, maar ze was meteen bereid eraan mee te werken. Ze vond het een kans uit duizenden.'
'Jullie hebben haar bewerkt,' zei hij. 'Jullie met z'n allen hebben haar vergiftigd.'
'Als je iemand weghaalt van iemand voor wie ze als de dood zo bang is, als dat vergiftigen heet, dan zeg ik: kom maar op met dat vergif.'
'Leonora was niet bang voor mij. Ze hield van me. Ze heeft me gevraagd haar te vergeven.' Guy keek Magnus aan. 'Die borrel wil ik achteraf toch wel.'
Tessa barstte in lachen uit. 'Jij bent onverbeterlijk, of niet soms? Jij bent zo brutaal als de beul.' Ze bauwde hem na: '"Die borrel wil ik achteraf toch wel..." Jij behoort niet tot onze vrienden, weet je. Je bent geen huisvriend. Joost mag weten hoe lang geleden jij geprobeerd hebt hier binnen te dringen en sedert die dag trachten we jou al te lozen. Je hebt het kennelijk nooit begrepen dat jij bij ons niet op je plaats bent, dat jij niet tot ons soort mensen behoort. En om nou maar eens helemaal eerlijk te zijn: met al jouw geld hoor jij niet tot onze stand. In de grond ben je nog steeds een Ierse nozem, een straatschoffie. Je zou de arbeidersklasse beledigen door te zeggen dat jij tot de arbeidersklasse behoort. Dat doe je niet. Jij bent een sloppenrat en dat zul je altijd blijven.'
Hij voelde een tikje op zijn schouder en opkijkend zag hij Magnus' doodskop boven zich, met een glas in zijn perkamentachtige, ietwat beverige hand. Ze hadden hem niet gevraagd wat hij wilde drinken. En nu kwamen ze op de proppen met iets wat Magnus geschikt vond voor deze gelegenheid (of met iets waar ze veel van hadden en wat Magnus zelf niet dronk). Pleegzuster bloedwijn, probaat tegen shock. Maar het bleek whisky te zijn, ietwat aangelengd met water. De smaak bezorgde Guy het weeë gevoel dat hij altijd van whisky kreeg, gevolgd door een beginnende opleving van energie.
'Het lachwekkende was,' zei Tessa, 'dat jij het ooit in je hoofd

hebt gehaald dat mijn dochter ooit met jou zou trouwen, ooit toestemming zou krijgen voor een huwelijk met jou.'
'Ze is meerderjarig, Tessa,' zei Magnus, de eeuwige jurist. 'Ze heeft ongetwijfeld zelf haar keuze kunnen bepalen. Ze hád in feite zelf haar keuze al bepaald.'
'Niet waar,' zei Guy. 'Niet in feite, niet in niks. Dat hebben anderen voor haar gedaan, en daar gaat het "in feite" om. Je vrouw had gelijk toen ze het over die toestemming had. Jullie met je allen, de hele meute van de Chisholms en wat dies meer zij, hebben niet toegestaan dat ze deed wat ze wilde.'
'Wat een baarlijke nonsens. Had ik nou toch maar een bandje gemaakt van alles wat mijn dochter gezegd heeft. Echt waar. De keren dat ik haar gevraagd heb waarom ze zich nog altijd met jou afgaf, en zij zei dat dat de enige manier was. Ze speelde het spelletje mee om met rust gelaten te worden, om de rest van de week te kunnen doen waar ze zin in had. Zo zat dat.'
'Het zou een volstrekt redelijke maatregel geweest zijn een gerechtelijk omgangsverbod aan te vragen, maar ze wilde niet inzien dat dat uitvoerbaar was.'
'Tja, dat wilde ze nu eenmaal niet, Magnus. Ze wilde hem, om met haar woorden te spreken, "niet kwetsen". Ze was altijd al te zachtmoedig voor haar eigen bestwil. In tegenstelling tot onze gast kwamen voor haar anderen eerst. Ze zou alles gedaan hebben om hem niet te kwetsen. Maar het doet er nu niet meer toe. Het is voorbij. Ze is getrouwd. En als zij en William terugkomen van... eh Samos, ze zijn op weg naar Samos, dan gaan ze meteen door naar Manchester. Ze komen niet meer terug in Londen. En als je denkt dat ik je het nieuwe adres van mijn dochter zou geven, ben je nog gekker, nog gestoorder, of hoe het heten mag, dan ik dacht.'
Guy tastte naar zijn sigaretten. Die zaten niet in de zak met het pistool. Hij stak er één op, waarbij hij haar in de gaten hield. Ze reageerde voorspelbaar.
'Roken in mijn huis sta ik niet toe.'
'Dat is dan jammer,' zei hij. 'Als je wilt dat ik hem uitdoe, zul je geweld moeten gebruiken. Nou, kom op dan. Jij of hij.'

'Dit is ongehoord,' zei ze.
'Je moet nooit regels instellen als je ze niet af kunt dwingen.'
'Magnus,' zei ze, 'zorg ervoor dat hij hem uitdoet.'
Magnus antwoordde door een asbak te halen die hij naast Guys elleboog plaatste.
Guy zei: 'Je ex-man heeft Newton die baan bezorgd via zijn broer. Dat heeft Leonora zo goed als erkend. Hij heeft Leonora aan hem voorgesteld en toen heeft hij al zijn kruiwagens gebruikt om ergens in het noorden een baan voor hem te versieren.'
Tessa kreeg een toneel-hoestbui. Met haar hand voor haar mond huiverde ze licht. 'Kan wezen. Daar weet ik niets vanaf. Ik heb Michael Chisholm in geen jaren ontmoet.' Ze stak een hand uit naar haar man. 'Lieverd, geef mij ook maar een drankje. Wel opvallend dat mij niets wordt aangeboden. Gin en gingerale graag, en waarom zou jij er ook niet eentje pakken, gezien het feit dat we klaarblijkelijk opgezadeld worden met een diepgaande discussie over zijn... tja, hoe zou jij het noemen? Achtervolgingswaanzin?'
'Curran,' zei Magnus, 'vind jij het eerlijk gezegd niet tijd worden om te vertrekken? Mijn vrouw heeft je veel meer verteld dan je, gezien de omstandigheden, redelijkerwijs had mogen verwachten.'
'Nee, ik ben nog niet zover. Ik wil eerst weten wie het plan verzonnen heeft om me er zo in te luizen.'
Tessa zei verveeld: 'Ik weet niet of ik je kan volgen. Wat bedoel je met "erin te luizen"?'
'Nou ja, voor de gek houden dan. Ik werd in de waan gelaten dat het huwelijk volgende week zaterdag zou zijn.' Guy aarzelde, verbeterde zich: 'Nee, ik werd in de waan gelaten dat er helemaal niet getrouwd zou worden.'
Ik hou van je, ik kom bij je, wat je maar wilt. Denkend aan haar zoen op de avond toen hij gewond was geraakt, betastte hij zijn arm en de zijdeachtige stof van het sjaaltje. Als ik nu ga snikken bij het praten, vermoord ik hen allebei. 'Wie,' zei hij en zijn stem was vast, 'heeft haar daartoe aangezet? Wie heeft haar ge-

prest tegen mij te zeggen dat ze op de zestiende trouwde en daarna dat de trouwerij niet doorging? Wie was dat?'
'Dat zei ik toch al? Dat weet ik niet.' Tessa nam het glas van haar man aan. Ze hief het als voor een toost, alsof ze iets wilde zeggen, maar ze bedacht zich en nam een slok. 'Het doet er niet toe wie op het denkbeeld is gekomen. We vonden het allemaal een lumineus idee.'
'Ze had hem geen onwaarheden moeten vertellen,' zei Magnus onverwacht. 'Ik bedoel: als hij gelijk heeft en ze heeft inderdaad gezegd dat ze niet met William ging trouwen, dan was dat verkeerd van haar.'
'Wát? Aan wiens kant sta jij? Je kunt van mij aannemen dat het volledig gerechtvaardigd was hem wat ook maar te vertellen. Doet er niet toe wat. En als jij dat gerechtelijk verbod nog eenmaal noemt, ga ik gillen.'
Magnus schonk er geen aandacht aan. De kreukels in zijn gezicht werden iets glad getrokken, als een verfrommeld stuk papier dat door zorgvuldige vingers vlak gestreken wordt. Hij glimlachte en zei: 'Ik weet nog best wie op het idee is gekomen. Ik was totaal verbluft. Het leek zo... tja, zo gewaagd.'
Zijn vrouw maakte een ongeduldig gebaar met haar hand. 'Het is volmaakt onbelangrijk wie het bedacht heeft. Het heeft gewerkt, en daar gaat het om. Al die narigheid uit het verleden behóórt nu tot het verleden.' Ze begon Guy doordringend aan te kijken, recht in zijn ogen, beide ogen. Hij zag aan haar dat ze absoluut niet bang voor hem was, en dat verbaasde hem. Ze zat hem in koelen bloede gade te slaan, als een arts, als een beul die de reacties van zijn slachtoffer taxeert. Het zou hem niet verbaasd hebben als ze hem op zakelijke toon had gevraagd of hij nog iets te zeggen had voor ze aan de slag ging met de duimschroeven. 'Zo, dat is dan dat,' zei ze. 'Nu weet je er alles van. En ik vind dat je nu maar moest vertrekken.'
'O, ik ga al. Ik heb helemaal geen zin om hier te blijven. Waarom zou ik?' Guy drukte zijn sigaret uit, maar liet hem nog even nasmoken. Hij keek Magnus aan. 'Goed, zeg op, wiens idee was het?'

'Idee? O, je bedoelt wie dat van die trouwdag had bedacht? We zouden een woord voor die relatie moeten hebben. Ik moest het kunnen hebben over mijn stiefvrouw, of zo, maar dat voldoet toch niet, vind je wel? Ik ben gewoon gedwongen haar bij haar naam te noemen, dus mevrouw Chisholm, of Susanna Chisholm.'

De man zei dat alles met een zekere wellust, bedacht Guy vol walging. Hij had er plezier in al die pedante onzin uit te kramen. Toen drong het tot hem door wat hij gezegd had. 'Susanna heeft het verzonnen?'

'We hadden een soort familievergadering belegd. Uiterst geciviliseerd. Dat had niet gekund toen ik nog jong was. Ex-vrouwen en ex-echtgenoten, allemaal gezellig bij elkaar. Maar er is veel voor te zeggen. Mij hoor je niet klagen. Mevrouw Chisholm, Susanna wel te verstaan, kwam ermee aandragen. En het sprak mijn vrouw wel aan, waar of niet, lieverd?'

'O ja, inderdaad. Allicht. Ik vond het een prachtidee.' Tessa, die geheugenverlies had aangevoerd, leek opeens volledig genezen. 'Ik was Susanna geweldig dankbaar. En ik heb met liefde geholpen de details uit te werken. Ik heb mijn rol goed gespeeld, weet je nog wel? Je zult je nog wel herinneren dat ik bij jou thuis ben geweest en er een punt van maakte jou te vertellen dat de bruiloft op de zestiende was. Als ik mijn zin had gekregen, hadden ze jou een kaart gestuurd met de zestiende erop.'

Haar man knikte. Hij knikte maar en knikte maar, als zo'n hondje met een wiebelkop achter in sommige auto's. 'Maar Leonora wilde er niet van weten. Wilde er helemaal niet van horen. Ze zei dat het verkeerd was, maar ik zei tegen haar dat een menistenleugentje niet bij de wet verboden was.'

'Daar weet ik niets meer van, Magnus. Dat heb je zeker gedroomd!' Ze hoestte weer, reikte voor Guy langs en drukte diens sigaret helemaal uit. 'Voor Leonora was het dé oplossing, en het eind van al haar zorgen.'

'Tja, een kat kan vreemde sprongen maken als de duivel erachter zit,' zei Magnus met glinsterende oogjes, geen ruimte latend voor twijfel over wie hij met de duivel bedoelde.

Guy stond op en klopte op de zak met het pistool. De telefoon stond op een tafeltje naast haar, zo bij de hand. Hij had geen sabel om het snoer in tweeën te hakken en door zijn gewonde arm miste hij de kracht om het uit de muur te trekken. Daar voelde hij trouwens toch geen aanvechting toe, maar in plaats daarvan stak hij zijn hand in zijn zak en bevoelde het koele metaal.
'Waar zijn ze naartoe?'
'Waar zijn wie naartoe?' Tessa was ook opgestaan.
'Anthony en Susanna. Die zijn met vakantie.' Of was dat ook een leugen, door de zuster verspreid? 'Ze hebben me verteld dat ze de stad uit waren.'
'Voor een paar dagen maar. Ik pieker er niet over jou te vertellen waarnaartoe. Het is al erg genoeg dat wij ons aan dit verhoor hebben moeten onderwerpen, maar dat heb ik mezelf aangedaan. Dat had ik op me genomen. Ik heb hun opgedragen jou hiernaartoe te sturen en dan zou ik je wel te woord staan. Dat was om de anderen te sparen. Ik vond dat dat het minste was wat ik kon doen, dus je begrijpt wel dat ik Anthony en Susanna er niet mee zal opzadelen in dit stadium. Trouwens, die kunnen je niet meer vertellen dan wat je van mij hebt gehoord.'
Hij voelde het pistool en overwoog opnieuw hen neer te schieten. Als hij dat deed, verspeelde hij de kans Anthony en Susanna te vinden. Hij haalde zijn hand uit zijn zak. Door de boel kort en klein te slaan, de vazen aan gruzelementen te smijten, zou hij net zo goed de kans verspelen om Anthony en Susanna te vinden. Magnus Mandeville was er de man niet naar te aarzelen om de politie erbij te halen. Waarschijnlijk was er iedere paar dagen wel iets waar hij de politie bij haalde. Guy keek van de een naar de ander en wendde toen vol walging zijn blik af.
Hij dacht: ze is getrouwd. Terwijl ik in dat restaurant op haar zat te wachten, uitgerekend op het tijdstip dat we elkaar zouden treffen, was zij bezig te trouwen. En ik maar van links naar rechts bellen, ik maar van huis naar huis rijden, want ik voelde me haar redder. En al die tijd dat ik daarmee bezig was, zat zij feest te vieren, haar eigen bruiloft te vieren. En zij maar champagne drinken, en maar lachen, en maar gelukgewenst worden.

De bloemen hier in de kamer waren ook van de partij geweest. Ze had er waarschijnlijk aan geroken, ze beroerd, misschień was een van die boeketten wel haar bruidsboeket.
Hij liep de kamer uit, de gang door, opende de voordeur, smeet hem dicht en liep het tuinpad af naar het hek.
Hij wist dat ze hem nakeken, maar hij keek niet om. Zij hadden gewonnen, zij met hun allen. Tessa en Magnus, Rachel, Robin en Maeve, Anthony's broer en Susanna's zuster, Anthony en Susanna. Ze hadden gedaan wat ze vier jaar geleden al van plan geweest waren te doen. Om het voor elkaar te krijgen hadden ze vier jaar nodig gehad, maar ze hadden het 'm geflikt, en de aanstichters, de leiders van het complot waren Anthony en Susanna.
Hij ging in de Jaguar zitten. Hij zette de motor aan en zag de cijfertjes van de klok oplichten: 08.52. Al die gebeurtenissen, de kentering in zijn leven, de kentering in zijn persoonlijkheid, en toch was het nog maar tien voor negen. Niet te geloven, en dus keek hij op zijn horloge. Tien voor negen. Hij reed een eindje en parkeerde de auto opnieuw. Hij parkeerde zijn auto alleen omdat er langs de stoeprand een plaats zonder gele streep vrij was. Hij vond zoveel troost in de sigaret die hij opstak dat hij zowat zou gaan huilen. Hoe had hij ooit kunnen overwegen met roken te stoppen? Hij zou er nooit mee stoppen.
Zodra zijn hoofd weer zo helder was dat hij kon denken, zou hij zich herinneren waar Anthony en Susanna naartoe waren. Susanna had het hem verteld. Op de dag dat hij bij hen langs was gegaan in Lamb's Conduit Street had ze het gezegd. Hij was het vergeten maar het zou hem wel weer te binnen schieten. Hij kon natuurlijk ook die zus bellen. Hoe heette ze ook al weer? Laura Stow. Hij kon Laura Stow bellen. Het was pas tien voor negen – nou ja, vijf over negen intussen. Hij kon om kwart voor tien thuis zijn. Dat was niet te laat om te telefoneren. Hij zou niet zijn eigen naam noemen en een of ander verhaal ophangen – een dringende boodschap voor Anthony, een expresbrief...
Ze waren allemaal schuldig: Magnus, Tessa, Rachel, Robin en Maeve, Laura Stow en Michael Chisholm, en vooral Anthony

en Susanna. Het was begonnen toen Susanna de brief van Poppy Vasari had geopend. Dat was het begin geweest van hun vendetta tegen hem. Daarna was Anthony aan het werk getogen, had haar verboden met hem met vakantie te gaan, had haar belet geld van hem te lenen voor de flat in Portland Road. Negatieve gebaren een voor een, maar hun volgende zet was positief geweest. De volgende zet was het zoeken van een man voor haar en haar met William Newton in aanraking te brengen. Een gearrangeerd huwelijk, net zo kwalijk als in India, dacht hij.
Toen ze de echtgenoot eenmaal voor elkaar hadden, hoefden ze alleen nog een baan voor hem te versieren ergens in het noorden, ver van de man van wie ze in werkelijkheid hield. En ten slotte, als klap op de vuurpijl: het plan van Susanna om haar in het geniep te laten trouwen, een week voor de datum die ze hem hadden voorgespiegeld. Anthony en Susanna hadden het hele scenario bedacht, de plannen gemaakt, de uitvoering verzorgd en het tot een triomfantelijk einde gebracht. De anderen waren gewoon hun knechtjes geweest, hadden slaafs en gehoorzaam hun instructies afgewacht. En Newton was hun speelbal geweest, een onnozele nul. Hoeveel hadden ze hem betaald om zich naar hun plannen te schikken?
Guy ging op weg naar huis. Op Battersea Bridge stopte hij, stapte uit en keek naar het bruine spiegelende vieze rivierwater beneden zich. Hij haalde het blauwleren doosje met de saffieren ring uit zijn zak en gooide het na een minimale aarzeling in het water. Zijn gedachten keerden ogenblikkelijk terug naar Anthony en Susanna Chisholm. Er was op deze wereld geen plaats voor hem – en die twee. Hij zou niet rusten zolang Anthony en Susanna in leven waren.

21

Dat de lichten aan waren was normaal. Door middel van een lichtgevoelig oog gingen de lampen aan zodra het begon te schemeren. Hij liet de auto buiten staan, maakte de voordeur open en liep regelrecht naar de telefoon in de zitkamer. De floppy in zijn brein met alle Chisholm-nummers vertoonde onmiddellijk het nummer van Lamb's Conduit Street.
Een man antwoordde. Laura Stow was waarschijnlijk getrouwd. Guy zei dat hij van de Wing Express Carriers uit South Audley Street was en een expreszending had voor de heer Chisholm, en hij vroeg waar hij hem kon bereiken. Als hij Laura zelf had gekregen zou hij zijn stem veranderd hebben, maar met haar man was dat niet nodig. De man was niet wantrouwig en gaf Guy de naam van een hotel in Lyme Regis.
Guy haalde zich een grote bel cognac. Op het tafeltje lagen de *London Review of Books* en *The Guardian* nog op de plaats waar hij ze had neergelegd. Hij meende dat de *Cosmopolitan* er ook bij moest zijn, maar hij zou zich wel vergissen want die zag hij niet. Dat herinnerde hem aan het Paloma Picasso-parfum en het badzout in de badkamer evenals aan de afspraak voor maandag om dat huis te gaan bekijken. Razernij die evenveel ellende inhield als boosheid, maakte zich van hem meester en hij greep de beide kranten, verscheurde de bladen, trok ze aan flarden. En onderwijl vloekte hij, met het hoofd achterover naar het plafond schreeuwend – of naar God. Hij hoorde zijn eigen stem tieren alsof die een ander toebehoorde. Hij schopte tegen de tafel en beukte met zijn vuisten tegen de muur.
'Guy,' zei iemand, 'Guy, wat is er?'
Hij draaide zich om. Celeste stond in de deuropening.
'Guy, liefje, wat is er gebeurd?'
'O god, o christus.' Hij was hun afspraak vergeten, of liever: hij was vergeten dat hij er niet in geslaagd was hem af te zeggen. Ze

waren overeengekomen dat zij naar zijn huis zou komen en daar had ze zich aan gehouden. Hoe lang was ze er al? Het was bij tienen. 'Celeste.' Hij sprak haar naam uit, meer niet, met een stem die schraperig en hees was van het schreeuwen.
'Ik dacht dat je wat was overkomen. Ik dacht: Guy heeft een ongeluk gehad.'
Alsof hij niet zichzelf was maar een ander, alsof hij met de ogen van een ander naar haar keek, dacht hij: wat zie jij er fantastisch uit. Haar lange kastanjebruine haar hing los, maar vertoonde nog wel de golfjes van het vlechten. Een gouden spang van twee centimeter breed hield het haar uit haar gezicht. Ze droeg een zwarte zijden trui en een zwarte rok, druk geborduurd met turkoois en blauw en roze en rood. Volmaakt, vanaf de gouden slakkenhuisjes in haar oren tot en met de gouden gevlochten armbanden en haar platte blauw-met-groene zijden pumps met goudstiksel. Hij sloot zijn ogen en zag Leonora in haar marineblauw-met-witte verwassen T-shirt en modderige gympen. Zijn gezicht vertrok van pijn.
'Ben je gewond?' zei ze. 'Is het je arm?'
'Celeste, sorry dat ik niet thuis was. Ik was vergeten dat jij zou komen. Sorry.' Als hij haar woorden zou gebruiken, als hij zou zeggen: 'vergeef me', zou hij in huilen uitbarsten. 'Gruwelijke dingen,' zei hij behoedzaam, zijn best doend voorzichtig te zijn, 'zijn er gebeurd.'
'Wat voor dingen, Guy?'
Hij stak een sigaret op en gaf haar er ook een. Hij proefde van de cognac. Prima kwaliteit maar hij deed hem huiveren. 'Ik kan niet blijven. Ik kwam alleen maar even opbellen. Maar ik moet zo weer weg. Ik rij de hele nacht door.'
'Mag ik mee?'
'Nee, ik ga alleen. Blijf jij maar hier, en ga slapen. Oké?'
'Ik ga liever met je mee. Dan rij ik.' Ze zei niet: jij hoort niet achter het stuur, maar dat bedoelde ze wel. Hem nog steeds aankijkend knielde ze op de grond en begon de krantensnippers op te rapen.
'Ach, laat toch liggen,' zei hij. Hij bracht zijn hand naar zijn

hoofd. 'Celeste, ze is niet gekomen. Ze is vandaag getrouwd. Ze trouwden terwijl ik in dat restaurant op haar zat te wachten.'
'Wát?'
Hij herhaalde het. De tweede keer viel het hem al gemakkelijker. Ze kwam naast hem zitten en hij vertelde haar over de Chisholm-samenzwering, van a tot z.
Celeste luisterde in stilte. Nadat hij uitgepraat was, bleef ze zwijgen. Daarna zei ze: 'Wat schandalig!'
Hij knikte. Hij was altijd al gek geweest op haar manier van spreken, met dat vleugje van de Caraïbische Zee, die open klinkers. 'Schandáálig,' zo zei ze het. Hij keek haar vol genegenheid aan. Het daagde bij hem dat zij hem begreep, dat zij hem altijd had begrepen.
'Zij met z'n allen tegen mij,' zei hij. 'Hun doel was haar tegen mij in te nemen, en daar zijn ze in geslaagd.'
'Ik vind het schandáálig van háár, dat bedoelde ik. Wat zíj gedaan heeft. Dat was boosaardig, Guy. Dat zou een fatsoenlijk mens nooit doen.'
Hij sprong op en ging op een paar passen voor haar staan. Het warme gevoel van daarnet was verdwenen. Ze bleef hem aankijken.
'Ze is zesentwintig,' zei ze. 'Ze is oud genoeg om te weten wat ze wil, om te doen waar ze zin in heeft. Jij zult eraan moeten wennen dat ze dit gedaan heeft omdat ze het zelf wilde. Niemand kan haar dwingen. Ze is geen kind meer of een dier, ze is intelligent, ze heeft veel meer hersens dan ik en ik ben jonger dan zij, en toch zou ik me nooit de wet laten voorschrijven, nooit ofte nimmer. En dat heeft zij ook niet gedaan. Ze heeft gedaan wat ze wilde doen. Ze vond het leuk. Ik geloof vast dat ze het leuk vond. Jij zegt dat ze erbij stond te kijken toen jij William te lijf ging. Ze vond het leuk dat jij om haar vocht en zo een godin van haar maakte, zonder dat jij er iets voor terugverwachtte.'
Hij beefde over zijn hele lichaam. Hij had haar kunnen vermoorden. Zijn rechterarm jeukte om uit te halen, zijn hand om haar een geweldige dreun te geven. Iets weerhield hem, een oud ridderlijk taboe op het slaan van een vrouw. Je kunt haar doden,

maar je slaat haar niet. Hij hield zijn hand vast met de andere en raakte zo het sjaaltje van Leonora. Al wat hij ooit van haar zou bezitten, dacht hij.
'Jij bent jaloers,' zei hij. 'Altijd geweest.'
Ze schudde het hoofd. Hij wist niet of ze ja bedoelde of nee.
'Leonora is verliefd op William, Guy. Haar vader heeft geen man voor haar gezocht. Zij heeft hem gevonden. Ze houdt van hem.'
'Hoe kun jij dat weten?'
'Ze heeft het me verteld. Toen in het restaurant. Ze zei: "Ik zou het een fijn idee vinden als Guy net zoveel van iemand hield, als ik van William, en die iemand van hem."'
'Eigenaardig dat je me dat nooit verteld hebt.'
'Dat heb ik geprobeerd. Je wilde niet luisteren.'
Hij ging zich nog een borrel halen. Het was heel stil buiten, hoewel het zaterdag en nog vroeg in de avond was. Hij hoorde haar zeggen: 'Waar ga je naartoe?'
'Een heel eind. Naar Dorset.' De cognac stond hem tegen. Dat had hij nooit eerder gedaan. 'Ik heb een appeltje te schillen met Anthony en Susanna.'
Iets in zijn ogen had haar zeker gewaarschuwd. 'Ik heb de munitie voor je geweer verstopt. Toen je niet kwam opdagen had ik een voorgevoel.' Met geweer bedoelde ze zijn .22. Van de Colt wist ze niets af. 'Ik zeg niet waar die is. Nog over mijn lijk niet.'
'Hou op je met mijn zaken te bemoeien, Celeste. Je bent mijn vrouw niet. Je bent niet eens mijn vriendin. Je bent gewoon een vriendin. Wordt het niet eens tijd dat je dat gaat begrijpen?'
Hij wilde haar kwetsen. Hij had haar ooit wel eens ineen zien krimpen. Dat wilde hij weer zien. Maar haar gezicht bleef kalm, roerloos.
'Heb je er ooit wel eens over nagedacht,' zei ze, 'dat je, in plaats van achter die droom van je aan te jagen, hier thuis had kunnen vinden wat voor jou het beste was? Jij en ik, Guy, hebben zoveel gemeen. We houden van dezelfde dingen. We hebben dezelfde liefhebberijen, dezelfde smaak. Je houdt niet van mij, maar je zou van me gaan houden als je me de kans maar gaf. Ik hou van

jou. Dat hoef ik je niet te vertellen. In bed zijn we goed, waar of niet? In bed kunnen we het prima vinden, waar of niet? Ik heb nooit lekkerder gevrijd dan met jou... En jij? Zeg eens eerlijk, Guy, heb jij ooit fijner gevrijd dan met mij?'

'Ik heb je van het begin af aan gezegd dat ik verliefd was op Leonora,' zei hij.

'Dat zei je. Dat weet ik. Wat jij zegt en hoe het in werkelijkheid is, dat zijn twee verschillende dingen. Besef je wel dat jouw leven voor honderd procent uit waan bestaat?'

'Je praat over dingen waar je geen verstand van hebt. Leonora is de grote liefde in mijn leven. Ze ís mijn leven.' Hij herinnerde zich die uitlating die Leonora had verloochend, met de verwijzing naar een figuur in een of ander boek. 'Ik bén Leonora,' zei hij. 'We waren één.' De cognac maakte hem opgewonden en hij praatte met dubbele tong. 'Zonder haar heeft het leven geen zin.'

Heel even dacht hij dat Celeste hem uit zou lachen. Dat gebeurde niet. Zachtjes zei ze: 'Hoe vaak heb jij echt met haar gevrijd?'

Hij vond dat een grenzeloze brutaliteit. 'Dat heeft er niks mee te maken,' zei hij stug.

'Hoe vaak, Guy, sedert die eerste keer, jaren geleden op dat graf of zo, waar jij me over hebt verteld?'

Het was net zo'n antiroomse grap, de priester achter het roostertje en het Ierse meiske op haar knieën. 'Hoe vaak, mijn kind?' Maar Celeste keek hem ernstig aan. Ze maakte geen grapje. Hij dacht terug aan die eerste jaren, maar herinnerde zich alleen Kensal Green, het hoge zomerse gras en de vlinders.

'Maakt het wat uit?'

'Voor jou wel, dunkt me.'

'Vijf of zes keer,' mompelde hij.

'Och, Guy,' zei ze, 'mijn zoetelief.'

Hij haalde zijn schouders op, keek de andere kant uit. Opeens was hij zich bewust hoe moe hij was, van een vermoeidheid die zich als een zware donkere deken over hem heen spreidde. Hij pakte zijn glas en dronk het leeg. De sigaret die hij opstak, smaakte vanaf de eerste haal naar as.

'Ze vond het leuk,' zei Celeste. 'Je had gelijk toen je zei dat ze wat graag iedere zaterdag met je uitging, dat ze wilde dat je elke dag belde. Ze vond het leuk jou op sleeptouw te hebben. Wat heeft het haar gekost? Niks, niemendal. Ze voelde zich gestreeld jou achter zich aan te hebben, die knappe, aardige Guy. Het enige waar het haar om te doen was, dat was dat de mensen wisten dat jij verliefd op haar was. Ze heeft het bestaan een andere vrijer aan de haak te slaan en ze kreeg het voor elkaar dat hij met haar wilde trouwen, maar intussen was jij er ook altijd nog, met je telefoontjes elke dag en je lunches elke zaterdag. En daar hoefde ze niks voor terug te doen, niet eens met je te slapen.'
'Zo zat het niet in elkaar,' zei hij, maar dat was wél zo. 'Haal nog een borrel voor me, wil je?'
'Moet je vannacht niet dat hele eind rijden?'
'Toe, haal nog een borrel voor me.'
Hij reed morgenvroeg wel naar Dorset. Dat was beter. Als Celeste nog sliep. Hij werd altijd vroeg wakker. Opgefrist en met nieuwe moed zou hij om acht uur op weg gaan, dan was hij er om een uur of twaalf. Hij bedacht dat hij de hele dag, behalve wat brood en kaas tussen de middag, niets had gegeten, maar hij had ook nergens zin in. Voor het eerst in jaren was hij niet in een restaurant wezen eten of bij iemand thuis.
In het Chinese bed lag hij eerst een eindje van Celeste af. Hij overdacht zijn plannen voor morgen. Eerst een goeie nachtrust was beter. Eenmaal in Lyme zou hij rechtstreeks naar het hotel gaan en naar hen vragen. De man van de receptie zou hem dan vertellen dat ze de hele dag uit waren en dan ging hij hen zoeken, boven aan de krijtrotsen misschien – had je die in Lyme? Vast wel. Of dan zag hij hen in de verte aankomen op hun strandwandeling langs het water. Het pistool zat nog in de zak van zijn leren jasje. Daar kon het wel blijven. Morgenochtend ging hij toch met dat jasje aan op weg. Wat zouden ze voelen, wat zouden ze doen als ze hem in de verte zagen aankomen over het zand?
Het brede verlaten strand, de eindeloze zee, niemand in de buurt. Nergens om naartoe te vluchten, maar vluchten zouden

ze... Ineens zag hij Leonora's glimlach voor zich, koket, beheerst, geheimzinnig, Vivien Leighs glimlach in *Gejaagd door de wind.* Het was haar huwelijksnacht. Niet dat dat zoveel betekende. Ze had de laatste weken zo nu en dan al met die gozer samengewoond. Wat had ze hem gemeen behandeld! Hij had nooit gedacht dat hij Leonora nog eens gemeen zou noemen, maar dat deed hij nu wel, met zelfbeklag én verbazing.

Celestes slanke hand beroerde zijn gezicht en ze bracht haar lippen naar de zijne, heel zacht en warm. Zij kon praten onder het zoenen. Hij had nooit iemand meegemaakt die dat klaarspeelde.

'Guy, zoetelief, ik hou van je. Ik wil met je vrijen.'

Dat deed hij. Hij dacht dat hij daarvoor Leonora's beeld zou moeten oproepen, wat anders nooit moeilijk voor hem was. Maar deze keer weigerde ze te verschijnen, of Celestes aanwezigheid was te sterk om schimmige indringers te gedogen. Het was of Celeste vastbesloten was met haar liefde iedereen, behalve zichzelf en hem, uit te bannen. Dit hier was Celeste in zijn armen en niemand anders, de glanzende ogen open, de stem verstomd. Hij voelde een merkwaardige toegespitste macht van haar uitgaan, en het woord behekst kwam bij hem op. Binnen in haar lichaam, binnen in haar wezen was een genezende, gezegende toverkracht.

Hij liet zich er min of meer op voorstaan dat hij niet kon uitslapen. Hij had eigenlijk niet verwacht dat hij één oog dicht zou doen, hoogstens dat hij wat zou uitrusten. Maar toen hij wakker werd, vertelden de wijzers van zijn reiswekker dat het over negenen was en Celeste sliep nog. Ze lag in diepe slaap gedompeld alsof het nog midden in de nacht was.

Dat was maar goed ook, want zo kon hij ongemerkt wegkomen en zonder haar vertrekken. Hij nam een douche. Eigenlijk een knotsgek idee dat een man zich van top tot teen waste, zich inzeepte en onder die opgejutte stralen heet water stond alvorens aan een moordopdracht te beginnen. Waarom je zo druk maken over wat dan ook? Waarom thee zetten? Waarom staan wachten tot het water kookte? Waarom in je badjas gehuld overwegen

wat je aan zou trekken? Tussen het door hem vastgestelde plan en de volvoering daarvan mocht eigenlijk geen enkel oponthoud bestaan. Hij had al op weg moeten zijn.
Er hing een lichte nevel over de tuin. De zonnestralen begonnen er al doorheen te komen. De waterlelies in de vijver hadden de hele zomer gebloeid, en nu het herfst was, bloeiden ze nog. Hij kreeg de belachelijke ongerijmde aanvechting, die hij ogenblikkelijk onderdrukte, om naar buiten te gaan en het kopje van de bronzen dolfijn te strelen. Maar hij opende wel de openslaande deuren en snoof de zoele ochtendlucht op.
Hij had hoofdpijn, maar niet meer dan normaal. Hij had bijna iedere ochtend hoofdpijn. Níét zo'n monumentale, hamerende, barstende koppijn die de vezels van zijn hersens uit elkaar rukte en die hij zijn kater noemde. Hij bezondigde zich nooit aan huishoudelijk werk, nog geen kopje waste hij af, maar nu bukte hij zich en begon de krantensnippers op te rapen om ze naar de keuken te brengen. Het water kookte, het verklikkertje van de ketel ging uit. Hij maakte thee door in twee mokken een theezakje te hangen, maar besloot toen Celeste niet wakker te maken.
Stilletjes, om haar niet te storen, kleedde hij zich aan: zijn spijkerbroek, een zwart T-shirt, de donkerste trui die hij had, een effen marineblauw geval met col. Het viel hem in dat hij die dingen aantrok omdat die het dichtst de kleding van een beul benaderden. Hij wikkelde Leonora's sjaaltje rond zijn nek, trok het er weer af en duwde het in een la. In de spiegel zag hij het beeld dat Anthony en Susanna zouden zien, aangevuld met het leren jasje en de verzwaarde zak en hij deed of hij naar zijn pistool reikte. En op dat moment zei hij tegen zichzelf: hou op met dat spelletje. Je weet best dat je niet naar Lyme gaat. Je gaat nergens naartoe en je gaat niemand doodschieten.
Gisteravond wel. Toen was hij witheet van pijn en woede geweest en was er maar één ding waar hij opuit was: wraak, niets anders was van belang. Een toekomst was er niet. Een nacht slapen en dat alles was veranderd. Celeste had er verandering in gebracht. Als zij er niet geweest was, zou hij gegaan zijn, bedacht

hij. Dan was hij de vorige avond gegaan. En dan zouden Anthony en Susanna nu dood zijn, en hij gearresteerd of dood, door eigen hand.
Ik wil niet dood, dacht hij. Ik wil niet naar de gevangenis. Ik wil vrij zijn. Hij wás vrij. Door wat Leonora had gedaan had ze hem bevrijd. Hij was niet meer de slaaf van de telefoon, hij hoefde niet meer naar de zaterdagse lunch, die minstens evenveel narigheid als vreugde had gebracht. Het was zo nieuw, dat besef, dat hij ging zitten om het te overdenken, dat hij buiten in de bleke zon op een van de bronzen stoeltjes ging zitten.
Niet dat hij ooit zou ophouden van haar te houden. Dat kon hij niet. Hij zou altijd van haar blijven houden. Op een koele, nuchtere, volwassen manier wist hij dat hij zijn hele leven verliefd op haar zou blijven. Zo zat dat. Het klonk melodramatisch, maar het was een feit dat zijn lot bezegeld was op de dag toen hij met Danilo en Linus op straat rondhing en zij op het toneel was verschenen, dat meisje dat naar hen had staan kijken. Maar nu was ze weg. Nu was ze onbereikbaar. Hij had de ring die hij voor haar had gekocht in de Theems gegooid. Ze was met een ander getrouwd en als ze elkaar ooit weer zouden tegenkomen, dan zouden er altijd anderen bij zijn, de hele meute: Tessa en Magnus, Anthony en Susanna, Robin en Maeve, Rachel Lingard en oom Michael, misschien zelfs Janice en haar man. En hij zou Celeste bij zich hebben.
Waarom niet? Zij was gisteravond zijn redding geweest. Ze was altijd zijn redding. Wat ze gezegd had over hun verhouding was waar. Ze vormden inderdaad een goed span, ze hadden gemeenschappelijke belangstelling, konden goed samen praten, samen zwijgen, tussen hen was er geen sprake van gêne of boerenbedrog. Ze hield van hem zoals nooit iemand in zijn hele leven van hem had gehouden en hij was aan haar verknocht. Zelfs hij, het toffe overrijpe straatschoffie, de gewezen handelaar in klasse A verdovende middelen, de bendeleider, de gewiekste zakenman en ondernemer, zelfs hij had behoefte aan liefde.
Waarom het niet samen proberen? dacht hij. Waarom zou ik niet eens zien of er muziek in zit? Wat hebben we te verliezen?

Bij de gedachte aan het schrappen van de telefoontjes, van de fantasieën, van het misselijkmakende verlangen voelde hij binnen in zich een merkwaardige holle gewichtloosheid. Als hij zijn wraak had opgeëist, zou hij alles verloren hebben.
'Leonora,' zei hij hardop terwijl hij weer naar binnen stapte. Het was zo'n lange weg geweest, zo lang voor iemand van zijn jaren, negenentwintig nog maar, waarvan vijftien hem in de ban van de liefde hadden gehouden. 'Leonora.'
Door de hal lopend wierp hij een blik op de Kandinsky. Hij had er nooit veel in gezien. Wat mensen als Tessa Mandeville ook mochten zeggen, het was afzichtelijk. Het daar te hebben hangen was pure aanstellerij. Hij zou het verkopen. Hij haalde het pistool uit de zak van zijn jasje, ging in de hal op een Georges Jacob-stoel zitten en haalde de munitie eruit.
Van boven riep Celeste hem.
'Ik kom met de thee,' zei hij.
Als het Leonora was die daar boven in zijn bed lag, zijn prachtige Chinese bed, als die daar wakker wordend haar armen naar hem uitstrekte... De tijd voor dat soort fantasieën was voorbij. Hij liep met de mok thee de trap op.
Ze zei: 'Zoetelief, dankjewel. Heb je lekker geslapen? Voel je je wat beter? Ja hoor, ik zie het al. Je voelt je weer goed.'
Hij kwam naast haar zitten op het bed. Hij hield haar hand vast, alsof het de hand van een zieke in het ziekenhuis was. Celeste was niet ziek. Ze was jong en fit, stralend van gezondheid en levenslust. Haar donkere haar glansde als gepolijst tijgeroog. Ik zal haar een ketting van tijgeroog kopen, dacht hij. Ik zal proberen van haar te houden, dacht hij, en hoe! Als de wil daartoe genoeg is, zal het ervan komen.
Er werd gebeld.
Onwillekeurig herinnerde hij zich dat hij er eens, toen er gebeld werd, zeker van was geweest dat het Leonora was. Maar nu kon het Leonora niet zijn. En een van haar familieleden nog veel minder.
Hij liet Celestes hand los en zei tegen haar: 'Strakjes gaan we iets gezelligs doen. Een ritje buiten maken. Het wordt een fijne dag.'

Terwijl hij halverwege de trap was, werd er weer gebeld. Iemand leek haast te hebben. Hij deed open en zag twee mannen staan. De oudste was een blanke in het pak van een accountant. De zwarte man, van zijn eigen leeftijd, droeg een spijkerbroek net als de zijne en een trui met col, alweer net als de zijne. Hij zag eruit als een beul en zijn gezicht kwam hem bekend voor.
De man in het pak zei: 'Meneer Curran? Meneer Guy Curran?'
Guy knikte.
'Ik ben van de politie. Wij zijn beiden van de politie. Kijk, u zult onze machtiging willen zien. Dat bespaart u de moeite van het vragen. Ik ben inspecteur Shaw van de recherche en dit hier is brigadier Pinedo. Mogen we binnenkomen?'
Het was Linus. Hij moest Guy kennen, in hem zijn vroegere speelmakker herkennen, maar hij liet daar niets van blijken, en Guy zei niets, keek hem zwijgend aan. Dus dat was er van Linus terechtgekomen. Hij was helemaal niet aan lagerwal geraakt, noch was hij de drugsbandiet die terechtgesteld was voor het smokkelen van verdovende middelen, maar hij zat bij de politie. Het donkere gezicht was voller, minder knap en stond star, fanatiek. Men zegt dat een heel dunne lijn de politieagent scheidt van de misdadiger, en dat die twee een sterke verwantschap vertonen. Linus had de voorkeur gegeven aan de rol van jager boven die van het wild.
Guy deed een stap achteruit om de beide mannen binnen te laten, en het licht door de open deur viel op het pistool dat nog op het gangtafeltje lag. Shaw zag het.
'Heeft u een vergunning voor dit vuurwapen, meneer Curran?'
'Ja natuurlijk.' Maar dat was niet waar en ze zouden die willen zien. 'Voor een geweer, ja,' zei hij. 'Voor een .22.'
'Dit is geen geweer,' zei Shaw.
Hij raakte het pistool niet aan. Hij liep de hal door naar de zitkamer, met Linus achter zich aan. Linus had nog altijd de gang van een pooier: de heupen stram, de dijen tegen elkaar, schouders in een zwaai. De magere man in het grijze pak ging op de sofa in Guys zitkamer zitten zonder links of rechts te kijken, zonder de Kandinsky een blik waardig te keuren.

'Wat kan ik voor u doen?'
'We zijn bezig met een onderzoek naar de omstandigheden van de dood van mevrouw Llewellyn-Gerrard.'
'Ik ken geen mevrouw Llewellyn-Gerrard.'
Guy voelde zich enorm opgelucht. Dat was waarschijnlijk iemand uit de straat. Ze deden huis-aan-huisonderzoek. Weer zo'n geval waarbij een vrouw doodgestoken in haar slaapkamer was aangetroffen, of gestorven aan een overdosis. Dat kwam om de haverklap voor. Shaw keek hem onderzoekend aan.
'Mevrouw Janice Llewellyn-Gerrard,' zei Linus. 'In Portland Road.'
'Janice,' zei Guy, stomverbaasd. 'Ja, ja die ken ik wel. Als het tenminste dezelfde is. Maar Portland Road? Ik ken wel andere mensen in Portland Road.'
Hij klonk verward, buiten adem. Hij hoorde zijn eigen stem. Shaw bleef hem aankijken. Linus bleef hem aankijken. 'Is die dood?' vroeg hij in een poging zijn positie te verbeteren. 'Waar is ze aan gestorven?'
'Ze is vermoord.' Linus' gouden tand glinsterde.
Hij speelde de vermoorde onschuld. Hij snapte er niks van, zei hij. 'Hoe is ze dan vermoord?'
'Het is fout gegaan,' zei Shaw. 'De man werd gezien. Hij is onder arrest.' Guy vond dat hij erg zelfingenomen klonk. 'Hij is sedert gisteravond acht uur, één uur na het gebeurde, onder arrest.'
'Bedoelt u dat ze beroofd is?'
'Nee, dat bedoel ik niet. De man belde aan, maar de huistelefoon werkte niet, dus kwam ze naar beneden. Hij heeft haar van vlakbij door hoofd en borst geschoten. Ze was op slag dood. Ze kan niet beseft hebben wat haar overkwam. Maar haar man was achter haar aan de trap af gekomen en die heeft alles gezien. Hij was in staat een persoonsbeschrijving te geven.'
'Wilt u zo goed zijn met ons mee te komen, meneer Curran?' zei Linus. Hij was zijn accent kwijt, het accent van Celeste van de Caraïbische eilanden. Hij sprak als een politieagent op weg naar de top. De eerste zwarte commissaris, dacht Guy. 'Naar het bureau, dat is gemakkelijker.'

'Ik?' zei Guy. 'Waarom ik? U hebt iemand gearresteerd, dat zei u zelf. U zei dat u hem onder arrest hebt.'
'Ene Charlie Ruck, inderdaad. Wilt u even kijken naar het kaartje dat we bij hem hebben aangetroffen? Uw naam en adres staan erop.'
Guy las het kaartje, hoewel dat niet nodig was. Hij had het herkend. Hij had het aan Danilo gegeven in de Black Spot toen ze de 'opruiming' van Rachel Lingard bespraken: Klein van stuk, rond gezicht, dik, bril, donker, achterovergekamd haar, om en bij de zevenentwintig jaar.
'Dat kan ik wel uitleggen,' begon hij, en toen kreeg hij door dat hij dat niet kon.
Hij had vergeten, maar nu schoot het hem weer te binnen, dat een van hen had gezegd dat Janice en haar man in Portland Road zouden logeren. Misschien Leonora wel. Anders had hij zich altijd ieder woord van Leonora herinnerd, maar nu wist hij het niet meer, en dat besef vervulde hem met een wrang verdriet.
De beide politiemannen sloegen hem gade.
'Kom maar mee, Curran,' zei Shaw. Het 'meneer' werd eraf gelaten. Dat was het begin.
Met de moed der wanhoop riep hij naar boven, naar Celeste: 'Tot straks.'
'Dat betwijfel ik,' zei Linus.
Ze gingen naar buiten en stonden in de Mews. Een van Guys buren gunde hun een onverschillige blik. Guy stapte in de auto en ze reden met hem weg.

Lees ook van A.W. Bruna Uitgevers B.V.

Ruth Rendell

De verrassing

Ivor Tesham, een jonge, knappe en ambitieuze politicus, wil zijn minnares Hebe Furnal een onvergetelijk en spannend cadeau voor haar verjaardag geven: ze wordt zogenaamd ontvoerd. Terwijl Ivor met de champagne zit te wachten, verstrijkt het tijdstip waarop Hebe zou moeten verschijnen. Pas de volgende dag hoort hij dat de auto waar Hebe in zat, verongelukt is. De chauffeur en Hebe zijn dood, de handlanger zwaar gewond. Geschokt door de gebeurtenis, maar vooral bang dat uit zal komen dat hij Hebes minnaar was en achter de nepontvoering zat, wil Ivor er alles aan doen om erachter te komen of iemand hem kan verraden. Er is één vrouw die het zou kunnen weten, want zij was Hebes alibi op de dagen dat deze haar minnaar zag. Maar wat weet zij precies?

ISBN 978 90 229 9478 8